LA PAROLE EN PUBLIC

LA PAROLE EN PUBLIC

SAVOIR ÊTRE
SAVOIR FAIRE

Sous la direction
de
Jacques VERMETTE
et
Richard CLOUTIER

LES PRESSES DE L'UNIVERSITÉ LAVAL
SAINTE-FOY, 1992

Données de catalogage avant impression

Vedette principale au titre :

La Parole en public : Savoir être et savoir faire
Comprend des références bibliographiques.
ISBN 2-7637-7285-4

1. Art de parler en public. 2. Communication orale —
Aspect psychologique. 3. Parole — Aspect physiologique.
4. Voix — Culture. I. Vermette, Jacques, 1935-   .
II. Cloutier, Richard, 1946-   .

PN4123.P37 1992   808.5'1   C92-096097-9

Révision linguistique : Dominique Johnson

Conception graphique et couverture : Norman Dupuis

Troisième tirage : 1999
© Les Presses de l'Université Laval 1992
Tous droits réservés. Imprimé au Canada
Dépôt légal (Québec et Ottawa), 1er trimestre 1992
ISBN 2-7637-7285-4
2e tirage : 1992

AVANT-PROPOS

Qu'est-ce que la parole en public ? Nous convenons que c'est **l'activité qui consiste à présenter oralement un message à un auditoire**. Communication avec un grand C, la parole en public est un univers humain complexe où les caractéristiques de l'orateur, celles de son message, celles de son auditoire et celles du contexte dans lequel ils se trouvent tous placés apportent leur contribution pour faire de chaque expérience quelque chose d'unique.

La parole est un sujet dont la pertinence sociale remonte aux temps les plus anciens mais qui n'a rien perdu de sa vivacité puisqu'elle se situe toujours au cœur des interactions sociales humaines. La parole en public occupe une place grandissante dans nos vies. La valorisation culturelle de la participation et de l'affirmation de soi, la démocratisation de l'éducation, la gestion participative des entreprises et les nouvelles technologies de communication sont quelques facteurs qui font de l'habileté à communiquer une compétence très recherchée aujourd'hui.

Compétence recherchée parce que quiconque en est privé se retrouve incapable d'accéder à l'interaction avec le groupe, enfermé dans une sorte d'« analphabétisme public ». Compétence recherchée aussi parce qu'elle permet de vivre des expériences humaines passionnantes tant du côté de la diffusion des savoirs que de celui du partage de convictions. Développer la maîtrise de la parole en public signifie apprivoiser une forme de réussite personnelle et sociale dont on ne se lasse jamais.

Le premier objectif de cet ouvrage consiste à être utile à son lecteur, en lui présentant simplement une information susceptible de l'aider à apporter des solutions à des problèmes que peut lui poser la prise de parole en public. Or comme le principal outil dont nous disposons pour développer nos habiletés à parler en public est nous-même, le guide est centré sur la personne du communicateur. Il ne traite pas directement des auditoires, des environnements de communication, des contenus des messages, des fonctions du discours, etc. ; il concerne la personne même du communicateur et il aborde celle-ci à différents niveaux.

Ainsi, *La parole en public . Savoir être et savoir faire* présente des connaissances de base et des moyens de traiter certaines difficultés rencontrées au cours de la communication orale.

Neuf spécialistes (oto-rhino-laryngologiste-phoniatre, pharmaco-logue, linguiste, psychologues et communicateurs) fournissent les informations nécessaires concernant les enjeux physiologiques de la parole en public jusqu'à ses implications psychologiques, en passant par la palette des éléments à mettre en place pour parler en public efficacement. Des moyens concrets sont suggérés pour atténuer les effets de la timidité et du trac, ou encore de certains aliments et médicaments, pour projeter les sons avec qualité, pour tirer profit du charisme séducteur et pour s'exprimer avec spontanéité.

Le second objectif poursuivi par cet ouvrage est d'être agréable à lire. Chaque chapitre étant signé d'une plume différente, les styles varient d'une section à l'autre, mais tous les auteurs partagent une volonté de simplicité de façon à éviter autant que possible les détours.

Nous souhaitons que cet ouvrage puisse apporter un éclairage utile à toute personne qui a à prendre la parole en public.

J.V. et R.C.

L'APPAREIL VOCAL

François Parent
*Oto-rhino-
laryngologiste-
phoniatre
au centre hospitalier
Hôtel-Dieu
de Québec*

Après son cours de
médecine et une
spécialité en oto-rhino-
laryngologie, le docteur
François Parent a fait
une année de sur-
spécialité en
phoniatrie. Il est
membre du Service
d'oto-rhino-laryngologie
du centre hospitalier
Hôtel-Dieu de Québec
depuis 1984 et est
chargé de cours à la
Faculté de médecine de
l'Université Laval.

INTRODUCTION

Présenter et expliquer l'appareil vocal, c'est décrire un instrument que l'on utilise depuis son plus jeune âge. L'impression de bien le connaître et parfois aussi la conviction qu'il est infaillible, indestructible, sont très souvent bien ancrées en nous. Toutefois, rien n'est infaillible, indestructible ; si l'utilisation qui doit en être faite est importante, une connaissance adéquate de l'appareil vocal et des précautions pour le préserver ne peuvent qu'aider.

On appelle « appareil vocal » l'ensemble des organes qui nous permettent d'émettre des sons vocaux, donc qui permettent la phonation. Il s'agit d'une entité fonctionnelle plutôt qu'anatomique, puisque chacun des organes qui la constituent a d'abord d'autres fonctions plus importantes ou plutôt plus vitales que la phonation.

La voix est le produit final d'un instrument à vent. Pour en faire l'étude, nous décrirons une soufflerie (l'appareil respiratoire), un vibrateur ou l'instrument lui-même (le larynx) et des résonateurs (le pharynx, le nez, la bouche).

FIGURE 1.1
La voix est le produit final d'un instrument à vent.
Une soufflerie, un vibrateur et des résonateurs font partie de l'appareil vocal.

Voies respiratoires
supérieures :
résonateurs

Cordes vocales :
vibrateur

Voies respiratoires
inférieures :
soufflerie

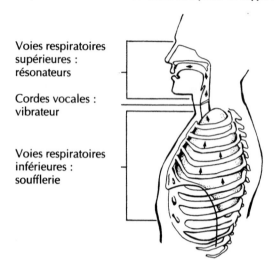

Illustration : Suzette Patry, Service des ressources pédagogiques de l'Université Laval

Les notions d'anatomie et de physiologie vocales étant acquises, nous traiterons de l'hygiène et de la santé vocale puis décrirons quelques anomalies fréquentes de l'appareil vocal ainsi que leur traitement.

ANATOMIE ET PHYSIOLOGIE

La soufflerie – les poumons

Les poumons sont loin d'être seuls responsables de la respiration, donc de la soufflerie. En fait, dans toute la mécanique respiratoire, ils sont absolument passifs ; leur mouvement dépend de l'action des muscles respiratoires sur le squelette qui les entoure.

Situés dans la cage thoracique, les poumons sont protégés par des « barreaux horizontaux » qui sont en fait les côtes. Entre les côtes, des muscles augmentent ou diminuent le volume de la cage : ce sont les **muscles intercostaux**.

Le plancher de cette cage est formé par un muscle large et mince, le **diaphragme**, qui sépare ainsi le thorax de l'abdomen. Au repos, ce muscle forme une coupole qui s'aplatit lors de la contraction, repoussant le contenu de la cavité abdominale vers le bas et agrandissant la cage thoracique. Il s'agit du **muscle inspiratoire** principal.

Lorsqu'ils se contractent, les **muscles abdominaux** compriment le contenu abdominal et refoulent le diaphragme vers le haut, diminuant ainsi le volume de la cage thoracique. Les muscles abdominaux sont des **muscles expiratoires** importants.

Les poumons sont prisonniers de la cage thoracique et suivent étroitement les mouvements de celle-ci en se gonflant ou en se dégonflant. Les poumons sont constitués d'un ensemble de voies aériennes de plus en plus petites, allant des bronches jusqu'aux alvéoles, qui sont en fait de petites bulles. L'air entre et sort des poumons par la trachée qui se continue plus haut par le larynx, puis le pharynx et finalement le nez ou la bouche.

L'acte respiratoire compte deux temps : l'inspiration et l'expiration. Lorsque nous **inspirons**, la cage thoracique est agrandie par l'action des muscles inspiratoires (intercostaux et diaphragme). Le poumon suit passivement le mouvement et s'agrandit, créant une pression négative qui aspire l'air à travers le nez, la bouche, le larynx, la trachée et les bronches jusqu'aux alvéoles où se produisent les échanges gazeux (figure 1.2).

FIGURE 1.2
**Les poumons suivent passivement le mouvement de la cage thoracique et du diaphragme.
Pendant l'inspiration (trait pointillé), le diaphragme s'abaisse et la cage thoracique s'élargit ;
le contraire se produit pendant l'expiration (trait continu).**

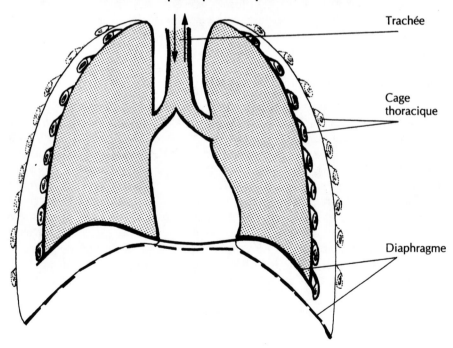

Trachée

Cage thoracique

Diaphragme

Illustration : Suzette Patry, Service des ressources pédagogiques de l'Université Laval

L'**expiration** est d'abord passive. Les structures élastiques de la cage thoracique, qui ont été étirées lors de l'inspiration, tendent à reprendre leur position d'équilibre. Le diaphragme remontant et la cage thoracique se contractant, la pression positive créée chasse l'air hors des poumons. Les muscles expiratoires (intercostaux et abdominaux) peuvent toutefois entraîner une pression expiratoire plus élevée et ainsi augmenter efficacement la puissance de la soufflerie.

La fonction première de l'appareil respiratoire est de permettre les échanges gazeux au niveau des alvéoles pulmonaires. Le sang puise dans l'alvéole l'oxygène dont il a besoin et rejette les gaz dont il ne veut plus. Le mouvement de l'air inspiré et expiré permet de renouveler constamment l'air dans l'alvéole.

Lorsqu'on parle de voix, c'est vraiment ce mouvement de l'air et toute la puissance qu'il transporte qui nous intéresse.

Lors de la **phonation**, il y a adaptation importante des mouvements respiratoires ; d'abord le **rythme** est modifié : l'inspiration se raccourcit alors que la phase expiratoire est allongée. Le **volume d'air mobilisé** est beaucoup plus important que lors de la respiration normale et, finalement, la **pression expiratoire** est plus élevée afin de vaincre l'obstacle créé par l'accolement des cordes vocales au niveau du larynx. Tous ces paramètres doivent continuellement être modifiés selon l'intensité, la hauteur et le timbre que l'on veut donner à la voix.

L'instrument, le vibrateur – le larynx

Le **larynx** est la source sonore. C'est sur lui que sera appliquée l'énergie développée par l'expiration. Sa structure cylindrique relie la trachée au pharynx. Il s'agit donc d'une partie des voies respiratoires ; l'air doit obligatoirement le traverser pour entrer ou sortir des poumons. Son squelette cartilagineux protège et soutient les structures mobiles qui sont à l'intérieur ; les **cordes vocales** sont les plus importantes. Elles forment deux replis horizontaux et apparaissent blanches et étroites à l'examen. Les deux cordes se rejoignent en antérieur, un peu sous le niveau de la pomme d'Adam (chez l'homme) et se séparent en postérieur, formant un « V ». La **glotte** est tout simplement l'espace entre les deux cordes vocales. Les cordes vocales peuvent se rapprocher l'une de l'autre ; en se rejoignant, les jambes du « V » ferment la glotte (figure 1.3).

FIGURE 1.3
Vue supérieure du larynx normal fermé et ouvert

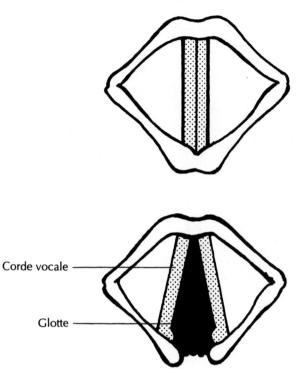

Illustration : Suzette Patry, Service des ressources pédagogiques de l'Université Laval

Lors de la phonation, les cordes vocales se rapprochent doucement l'une de l'autre. L'air est poussé contre cet obstacle. La pression sous-glottique augmente et force l'ouverture. L'air s'échappe entre les cordes vocales qui se referment immédiatement jusqu'à ce que, de nouveau, la pression sous-glottique soit suffisante pour provoquer la réouverture. La vibration laryngée sera donc constituée d'une alternance de mouvements d'ouverture et de fermeture. À chaque ouverture, l'air fuit sous pression. Il y a donc formation d'un train de « bouffées » d'air qui constitue l'onde sonore (figure 1.4).

FIGURE 1.4
Mécanisme des vibrations laryngées.
Cycle de production des bouffées d'air qui constituent l'onde sonore.

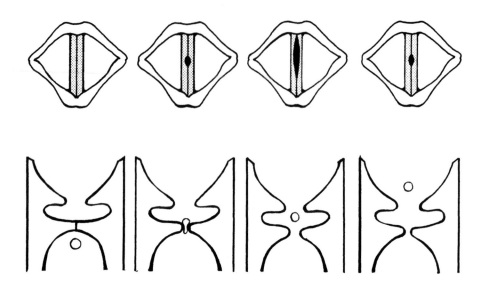

Illustration : Suzette Patry, Service des ressources pédagogiques de l'Université Laval

Le son laryngé est décrit par trois paramètres : sa hauteur, son intensité et son timbre. La hauteur du son dépend de la fréquence des impulsions, l'intensité de leur amplitude (leur grosseur) et le timbre de leur forme. La **fréquence** de n'importe quelle structure vibratoire dépend de sa tension, de sa longueur et de sa masse. Or ces trois paramètres peuvent être modifiés au niveau des cordes vocales ; les muscles laryngés permettent d'augmenter ou de diminuer la longueur des cordes vocales, leur tension et même leur épaisseur (donc leur masse). Ces modifications peuvent être très rapides et précises, permettant à la voix d'être si mobile sur une gamme musicale. L'**intensité** ou l'amplitude des impulsions laryngées variera en fonction de la pression sous-glottique (la force de la soufflerie). Plus la pression sera élevée, plus les impulsions seront grosses et plus la voix sera « forte ». Le **timbre** quant à lui résulte de la qualité de l'impulsion laryngée, de sa forme. Il dépend des harmoniques qui sont, si l'on veut, des fréquences secondaires de la voix, fréquences que l'oreille non entraînée ne distingue pas nettement, mais qui contribue à la couleur et à la richesse du son (la fréquence proprement dite du son ; celle décrite antérieurement est la fréquence fondamentale).

Bien qu'ils soient décrits séparément, ces trois paramètres de la voix sont intriqués et indissociables ; de même ils dépendent et ne peuvent être isolés de la soufflerie et des résonateurs qui peuvent les influencer considérablement.

La voix est la fonction noble du larynx, mais sa fonction principale est de **protéger les voies respiratoires inférieures** ; c'est en fait la fermeture du larynx (donc des cordes vocales) qui empêche les aliments de tomber dans la trachée, et dans les poumons, lorsque nous avalons. La fermeture des cordes vocales est alors beaucoup plus ferme et solide que lors de la phonation.

L'étanchéité du larynx permettra aussi une **toux** efficace ; en augmentant la pression de la soufflerie sous les cordes vocales fermées puis en les ouvrant subitement, on provoque une expulsion très rapide de l'air qui a de fortes chances d'éliminer les sécrétions qui se trouvent au niveau des poumons ou de la trachée, ou encore un corps étranger qui aurait réussi à s'y rendre.

Les résonateurs – les voies aéro-digestives supérieures

Le son laryngé seul n'est pas plus signifiant que celui d'un saxophone. Évidemment, comme pour le saxophone, il peut véhiculer des informations sur l'humeur, les émotions, mais il ne porte pas encore de mot. La coloration finale du son est sous la responsabilité des **résonateurs**. La partie des voies respiratoires située au-dessus des cordes vocales est traversée par l'onde sonore émise par le larynx (vibrateur) et les poumons (soufflerie) ; cette partie constitue les résonateurs (figure 1.5), qui modifient la qualité du son perçu par l'auditeur.

FIGURE 1.5
Les résonateurs : pharynx, cavité buccale et fosses nasales

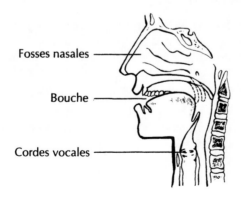

Fosses nasales

Bouche

Cordes vocales

Illustration : Suzette Patry, Service des ressources pédagogiques de l'Université Laval

On peut donc identifier comme résonateurs le pharynx, la cavité buccale et les fosses nasales. Certaines parties de ces résonateurs sont mobiles et peuvent modifier considérablement la taille et la forme des cavités de résonance. Ces parties sont la mâchoire inférieure, la langue, les lèvres, le voile du palais (le palais mou et la luette), le pharynx et le larynx (dont on peut modifier la hauteur dans le cou). En fait, chaque résonateur a sa fréquence propre ; chaque impulsion qui le traverse le fait résonner à cette fréquence en ébranlant l'air qu'il contient. Le son laryngé se charge des fréquences propres des résonateurs traversés ; il se complique et s'enrichit.

On l'a vu : les résonateurs peuvent changer leur forme et leur taille. Leur fréquence propre peut donc également varier de façon infinie, permettant des possibilités de couleurs sonores innombrables. Si les résonateurs ajustent leur fréquence propre sur celle du son laryngé ou sur celles de ses harmoniques, il y a alors amplification et l'effort demandé à la soufflerie et au larynx est moins grand pour une même intensité vocale. Si les fréquences propres des cavités résonantes sont très différentes de celles de la fréquence fondamentale ou de ses harmoniques, il y a alors assourdissement : le son laryngé est en quelque sorte étouffé.

La production de chaque voyelle requiert un ajustement précis entre le son laryngé et les résonateurs. C'est la combinaison du son laryngé et de l'action de ce son sur les résonateurs qui réussira à produire une voyelle spécifiquement. Les consonnes, quant à elles, sont tout simplement des bruits surajoutés par une turbulence de l'air expiré provoquée par un rétrécissement de la voie aérienne (consonne constrictive ou fricative : « s », « ch », « f », etc.), ou par une brusque interruption du flot suivi d'une brusque réouverture (consonne explosive ou occlusive : « p », « t »,« k », etc.).

SANTÉ ET HYGIÈNE VOCALE

Certes la voix est vigoureuse et solide, mais elle mérite une attention particulière. On la croit innée, naturelle, mais si on veut lui demander beaucoup, il faut l'entraîner ; un coureur sérieux ne s'entraîne-t-il pas prudemment pendant plusieurs mois en vue d'un marathon ? Une voix surutilisée, abusée ou rudoyée ne pourra pas donner un bon rendement.

En général, on doit éviter les hurlements, surtout à l'extérieur, car la voix se perd facilement, s'entend moins bien et est plus difficile à ajuster. Il faut bien contrôler sa voix si le bruit ambiant est important (réunion, restaurant, baladeur, etc.), on peut trop facilement crier sans s'en rendre compte ! Il faut éviter de se « dérhumer » de façon importante ; il s'agit d'une activité vocale qui peut être traumatisante, et l'on devrait plutôt boire un peu d'eau ou se gargariser. Mieux vaut ne pas utiliser sa voix lorsqu'on est enrhumé ou si la voix est fatiguée : les cordes vocales sont alors plus vulnérables. Il est important de s'hydrater suffisamment et de contrôler l'humidité dans la maison afin de garder les cordes vocales dans un milieu ambiant idéal. Il faut éviter la pollution trop importante ou les émanations irritantes. Fumer ou boire des quantités d'alcool trop importantes est nocif pour quiconque, et si la voix doit être utilisée de façon régulière, ces deux éléments peuvent être néfastes. La cigarette et l'alcool sont des irritants laryngés majeurs qui entraînent des changements inflammatoires légers ou importants. L'évolution de la maladie peut même permettre l'apparition d'un cancer. L'orateur sérieux doit protéger sa voix et, s'il doit subir des traumatismes inévitables de l'utilisation vocale importante, de la pollution, de la sécheresse et de la fumée des autres, il ne devrait pas lui-même endommager son instrument de travail.

La voix ne peut se dissocier du « psychologique » ou de l'« émotionnel » de la voix. La voix peut trahir la tristesse ou la joie, le calme ou le stress, la fatigue ou la vigueur. Le débit, la hauteur, l'intensité, le timbre et le rythme respiratoire révèlent l'humeur de l'interlocuteur, parfois de façon plus efficace que les mots eux-mêmes.

Il apparaît donc évident qu'un trouble psychologique ou émotionnel puisse influencer la voix. Un juste équilibre de ce côté ne peut être qu'un élément positif pour une bonne « santé vocale ».

ANOMALIES DE L'APPAREIL VOCAL

Les anomalies possibles de l'appareil vocal sont très nombreuses et ne peuvent être décrites ici de façon exhaustive. Nous nous intéresserons plus particulièrement aux problèmes causés par l'utilisation abusive ou maladroite de la voix, donc aux problèmes qui peuvent être évités.

La voix ne peut pas être la même tous les jours et pendant toute la journée. Parfois moins claire au réveil, elle s'éclaircit pendant le petit déjeuner, puis peut se fatiguer si elle est utilisée de façon importante toute la journée. Si les dommages ne sont pas importants et surtout si on la laisse se reposer, la récupération sera totale et sans séquelles, mais si les abus se répètent jour après jour, les dangers de problèmes permanents sont alors bien réels. C'est le problème de Julie : enseignante au primaire, elle parle toute la journée. Elle n'a pas vraiment la possibilité de reposer sa voix pendant l'année scolaire. Elle a obtenu son diplôme après de longues études qui lui ont appris beaucoup et qui l'ont préparée à sa carrière. Mais, curieusement, personne n'a pensé vérifier sa technique vocale et encore moins lui enseigner à utiliser sa voix de façon efficace devant un public.

D'abord, peu de choses sont visibles ou audibles. Julie nous dit que sa voix se fatigue rapidement et qu'elle doit la forcer jusqu'à ne plus avoir envie de parler. Le son est peu modifié, tout au plus est-il un peu voilé en fin de journée. À l'examen, les cordes vocales sont un peu rouges, un peu enflées (œdémateuses). L'appareil vocal de Julie est fatigué parce qu'il est surutilisé ou mal utilisé.

Les conseils d'hygiène vocale, l'orthophonie ou des cours de pose de voix peuvent aider et régler le problème assez facilement.

Mais si rien n'est fait, Julie continue de « forcer sa voix ». Le son se détériore et devient de plus en plus voilé, voire éraillé. Ses collègues lui disent qu'elle paraît enrhumée.

On voit maintenant des changements moins subtils. Les cordes vocales sont plus rouges, l'œdème est plus important et on peut apercevoir des **nodules**. Il y a en effet un œdème plus localisé, situé à la jonction du tiers antérieur et des deux tiers postérieurs des cordes vocales. Ces nodules empêchent le bon accolement des cordes vocales et donc une phonation efficace (figure 1.6). Les nodules sont d'abord mous et réversibles. L'enseignement de l'hygiène vocale et l'orthophonie sont essentiels, mais le plus important demeure sans contredit Julie. C'est à elle de corriger ses mauvaises habitudes, de s'astreindre à l'entraînement prescrit par l'orthophoniste, de travailler sur sa respiration, sur sa technique vocale. Elle doit acquérir une voix efficace, c'est-à-dire une voix qui sera la plus performante possible tout en se fatiguant le moins possible. Il y a de bonnes chances que les nodules disparaissent.

FIGURE 1.6
Les nodules empêchent l'accolement parfait des cordes vocales et nuisent à la phonation.

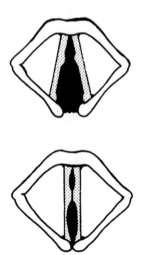

Illustration : Suzette Patry, Service des ressources pédagogiques de l'Université Laval

Mais s'ils évoluent, les nodules deviennent plus fermes et fibreux ; ils s'organisent. Ils sont de moins en moins réversibles. La chirurgie (excision des nodules) pourra être nécessaire pour les faire disparaître. L'orthophonie est encore primordiale ; si de bonnes habitudes vocales sont prises, on a d'abord des chances de voir disparaître les lésions, et surtout s'il faut opérer, on a plus de chance d'éviter les récidives.

D'autres lésions provoquées par les abus vocaux peuvent se présenter suivant le même cheminement. Un **polype** est une lésion le plus souvent unilatérale, plus grosse, plus mobile ; la voix est plus mauvaise. Ici encore, le traitement est d'abord l'orthophonie et plus fréquemment que dans les cas de nodule, la chirurgie.

Dans les cas de **laryngite chronique**, on ne voit pas de lésion précise, la muqueuse est tout simplement épaissie dans son ensemble. La voix perd de sa finesse, devient voilée, éraillée et rauque. Le traitement sera de nouveau l'hygiène vocale et l'orthophonie.

Les cordes vocales peuvent présenter également d'autres problèmes : de petites **anomalies congénitales** expliquant une voix « spéciale depuis toujours » ; des **infections** accompagnant par exemple les rhumes, infections pendant lesquelles la voix ne devrait pas être surutilisée, parce que les cordes vocales sont plus fragiles ; enfin, des **cancers** au niveau des cordes vocales qu'on retrouve toutefois rarement chez les gens qui n'ont ni fumé ni bu d'alcool de façon importante.

Comme nous l'avons déjà dit, les émotions peuvent influencer la voix. Il peut arriver qu'un problème d'ordre émotionnel soit la seule cause d'un problème vocal. Toute la mécanique est là, prête à fonctionner, mais le sujet ne peut l'utiliser adéquatement. Le trouble vocal peut être très léger ou très important. Il n'est pas rare de rencontrer des gens qui seront complètement aphones (sans voix) et dont la cause première du problème sera d'ordre psychologique. Parfois, la voix se corrige très facilement sans avoir besoin de toucher aux problèmes psychologiques. Par contre, si les problèmes sont complexes, bien ancrés, ou si les récidives sont fréquentes, une consultation chez un psychologue ou un psychiatre aidera la thérapie.

Ce qu'il faut vraiment comprendre, c'est que chacun est responsable de sa voix. Si un problème se présente, l'orthophoniste, le phoniatre et les autres spécialistes sont là pour aider. Cependant, le plus gros du travail devra être fait par le propriétaire de la voix. Si on peut être bien conscient de sa voix, de sa solidité, mais aussi de sa fragilité, les problèmes importants risquent de ne jamais se présenter.

LES INTERVENANTS EN « SANTÉ VOCALE »

Les soins de la voix sont assurés idéalement par une équipe. Celle-ci peut compter un grand nombre d'individus qui seront plus ou moins sollicités selon la fréquence des affections vocales qui touchent leur domaine particulier. L'équipe « de base » est constituée d'oto-rhino-laryngologistes-phoniatres et d'orthophonistes ; à ceux-ci se greffent au besoin psychologues, psychiatres, audiologistes, endocrinologues, neurologues, etc.

Si nous avons un problème vocal, le rôle du **phoniatre** est de nous voir, de nous écouter, de nous examiner. Il peut diagnostiquer, suggérer un traitement et suivre l'évolution.

Comme dans toutes les autres spécialités médicales, l'élément le plus important de l'investigation est l'histoire ; nous décrirons donc notre problème, quand il est apparu, quels sont sa fréquence, ses fluctuations, sa sévérité et le handicap qu'il nous impose. Mais ici, en plus de ce que nous disons, le son même de la voix et la façon de l'utiliser sont des indices précieux. Nos premiers mots auront déjà suggéré une idée diagnostique à l'oreille exercée du médecin. Puis, nous serons examiné ; un examen oto-rhino-laryngologique complet avec une attention particulière portée sur le larynx. L'examen laryngé habituel est fait à l'aide d'un miroir laryngé (qui ressemble à celui du dentiste) placé dans le pharynx et dirigé vers le bas. Une lumière est dirigée sur le miroir qui la reflète plus bas sur le larynx, permettant ainsi d'illuminer les cordes vocales et de bien les voir. On peut également avoir recours à des méthodes plus sophistiquées (par exemple la fibre optique). Une lumière stroboscopique peut faciliter l'examen en permettant de voir les vibrations des cordes vocales au ralenti.

À ce stade, le diagnostic de notre problème vocal peut souvent être porté. Par contre, il faudra parfois demander l'avis de collègues d'autres spécialités afin d'éliminer ou de préciser une pathologie. De même, l'évaluation par l'orthophoniste, qui est souvent considérée uniquement comme l'amorce du traitement orthophonique, constitue un élément essentiel de l'investigation (étude des habitudes ou du comportement vocals). Puis, le phoniatre et l'orthophoniste suggéreront le traitement qu'ils jugent approprié : l'orthophonie (éducation et rééducation), la médication (anti-inflammatoires, antibiotiques, etc.) ou, si elle est nécessaire, la chirurgie. Ils suivront également notre évolution, évalueront la réponse au traitement et s'assureront de la stabilité vocale que nous aurons obtenue.

Les pathologies vocales ne sont pas toujours absolument objectives et précises ; elles peuvent être subtiles. Le médecin devra peut-être nous rencontrer plusieurs fois et souvent accompagné de l'orthophoniste afin de bien cerner le problème, préciser le diagnostic et mieux orienter le traitement.

Le travail de l'**orthophoniste** est de prévenir, d'évaluer et d'aider à la réadaptation des troubles de la communication. Le trouble peut être vocal : le son est anormal, éraillé ou mauvais, l'intensité est trop faible, la voix se fatigue trop vite, etc. ; ou il peut être articulatoire : la précision sonore des voyelles ou des consonnes est inadéquate, l'intelligibilité du langage est compromise.

L'orthophoniste évalue d'abord le problème afin de le préciser et de mieux le définir. Il étudie les habitudes et la technique vocales du patient, tente d'en déterminer les aspects qui pourraient être déficients. S'il le juge approprié, il peut guider le patient dans une démarche d'éducation ou de rééducation : travail sur l'articulation, la mécanique respiratoire, etc. Cette démarche, qui peut être longue, n'est possible que si le patient accepte de participer et de travailler.

En général, le but d'une rééducation sera d'obtenir une voix efficace qui ne se fatigue pas facilement et qui est agréable. La thérapie connaîtra un franc succès si parler devient plus facile.

Références bibliographiques

CORNUT, G. *La voix,* Paris, Presses universitaires de France, 1983. (« Que sais-je ? »)

FALLER, A. et P. SPRUMONT. *Le corps humain,* 3e édition, Paris, Éditions universitaires Fribourg Suisse, 1988.

LUCENTE, F.-E. et S.-M. SOBOL. *Essentials of otolaryngology,* 2e édition, New York, Raven Press Ltd., 1988.

L'ALCHIMIE DE LA PAROLE

François Doré
Professeur en pharmacologie et toxicologie à l'Université Laval

Le docteur François Doré a poursuivi des études postdoctorales en neuro-biologie. Ses domaines de recherche sont la chronopharmacologie (qui étudie l'effet d'un médicament en fonction du moment de l'administration) et l'hypertension essentielle en relation avec la nutrition. Côté enseignement, François Doré s'intéresse plus particulièrement à la pharmacologie du système nerveux autonome, cette partie du système nerveux qui régularise toutes les grandes fonctions de l'organisme.

INTRODUCTION

Ce chapitre nous renseignera sur les effets potentiellement nuisibles ou bénéfiques de certains médicaments ou nutriments sur la performance orale. Nous verrons d'abord quelques éléments concernant le système nerveux avant d'entreprendre l'étude plus systématique des médicaments et aliments.

« Mange tes rôties même si elles sont brûlées ! Cela donne de la voix ! » a peut-être un fond de vérité. Devrait-on prendre un peu d'alcool avant une performance oratoire ? La cigarette est-elle si nuisible pour la santé ou au contraire...? Que penser des anxiolytiques qui diminuent le stress ? Le fait de suivre un traitement chronique, c'est-à-dire un traitement de longue durée, pour certaines douleurs modifiera-t-il nos capacités de conférencier ? Nous avons probablement déjà reçu ou entendu plus d'un conseil de ce genre et il n'est pas sûr que ceux-ci aient un fondement réel.

La documentation scientifique jette une lumière quelque peu diffuse sur la relation qui peut exister entre la prise de certains médicaments ou aliments et la performance oratoire elle-même. Cependant, les effets de certaines substances sur le système nerveux sont assez bien connus. Nous nous appuierons donc sur ces connaissances pour tenter de dégager le réel de l'imaginaire, l'effet physiologique de l'effet placebo.

L'étude systématique requiert quelques notions de l'organisation du système nerveux, car c'est lui qui participera le plus dans la performance oratoire. Il est en effet le siège de l'intellect, de la mémoire et de la conscience affective et contrôle en plus tout le système végétatif (respiration, pression artérielle, température, etc.) ainsi que le système somato-moteur (mouvements volontaires).

Organisation du système nerveux

La figure 2.1 représente de façon simplifiée l'organisation du système nerveux. On remarque d'abord deux portions principales : la partie centrale et la partie périphérique.

FIGURE 2.1
L'organisation du système nerveux

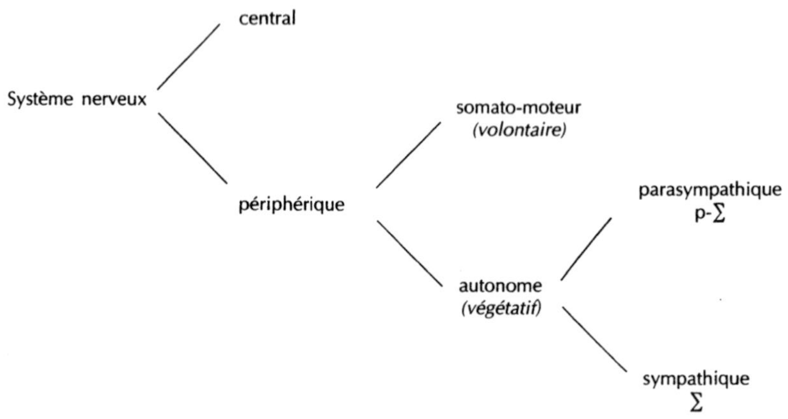

En simplifiant grandement, on pourrait dire que le système nerveux **central** est la partie « pensante et affective ». Autrement dit, c'est la partie « noble » qui se situe entre les deux oreilles. Ce système étant le siège de l'intellect, on comprendra facilement qu'il aura une influence considérable sur la performance oratoire.

Quant au système nerveux **périphérique**, certains le considè-rent comme étant une partie moins noble. Il demeure néanmoins nécessaire à la vie et, donc, indirectement, à la pensée. Comme le montre la figure 2.1, il se compose à son tour de deux parties.

Le système nerveux **somato-moteur** contrôle les mouvements volontaires conscients, c'est-à-dire l'ensemble des muscles striés. C'est ce système qui nous permet de marcher, de parler, de manger, etc. Il est donc d'une importance capitale.

Le système nerveux **autonome**, pour sa part, gère toutes les fonctions végétatives. On dit qu'il permet l'homéostasie, c'est-à-dire le maintien et l'équilibre du milieu interne de l'organisme. Par exemple, il assure les fonctions digestives, respiratoires, cardiovasculaires... toutes ces grandes fonctions qui font que l'organisme vit ! Le système nerveux autonome est lui-même composé de deux sous-unités qui interagissent sur les organes (cœur, bronches, intestin, etc.). Ainsi, la partie **parasympathique** veille surtout à la récupération et au repos (p. ex. les fonctions digestives) alors que la partie **sympathique** vise plutôt l'action ou l'activité (p. ex. l'augmentation des fonctions cardiaques) ; c'est justement le système sympathique qui est responsable de la libération d'adrénaline dont nous ressentons les effets lors de fortes émotions ou de stress aigu. Curieusement, on peut reconnaître des tempéraments à travers ces deux systèmes : disons que quelqu'un a un tempérament parasympathique si, à la veille d'un événement important, son système digestif l'oblige à de fréquentes visites à la salle de bains alors que celui possédant un tempérament sympathique sera plutôt constipé. Souvent, on retrouve les deux tendances, complémentaires, dans un couple.

Interrelation centrale-périphérique et importance relative

Le système nerveux central est le siège de l'intellect et de la mémoire ; il est donc d'une importance capitale pour l'orateur. On serait tenté de dire que c'est ce système qui primera. Il ne faudrait pas négliger pour autant le système nerveux périphérique, car la qualité de la présentation orale dépendra aussi de la bonne forme du présentateur et de son articulation, ces éléments étant sous l'influence du système nerveux périphérique.

De plus, le système nerveux central est très sensible aux concentrations d'oxygène ou de sucre ; il dépendra, pour son bon fonctionnement, du système nerveux périphérique qui assure les échanges respiratoires et voit à la régulation du sucre sanguin si essentiel au système nerveux central. Mentionnons par exemple qu'une mauvaise irrigation cérébrale (système nerveux périphérique) amènera une certaine confusion (système nerveux central) chez la personne, ce qui est d'ailleurs assez fréquent chez les personnes âgées souffrant d'artériosclérose.

L'interdépendance entre le système nerveux central et le système nerveux périphérique apparaît de façon aussi évidente dans le cas de stress, notamment pour l'orateur. Ainsi, bien que ce phénomène soit surtout d'origine centrale, un stress aigu se traduira en périphérie par des tremblements (système somato-moteur) et une sécrétion accrue d'adrénaline (système nerveux autonome) accompagnée de sudation, de palpitations et de sécheresse de la bouche.

On peut dire que la partie centrale influence la partie périphérique, et vice-versa. Aussi, pour un orateur, les deux systèmes doivent être en harmonie pour avoir un rendement optimal. Pour ramener les choses à leur plus simple expression, on pourrait dire que la pensée n'est pas toujours très élevée chez une personne qui est constipée. C'est pourquoi nous verrons que certains médicaments ou aliments pourront, en perturbant la périphérie, affecter la partie centrale.

LES MÉDICAMENTS

Avant d'entreprendre l'étude systématique des médicaments, il faut bien comprendre que l'administration d'un médicament entraîne des effets à différents niveaux de l'organisme, car il est rare que ce produit ne se rende qu'à l'endroit que nous avons choisi, à moins de l'appliquer directement où nous voulons qu'il agisse, tel un onguent ; il s'agit alors d'une administration topique. Cependant, la majeure partie du temps, la prise de médicaments se fait par la bouche ou par injection. La plupart des effets que nous décrirons sont donc des effets secondaires plutôt que des effets recherchés, puisque le médicament se distribue dans presque tout l'organisme, avec des effets bénéfiques à certains endroits et des effets plus ou moins nuisibles à d'autres.

Il est bon de préciser que la plupart des médicaments seront abordés dans l'optique que l'on *doit* les prendre. À l'occasion, on verra que l'on a le choix de les prendre ou non.

La figure 2.2 illustre comment agissent la plupart des médicaments que nous étudierons.

La transmission de l'information d'un neurone (cellule nerveuse) à un autre ou à une cellule effectrice (qui produira l'action) se fait la plupart du temps par libération d'un médiateur (par exemple de la noradrénaline [NA], dans la figure) qui ira se fixer sur cette autre cellule à un endroit précis appelé « récepteur », comme une clé s'insère dans une serrure. La plupart des médicaments agissent en modulant la libération de ces médiateurs, ou en bloquant ou stimulant directement ces récepteurs spécifiques et multiples.

Un grand nombre de médiateurs sont connus dans le cerveau, et il serait bien hasardeux de dire que l'un est plus important que l'autre. En effet, le chercheur qui travaille sur la maladie de Parkinson (tremblement) vous dira que c'est la dopamine qui est le médiateur le plus important dans le système nerveux central ; pour celui qui travaille sur le sommeil, c'est la sérotonine ; pour la mémoire, c'est l'acétylcholine et la noradrénaline, etc.

FIGURE 2.2

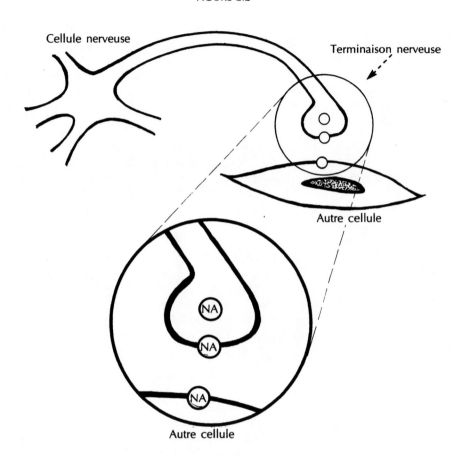

Système nerveux central

Le système nerveux central est particulièrement sensible à toutes sortes de médicaments ou produits : cannabis, LSD, antihistaminiques, café, etc. Lorsque des produits ont une influence sur l'équilibre mental ou psychologique, on dit qu'ils ont des effets psychotropes. Nous passerons en revue certaines classes de ces médicaments qui peuvent influencer, en bien ou en mal, la performance oratoire en agissant sur le cerveau. Pour certains de ceux-ci, il s'agit d'un effet recherché alors que pour la plupart, il s'agit d'un effet secondaire, souvent indésirable.

Un premier groupe pourrait comporter les **dépresseurs** dont les *anesthésiques généraux* sont les plus puissants ; de façon évidente, ces produits, utilisés presque uniquement en salle de chirurgie, vont perturber l'orateur. C'est aussi le cas des *somnifères*, qui sont des dépresseurs plus « légers ». On s'attend donc inévitablement à une baisse de l'activité du système nerveux associée à la prise de ces barbituriques ou autres, puisque c'est ce que l'on recherche en les utilisant. Pour d'autres médicaments, la relation est moins évidente, puisqu'il ne s'agit pas d'un effet recherché.

C'est le cas notamment des *analgésiques narcotiques*, comme la codéine ou la morphine. Ces substances prises contre la douleur ne sont pas sans provoquer une dépression centrale d'autant plus marquée que la dose est forte... et que la douleur est faible. Beaucoup se sont retrouvés très somnolents après avoir ingéré un simple sirop contre la toux qui contenait de la codéine (sirop *Bénylin*® avec codéine) ; de plus, étant donné son goût agréable, on est porté à exagérer la dose. Parue dans la revue *Pain*, une étude menée à la clinique Mayo a montré que les personnes souffrant de douleurs chroniques et prenant des hypnotiques, des sédatifs ou des analgésiques couramment avaient une légère atteinte des fonctions cognitives. Il ne faudrait pas s'alarmer outre mesure et bien voir que ces effets sont réversibles : ils ne durent que le temps d'action du médicament. Les choses se replacent à l'arrêt du traitement. Cette remarque vaut pour presque tous les médicaments.

Plusieurs *antihistaminiques* provoquent une somnolence plus ou moins marquée selon le produit, ce qui ne concourt pas à éclaircir les idées. Certains médicaments utilisés contre la maladie de Parkinson entraînent aussi cet effet car ils ressemblent beaucoup à certains antihistaminiques au point de vue chimique. Heureusement, les antihistaminiques les plus récents (astémizole, *Hismanal*® et terfénadine, *Seldane*®) sont presque totalement dépourvus de ces effets secondaires.

D'autres substances, qui ne sont pas sans ressembler aux antihistaminiques et qui sont employés contre le *mal des transports* (comme le dimenhydranate [*Gravol*®]), peuvent perturber fortement les capacités de concentration. On peut placer dans une classe un peu à part un produit comme la *scopolamine*, qui est aussi employée contre le mal des transports, mais qui engendre un état particulier qualifié d'effet « crépusculaire ». Si on a l'intention d'utiliser ce produit pour éviter des malaises en avion, par exemple, il faut s'assurer de ne pas avoir de conférence à donner à l'arrivée et que l'on descende de l'avion au même aéroport que les bagages ! En fait, on aura peut-être de la difficulté à suivre. De plus, la scopolamine peut perturber la mémoire dite à court terme, c'est-à-dire que l'on risque de ne pas se souvenir de certains événements survenus pendant que l'on était sous l'effet du médicament (dans ce cas-ci, environ 12 heures).

Certains médicaments sont encore plus sournois et à ce point de vue, que dire des *anxiolytiques* ? Ces produits, dont le diazépam (*Valium®*) fait partie, ont le pouvoir de diminuer l'anxiété de façon efficace dans une situation stressante, comme prendre la parole en public. Cependant, les anxiolytiques ne sont pas reconnus pour augmenter la performance de l'orateur, bien au contraire. De plus, des expériences faites sur l'animal indiquent qu'un stress modéré et bien canalisé prépare mieux l'organisme à affronter l'adversité. Rappelons en outre qu'un anxiolytique ne règle pas le problème ; il ne change que la relation affective que l'on a avec ce problème et cet effet ne dure que le temps d'action du médicament dans l'organisme. Enfin, des essais sur l'homme révèlent qu'en plus de produire de la sédation, le diazépam entraîne des déficits du côté de la mémoire et des processus cognitifs et d'apprentissage.

D'autres anxiolytiques, comme le flurazépam (*Dalmane®*), le nitrazépam (*Mogadon®*), le lorazépam (*Ativan®*) et l'alprazolam (*Xanax®*), appartiennent à la même classe chimique que le diazépam : les *benzodiazépines*. Ces produits ont les mêmes effets sur la mémoire et la vigilance, qui sont particulièrement perturbées. Les études publiées dans le *Current Therapeutic Research* montrent que la désorganisation de la pensée se manifeste surtout dans le discours, où les mots peuvent devenir incompréhensibles ou inaudibles et où les phrases sont incomplètes. Cependant, la rétention (mémoire à long terme) ne semble pas affectée, du moins pour le lorazépam (*Ativan®*), qui perturbe le plus la mémoire à court terme. Ces benzodiazépines changent tellement la personnalité, par déshinibition et troubles de la mémoire surtout, qu'une étude de l'*International Journal of Offender Therapy and Comparative Criminology* montre que le vol à l'étalage et la consommation de benzodiazépines sont associés chez certaines personnes ; cette association est telle que l'étude conseille de diminuer la part de responsabilité de ces personnes face aux délits !

Ces anxiolytiques, *Valium®* et autres, ne semblent donc pas recommandés. Néanmoins, si le stress ou la peur de prendre la parole en public nous paralyse, la prise de tels médicaments peut probablement nous aider à les contrôler. Il s'agit d'évaluer le rapport risque/bénéfice et de prendre la meilleure décision.

Certains médicaments peuvent avoir des effets **stimulants** sur le système nerveux central. C'est le cas de la d-*amphétamine* (dexédrine, « speed »). Celle-ci n'est toutefois pas en vente libre et est réservée à des applications cliniques très restreintes, comme pour contrôler l'hyperactivité chez l'enfant... et encore. Ce médicament était, jusqu'à récemment, employé comme anorexigène chez les personnes obèses et l'abus conduit à un état de surstimulation appelé « psychose amphétaminique », cliniquement indiscernable de la schizophrénie de type paranoïde. Certains élèves l'ont employé (peut-être l'emploient-ils encore ?) pour étudier leurs examens et les réussir. Malheureusement, ce produit aussi n'a qu'une durée de vie efficace limitée et lorsque son effet cesse durant l'examen, le candidat tombe de bien haut et, souvent, d'autant plus bas, avec les conséquences qui s'ensuivent. L'amphétamine est particulièrement efficace pour combattre la fatigue et retarder ses effets alors qu'en temps normal et à dose « thérapeutique », elle a peu d'effet sur la vigilance. Cependant, si l'on augmente un peu la dose, chez l'adulte, on observe une diminution de l'activité motrice, mais une augmentation de la vigilance et de meilleures performances dans des tâches d'apprentissage et de communication orale, le tout accompagné d'une sensation d'euphorie.

Alors que l'amphétamine peut occasionner certains effets périphériques comme des palpitations ou de l'hypertension, un de ses dérivés, la méthamphétamine, entraîne très peu d'effets autres que ceux au niveau central qui sont, en outre, plus prononcés que ceux provoqués par l'amphétamine.

La plupart des *antidépresseurs*, comme l'amitriptyline et la désipramine, affectent les processus d'apprentissage. Cependant, le lithium, normalement prescrit comme antidépresseur, a été étudié comme agent pouvant augmenter la mémoire ; néanmoins, il n'y a pas de consensus dans la documentation scientifique à cet égard (*cf. Indian Journal of Psychiatry*). Certains chercheurs ont même trouvé, chez des volontaires sains, que ce produit entraînait des problèmes de stockage en mémoire, problèmes qui apparaissaient surtout lors du retrait de l'information (*cf. Psychopharmacology*).

Comme tout ce que nous avons vu précédemment, tous ces effets sont de courte durée, et donc, réversibles. Il est important de mentionner que lorsque des antidépresseurs *doivent* être pris, ils augmentent la performance oratoire. Ajoutons même qu'une recherche faite chez des sujets sains et publiée dans le *Psychiatry Research* a montré que l'administration de desméthylimipramine, un autre antidépresseur, n'affectait pas les performances intellectuelles des sujets durant le traitement ; au moment du retrait de la « médication », il y avait même une augmentation des capacités d'apprentissage et de mémorisation.

Les **psychodysleptiques** ou hallucinogènes, d'autres substances qu'il ne faudrait peut-être pas qualifier de médicaments au sens strict, modifient, de façon plus ou moins marquée, la perception de la réalité et peuvent donc avoir des effets inattendus (!) sur la performance oratoire. C'est le cas de produits comme la mescaline, l'acide lysergique et ses dérivés (LSD), la cocaïne et les dérivés du cannabis, tels la marihuana et le hachisch. Peut-être l'orateur aura-t-il une performance « hallucinante » cette journée là, du moins à son avis. Ainsi, une étude sur l'effet aigu, c'est-à-dire une seule prise, de la marihuana, sous forme de cigarette, montre que les sujets se disent « high » alors que l'on observe, au contraire, de la sédation et une diminution de la conversation (*cf. Psycho-pharmacology*). Les études scientifiques montrent, en outre, qu'à moyen terme, plusieurs de ces produits détruisent les cellules nerveuses qui ne se régénèrent pas.

Le dernier groupe de médicaments que nous analyserons est assez particulier car il n'est pas utilisé normalement pour ses effets psychotropes. Il s'agit d'un groupe appelé *bloqueurs bêta* ou *bêta-bloquants*. Le plus connu et utilisé est le propranolol (*Indéral®*). Il est généralement prescrit pour ses effets cardiovasculaires chez les personnes souffrant d'hypertension artérielle, d'angine ou de certains types d'arythmies cardiaques. Cependant, il peut être donné en prophylaxie contre la migraine et a aussi des effets bénéfiques contre la maladie de Parkinson ! On s'explique mal le mécanisme d'action dans ces derniers cas. Mais, élément intéressant pour l'orateur, le propranolol bloque le tremblement provoqué par l'adrénaline, l'hormone de stress. Ainsi voit-on de plus en plus de conférenciers prendre de ce médicament avant un discours pour empêcher le tremblement qui leur enlève leur assurance... À cela s'ajoute un effet anxiolytique qui peut augmenter la performance oratoire. Bref, ce produit et d'autres bloqueurs bêta sont utilisés pour prévenir l'anxiété survenant lors de situation stressantes ; ils suppriment en outre les symptômes neurovégétatifs périphériques de l'anxiété. Néanmoins, ce produit peut, à l'occasion, perturber la mémoire soumise à des rappels plus difficiles.

La clonidine (*Catapres®*), un autre produit contre l'hypertension, entraîne, comme effet secondaire, une confusion à un point tel que certains gens d'affaires, qui utilisaient cette médication pour traiter leur haute pression, se plaignaient de difficultés à suivre leurs réunions d'affaires. Par contre, chez des patients souffrant d'anxiété chronique, ce produit augmente les capacités intellectuelles et la mémoire.

Système nerveux périphérique

Comme nous l'avons déjà vu, le système nerveux périphérique se divise en deux parties. En ce qui concerne le système **somato-moteur**, peu de médicaments risquent de l'influencer directement. Un des rares exemples, mais combien éloquent, est le cas des anesthésiques locaux. Le souvenir d'une visite chez le dentiste pour une obturation rappelle bien que les anesthésiques locaux peuvent perturber grandement l'élocution. Des produits comme les anxiolytiques courants (*Valium®*) peuvent aussi amener, dans certains cas, des problèmes d'élocution, car ils agissent aussi comme relaxants musculaires et entraînent un effet de « bouche molle ».

Quelques médicaments pourraient avoir une influence sur le système nerveux **autonome** de l'orateur. Ici, il s'agit plus d'une question de bonne forme et, souvent, de bon sens.

Ainsi, on s'attend à ce qu'un bronchodilatateur vienne en aide à l'asthmatique ; le but de cette médication est de dilater les bronches, et donc de faciliter la respiration. Pourtant, la prise de certains antihistaminiques contre les allergies peut provoquer un ralentissement de la digestion qui conduit, dans certains cas, à la constipation ! Beaucoup de sirops contre le rhume contiennent des antihistaminiques et pourront induire ce ralentissement de digestion que le malade attribuera, à tort, à la maladie. Outre cet inconfort dû au système digestif, cette classe de médicaments, à quelques exceptions près, amènera l'assèchement de la bouche, ce qui pourrait altérer l'élocution. Malheureusement, certains médicaments dépresseurs du système nerveux central partagent ces effets secondaires sur le système nerveux autonome.

Il faut aussi se méfier quelque peu des décongestionnants, bien qu'en général ils ne représentent aucun danger. Ils produisent une constriction des vaisseaux des muqueuses et réduisent alors l'écoulement nasal. Cependant, pris en trop grande quantité, ils pourraient mener à une constriction des vaisseaux cérébraux, d'où une diminution de l'irrigation du système nerveux central ; cet effet est déjà survenu chez les enfants. Signalons que l'usage régulier de ces produits conduit à une affection appelée rhinite chronique, ou congestion à rebond, qui fait que la personne a le nez qui coule, à moins qu'elle ne prenne ces décongestionnants. Un cercle vicieux, en quelque sorte.

Il faut également prendre garde aux produits pouvant ralentir la digestion, ou l'inverse, et créer un certain inconfort qui ne prédispose pas aux brillantes envolées oratoires.

LES ALIMENTS

On sait depuis assez longtemps que la malnutrition au début de la vie, c'est-à-dire jusque vers l'âge de deux ans chez l'humain, entraîne un retard du développement mental. Mais qu'est-ce qui pourrait aider ? En fouillant la documentation sur le sujet et en consultant à droite et à gauche, on peut s'attendre à découvrir les aliments les plus susceptibles de favoriser un développement cérébral optimal et ainsi d'aider le futur orateur. Il faut avouer cependant que les choses sont loin d'être claires. Ainsi, vous connaissez sans doute cette croyance des bienfaits de la consommation de poisson sur la mémoire et, pourtant, la science semble muette à ce sujet, même si on en dit pour preuve que le pape Pie XII, reconnu pour son érudition, consommait du poisson presque tous les jours ! Néanmoins, mentionnons que le poisson est riche en magnésium, un élément essentiel pour un bon fonctionnement du système nerveux et pour l'utilisation des sucres et de la vitamine C.

De leur côté, les chanteurs optent souvent pour des boissons chaudes, par exemple de l'eau ou du thé, avec du miel. Il est difficile de voir le lien, même si on dit que le miel « adoucit » la gorge. Peut-être est-ce pour avoir une voix « mielleuse » ? Il y a, semble-t-il, une forte tendance, particulièrement dans le milieu artistique, à traîner avec soi une valise supplémentaire ; elle est destinée au transport des vitamines et des produits « naturels ». (S'ajoutera probablement bientôt une petite valise pour les produits surnaturels !) Nous sommes passés des graines de tournesol à la crème Budwig. Tout ceci non pour en rire, puisque certains de ces produits contiennent des éléments qui ont des effets salutaires, mais simplement pour dire qu'il est fort possible que les recettes miracles n'apportent guère de bienfait chez les personnes ayant déjà un régime alimentaire bien équilibré. Même là, il n'y a pas unanimité.

Il y a cependant consensus sur un point, à savoir qu'une bonne circulation sanguine ne peut qu'aider, particulièrement au niveau du cerveau en ce qui nous concerne. Il y aurait donc lieu d'adopter une alimentation qui évitera le développement de l'artériosclérose, surtout en réduisant le cholestérol sanguin. Bien que le sujet soulève beaucoup de controverses, il semble qu'une réduction de l'apport alimentaire en gras animal favorise une diminution du cholestérol sanguin, le cholestérol alimentaire ayant néanmoins peu à faire avec le cholestérol sanguin.

Si pour nous la performance oratoire représente un stress important, il est bon de rappeler que l'adrénaline libérée par ce stress occasionnera une dépense d'énergie importante. Il serait donc tout indiqué de consommer des aliments riches en une énergie presque immédiatement disponible. Rappelons que le cerveau ne se nourrit que de glucose, un sucre. Un apport en sucres, plus ou moins complexes, comme les pâtes alimentaires ne nuirait probablement pas. (Une certaine cantatrice aurait d'ailleurs pris l'habitude de manger une grosse assiettée de spaghetti, deux heures avant une représentation, alors qu'elle se restreint en d'autres temps.) Il est bon de savoir aussi que dans le cas de stress, on utilise beaucoup de vitamine C, jusqu'à développer une carence. Certains iront même jusqu'à recommander des prises de vitamine C de 500 mg aux trois heures dans les cas de stress intense. Il faudrait peut-être le prendre aussi avec un grain de sel !

De nombreux éléments sont particulièrement importants pour un bon fonctionnement du système nerveux central. Les plus couramment cités sont le fer, l'iode, le calcium, le phosphore, le magnésium et le zinc. Parmi les vitamines, celles du complexe B semblent très importantes.

Des chercheurs du Massachusetts Institute of Technology (MIT) ont trouvé que la choline, une vitamine du complexe B, avait des effets presque immédiats sur le cerveau. Cette vitamine a d'ailleurs été utilisée avec succès dans le traitement de certaines maladies neurologiques. Elle serait utile dans la « restauration » de la mémoire chez la personne âgée.

La choline est présente en grande quantité dans la lécithine, qui fait partie des phospholipides entrant dans la formation des membranes des cellules nerveuses. Certains prétendent que l'apport de lécithine serait aussi bénéfique pour la mémoire en fournissant une quantité importante de choline qui, à son tour, serait transformée en acétylcholine, un médiateur important du cerveau.

Il est bon de rappeler que le bon sens a toujours sa place. Si l'on prend un repas lent ou difficile à digérer peu de temps avant une performance oratoire, il faudra s'attendre à une vivacité d'esprit moins grande. Il y aurait donc lieu d'éviter les repas trop opulents ou trop riches en protéines ou en lipides.

LES AUTRES SUBSTANCES BIOACTIVES

Eau

Souvent, sur les tables de conférence, on retrouve un pot d'eau et des verres. Pourquoi ? Simplement pour assouvir une soif légitime, me direz-vous. Bien sûr, mais comment se fait-il que des gens qui normalement n'auraient pas bu à ce moment de la journée se mettent à boire ? Il est possible que le fait de faire ces gestes leur permet de se détendre et de se donner une certaine contenance. Mais il est fort probable que cette gorgée d'eau leur « lubrifie » la gorge, asséchée par l'adrénaline libérée par le stress. Un simple verre d'eau peut donc être fort utile.

Diurétiques

Ces médicaments n'affectent pas le système nerveux, mais augmentent le flux urinaire en agissant sur les reins ; c'est un effet diurétique. Ils sont prescrits surtout dans les cas d'hypertension artérielle et chez la personne âgée dont les reins sont un peu paresseux. Si l'on prend de ces médicaments, il n'y a en général pas de problème. Mais si en plus on boit beaucoup de liquide, cela pourrait produire un certain inconfort au niveau de la vessie et perturber la performance oratoire. Mentionnons qu'il ne serait pas prudent de prendre de l'alcool en plus car ce produit a aussi des effets diurétiques qui risquent de s'ajouter à ceux du médicament.

Thé, café

La théophylline, la caféine et la théobromine font partie du groupe chimique des xanthines et se retrouvent surtout dans le thé et le café. Ces substances ont la propriété de stimuler le système nerveux central. Mais il ne faudrait pas confondre stimulation et performance. La documentation, relativement abondante sur ce sujet, rapporte souvent des résultats assez contradictoires, à l'occasion, ou du moins difficiles à interpréter. Voici deux exemples.

Une expérience faite chez des individus sains confrontés à des tests d'analyse ou de traitement d'informations, publiée dans le *Neuropsychobiology*, a révélé que la caféine peut augmenter la performance dans ces cas, que la fatigue soit présente ou non. Par contre, des études faites chez des volontaires avec différentes doses de caféine ont montré que ce produit n'a pas d'effet sur l'apprentissage ou la mémoire, mais perturbe la coordination motrice fine et augmente l'anxiété et la tension. L'addition de diazépam (*Valium®*) pour contrer l'anxiété induite par la caféine n'a pas eu les effets escomptés ; l'expérience a montré que ces deux produits ne s'antagonisent pas. C'est donc dire que selon le test utilisé ou le but recherché, les résultats peuvent être différents et pas nécessairement contradictoires.

Il ne faudrait pas oublier que ces xanthines ont des effets diurétiques, comme l'alcool et les médicaments précédents. Il y a des besoins fondamentaux que l'on ne peut pas assouvir aisément durant une prestation oratoire...

Beaucoup prennent un café après le repas, se disant que ceci les aide à digérer. Il faut remarquer que les gens le prennent chaud. En effet, on ne voit à peu près jamais quelqu'un boire son café froid. Peut-être alors est-ce plutôt la chaleur que l'on recherche ? D'ailleurs, certains obtiennent le même résultat avec de l'eau chaude. En fait, il est possible qu'un repas produise un certain inconfort au niveau de l'estomac ; le fait d'y introduire un liquide chaud amène une détente du muscle qu'est l'estomac, d'où cette impression de bien-être, malgré le ralentissement de digestion. En effet, loin d'activer la vidange de l'estomac, les aliments chauds la ralentissent.

Alcool

L'alcool est reconnu depuis longtemps comme un produit pouvant enlever certaines inhibitions. Paradoxalement, ceci est dû au fait que l'alcool est un dépresseur du système nerveux central. Cependant, la dépression commence d'abord dans certains systèmes inhibiteurs. Nous avons donc, comme premier stade, une inhibition des inhibiteurs, ce qui apparaît comme une stimulation. D'ailleurs, ce n'est pas sans raison que l'alcool s'appelait « whisky », du gaélique *usquebaugh* signifiant « eau-de-vie », puisque ce breuvage avait presque la vertu de ressusciter les morts.

Mais, contrairement à ce que certains prétendent, l'alcool n'améliore pas la performance. C'est vraiment un dépresseur à tous les niveaux. Le dicton a raison : « L'alcool augmente le vouloir, mais diminue le pouvoir ». Sous l'effet de l'alcool, l'orateur aura l'impression de ne jamais avoir été aussi brillant, mais il faudrait que, à jeun, il visionne sa brillante performance ou encore qu'il ait des amis sincères.

Certains, pour contrer l'effet de l'alcool, prennent du café en espérant que l'effet stimulant pourra contrebalancer l'effet dépresseur de l'alcool. Erreur ! Une étude faite à l'aide d'un simulateur de vol a montré que l'effet combiné de ces deux substances entraînent un état de confusion très marqué chez la personne.

On peut ajouter que l'association d'alcool et de diazépam (*Valium*®), par exemple, est reconnue pour avoir des effets additifs sur le blocage de la mémoire à court terme ; cela peut être désastreux pour l'orateur qui a décidé de se donner de la contenance par ces moyens.

Chocolat et « cola »

On remarque que, fréquemment, les grands chanteurs demanderont à avoir certaines choses dans leur loge. Pour certains, cela ressemble plus à une manie, une superstition ou un talisman. Cependant, en ce qui concerne les « aliments », il semble qu'il y ait une constante qui, en outre, repose sur une base scientifique.

Ainsi, si on laisse à la disposition de ces artistes des fruits, des biscuits et du chocolat, ces douceurs disparaîtront dans le sens inverse de l'énumération. Si l'on met à leur disposition des boissons gazeuses, ce sont les colas qui seront d'abord consommés. Ceci n'est guère surprenant puisque les colas, comme le chocolat, contiennent à la fois de la caféine et du sucre : caféine pour l'effet stimulant, et sucre pour la source d'énergie. L'adrénaline libérée par le stress de la performance à accomplir amènera l'organisme à brûler, et donc à consommer, beaucoup d'énergie. De plus, la caféine contenue dans ces produits augmentera encore plus cet effet. Curieusement cependant, ces artistes ne consommeront pas de café, mais préféreront le thé, surtout s'il est additionné de miel et de citron.

Glutamate

Le glutamate, qui est vendu sous le nom commercial de « Accent » ou simplement MSG, est un assaisonnement que l'on retrouve souvent en grande quantité dans les mets chinois. Or certaines personnes réagissent à ce produit et souffrent du syndrome du mets chinois lorsqu'elles en consomment au-delà de ce qu'elles peuvent tolérer. Elles se plaignent alors de sueur au niveau de la nuque et d'étourdissement. Ceci ne les préparera pas à leur meilleure performance oratoire.

Nicotine

Des études ont montré des effets « contradictoires » concernant la mémoire chez le fumeur : un effet facilitateur de très courte durée dû à la nicotine et une perturbation de longue durée qui s'explique par l'athérosclérose produite par le tabagisme (*cf. Journal of Psychosomatic Research*).

Le fumeur atteint de bronchite chronique sait très bien que sa toux matinale sera calmée par une cigarette au réveil. La raison en est fort simple : la nicotine empêche le réflexe de la toux, particulièrement en anesthésiant les cellules ciliées des bronches. Ces cellules sont chargées de débarrasser les voies aériennes supérieures des déchets. En les anesthésiant, on ne tousse pas, mais on garde ses déchets et l'irritation qui en résulte. Ce sera pire demain : c'est le cercle vicieux. Néanmoins, on comprendra que le fumeur veuille fumer...

Les fumeurs affirment obtenir un effet calmant avec la cigarette. Dans une certaine mesure, cela peut être bénéfique, si le trac représente un handicap sérieux pour ces personnes. Cet effet n'est guère surprenant car la nicotine a des propriétés dépressives sur les cellules nerveuses, avec toutes ses conséquences. Il s'agit de faire la part des choses.

« Khat »

Il existe une coutume, dans certaines parties des Indes, de mâcher du « khat », tiré d'une plante, la *Catha edulis*. Une étude faite chez quatorze Somaliens mâles a montré que le fait de consommer cette plante augmente les capacités intellectuelles et la vigilance ; dix des sujets ont même ressenti des effets euphorisants, suivis toutefois d'une période de dysphorie pour tous. Ceci suggère la présence dans cette plante d'une substance analogue à l'amphétamine (*cf. Drug Alcohol Dependence*). Ce n'est pas sans rappeler l'habitude des Péruviens vivant dans les Andes de mâcher les feuilles de l'*Erythroxylon Coca* qui, comme son nom l'indique, contient de la cocaïne. Cette plante leur permet de mieux supporter les effets du manque d'oxygène en altitude : diminution de la sensation de fatigue, augmentation de la capacité musculaire et effet euphorisant.

LE SOMMEIL

Des études faites chez des officiers de l'armée révèlent que le manque de sommeil (cinq heures de sommeil ou moins) provoque une baisse des performances mentales lors de tests de mémoire, de langage et de mathématiques ainsi que pendant des tâches intellectuelles faisant appel aux fonctions cognitives de haut niveau. Ceci va à l'encontre de certaines croyances voulant que quatre heures de sommeil sont le minimum suffisant (*cf. Journal of Medical Education*). Cette même étude montre aussi qu'un régime alimentaire constitué de grignotises, plutôt que de repas complets, a aussi des effets nuisibles sur les performances intellectuelles et psychomotrices.

CONCLUSION

Comme première remarque, on peut dire qu'il n'y a pas consensus sur les meilleurs moyens à prendre pour espérer augmenter ses performances oratoires. Tout ne se tranche pas au couteau et, au mieux, on pensera à certaines choses à éviter.

Ainsi, en ce qui a trait aux médicaments, le principal élément qui semble ressortir est que la plupart des médicaments psychotropes ont plutôt des effets néfastes sur le cerveau et ne devraient donc pas être pris par la personne qui n'en a pas besoin. Pour le malade qui doit prendre ces médicaments, c'est autre chose. Il est fort probable que dans ces cas, l'effet sera bénéfique. En général, le cerveau fonctionne de façon optimale ; en cas de maladie, il peut être débalancé et les médicaments permettront de le ramener à un certain équilibre.

Il est aussi souvent difficile de distinguer l'effet placebo de l'effet réel. Il arrive. souvent que les scientifiques n'admettent un fait que lorsqu'ils peuvent l'expliquer. Pourtant, il faut bien dire que des observations, au début inexplicables et donc considérées comme biaisées, se sont avérées vérifiables avec le temps. À titre d'exemple, les anciens disaient qu'il était bon de passer la queue d'une chatte gravide sur l'œil atteint d'un orgelet. Foutaise ! disaient certains. Pourtant, cela fonctionnait. On sait aujourd'hui que la chatte, en se lissant le poil de la queue, y dépose des corticostéroïdes qui aideront à guérir l'orgelet. Il est donc fort possible que certaines « croyances » deviennent des faits scientifiques. Il ne faudrait pas non plus tomber dans le charlatanisme. Le bon sens dit que si la recette miracle était découverte, nous la connaîtrions probablement. Certaines choses ou certains comportements peuvent cependant sûrement vous aider.

De nouveaux produits sont développés et seront mis sur le marché. Ainsi, on a vu que l'alcool produit des troubles de mémoire ; or des chercheurs ont montré qu'un nouveau produit, la zimelidine, qui touche la sérotonine cérébrale, renverse cet effet de l'alcool (*cf. Science*). D'autres produits sont aussi à l'étude dans le but de restaurer la mémoire chez les personnes atteintes de la maladie d'Alzheimer ; il s'agit de substances comme la vasopressine, le piracétam et la physostigmine. La vasopressine s'est même révélée efficace chez des sujets sains pour augmenter la mémoire.

Les études publiées dans le *Hospital and Community Psychiatry* dévoilent que la plupart des médicaments psychotropes, comme les neuroleptiques, les antidépresseurs, les bloqueurs bêta et les benzodiazépines, peuvent, à l'occasion, avoir des effets néfastes sur la mémoire. Cependant, le tofisopam, une autre benzodiazépine (*Grandafix*®, non disponible au Canada), est employé contre l'anxiété et ne semble avoir que des effets anxiolytiques sans altérer les autres fonctions centrales ni avoir d'effet de relaxant musculaire, comme c'est le cas notamment avec le diazépam (*Valium*®).

Les effets psychosomatiques sont importants. Si l'on a la nette impression que certains éléments nous font du bien, allons-y! Il y a de fortes chances que cela fonctionne. Tous les trucs peuvent être bons. À titre d'exemple, mentionnons que certains prétendent que le fait de faire l'amour éclaircit les idées. Et pourquoi pas, puisque cela amène une augmentation importante de la circulation sanguine, y compris au cerveau!

Références bibliographiques

Ouvrages

GILMAN, A. G. et L. S. GOODMAN. *The Pharmacological Basis of Therapeutics*, 7e édition, New York, Macmillan Publishing Company, 1985.

WADE, C. *Encyclopedia of Power Foods for Health and Longer Life*, Parker Publishing Company Inc., 1980.

WHELAN, Elizabeth M. et F.J. STARE. *Panic in the Pantry. Food Facts, Fads and Fallacies*, McClelland and Stewart Ltd., 1977.

Revues

Archives of General Psychiatry, vol. 37, n° 8, 1980, p. 933-943.

Behavioral Neuroscience, vol. 10, n° 3, 1987, p. 429-432.

British Journal of Psychiatry, vol. 142, 1983, p. 512-517.

Current Therapeutic Research, vol. 21, n° 2, 1977, p. 192-206.

Drug Alcohol Dependence, vol. 18, n° 1, 1986, p. 97-105.

Hospital and Community Psychiatry, vol. 39, n° 5, 1988, p. 501-502.

Indian Journal of Psychiatry, vol. 24, n° 1, 1982, p. 15-21.

International Journal of Offender Therapy and Comparative Criminology, vol. 30, n° 1, 1986, p. 35-39.

Journal of Clinical Psychiatry, vol. 44, n° 12, 1983, p. 436-439.

Journal of Clinical Psychopharmacology, vol. 8, 1988, p. 225.

Journal of Medical Education, vol. 60, n° 7, 1985, p. 530-535.

Journal of Psychosomatic Research, vol. 26, n° 6, 1982, p. 613-622.

Neuropsychobiology, vol. 16, n°s 2-3, 1986, p. 126-130.

Neuropsycholigia, vol. 21, n° 5, 1983, p. 501-512.

Pain, vol. 18, n° 2, 1984, p. 169-177.

Psychiatria Polska, vol. 14, n° 5, 1980, p. 475-480.

Psychiatric Development, vol. 4, n° 2, 1986, p. 135-146.

Psychiatry Research, vol. 12, n° 1, 1984, p. 89-97.

Psychopharmacology, vol. 86, n° 4, 1985, p. 472-474.

Psychopharmacology, vol. 87, n° 3, 1985, p. 344-350.

Psychopharmacology, vol. 89, n° 2, 1986, p. 234-238.

Science, vol. 221, n° 4609, 1983, p. 472-474.

LE SENS DES SONS

Claude Rochette
*Professeur en
phonétique
à l'Université Laval*

Claude Rochette a
orienté ses travaux de
recherche notamment
sur l'analyse physiolo-
gique de la production
de la parole, sur la
mesure acoustique du
message oral et leurs
rapports avec l'intelli-
gibilité auditive. Ces
orientations de re-
cherche ont permis
de déboucher sur de
nombreuses applications
pratiques comme la
didactique des langues
ou des exploitations
scientifiques telle
l'évaluation de
l'efficacité linguistique
d'implants cochléaires.
Claude Rochette a
publié plusieurs
ouvrages dans le
domaine de la phoné-
tique, de la pédagogie
de l'apprentissage
oral des langues et
de la rééducation
de la parole.

INTRODUCTION

Tout le monde ou presque a entendu parler de communication, s'est vu même sermonner sur l'importance des communications ou
connaît une histoire démontrant les désastres entraînés par de mauvaises
communications. Négligence dans le choix des mots, anomalies grammaticales, mauvais usages sémantiques, difficultés orthographiques, ambiguïtés
malencontreuses, confusions verbales de toute nature, etc., ont été invo-
qués et sont sous-jacents aux débats liés à la qualité de la langue. Les
spécialistes commencent par prévenir en répétant : « Faites attention à ce
que vous dites. » Ils pensent à prêcher le perfectionnisme en ajoutant :
« Prenez garde à votre manière de le dire. » Tout le monde se croit compétent à manier la parole et on entend plus rarement : « Soignez votre façon
de parler. » Et pourtant, qui niera que la précision de la langue orale peut
être aussi importante que les données numériques en informatique ?

Parler en public, est-ce une préoccupation ? En a-t-on par-
dessus la tête de se faire dicter des recettes miracles pour bien s'exprimer
en public ? La menace d'atteindre le stade inquiétant de la rébellion à la
simple idée de se faire rabâcher les mêmes rengaines sur **la qualité de
l'expression orale** est-elle là ? Si les réponses à ces questions tendent à être
plus affirmatives que négatives, c'est que l'on souffre, et c'est bien naturel,
d'un « surmenage linguistique ». Dans ce cas, ce qui suit pourra être utile.

Nous suggérons d'utiliser une **grille d'analyse** pour évaluer sa
propre expression orale. Il vaut la peine de prendre quelque temps pour

bien la comprendre et ensuite s'en servir pour au moins ne pas trébucher sur des « grossièretés » orales.

Cette évaluation peut se faire à partir d'éléments principaux que nous expliquerons brièvement. Cette présentation peut paraître de prime abord fastidieuse, mais il est important d'en saisir les utilisations concrètes. La bonne compréhension des aspects phonétiques suivants peut contribuer assez aisément à améliorer l'élocution parce que ces critères phonétiques facilitent une sorte d'auto-contrôle :

1. l'appréciation du débit ;
2. la valeur de l'intonation ;
3. les variations du rythme ;
4. l'exploitation de l'intensité de la voix ;
5. l'enchaînement des sons ;
6. l'articulation des consonnes ;
7. la production des voyelles ;
8. les phénomènes d'hypercorrection ;
9. la prononciation des mots empruntés.

L'APPRÉCIATION DU DÉBIT

En expression orale, il faut entendre par débit **la vitesse à laquelle sont produits les sons, les syllabes, les mots et les phrases.** Cette vitesse d'élocution permet de garder un équilibre facilitant la compréhension d'un message : trop rapide, l'auditeur risque de ne pas saisir des syllabes, des mots, des parties de phrases ; trop lente, l'interlocuteur pourra se sentir mal à l'aise parce qu'il aura de la difficulté à rattacher les parties d'une phrase formant un élément de sens, lesquelles, en s'additionnant, composent la totalité du message. Les variations inconsidérées de la vitesse d'élocution, par exemple les excès de rapidité ou de lenteur, doivent être contrôlées afin de ménager une réception aisée du message oral. Nous voulons transmettre les idées les plus géniales ? Si la vitesse d'élocution n'est pas appropriée et adéquate, l'auditeur sera agacé et ne captera pas convenablement nos messages.

Il faut souligner quelques détails d'importance comme les pauses, la longueur des pauses et les hésitations qui constituent parfois des éléments nuisibles à l'aisance du débit.

Les pauses. Comme il faut respirer pour pouvoir parler, il faut par conséquent nous arrêter de parler afin de respirer. Les pauses servent entre autres à cette fin. Cependant, nous ne pouvons couper nos phrases (entendre faire des pauses) n'importe où et n'importe comment. Il y a des **pauses interdites,** d'autres **obligatoires** et de nombreuses autres **facultatives.**

Les pauses obligatoires ou interdites ne font généralement pas de difficulté car elles apparaissent vite comme de grossières erreurs. La multiplication des pauses facultatives par contre tendra à faire dégénérer l'élocution en un discours saccadé. À l'inverse, le manque de pauses peut entraîner l'essoufflement du locuteur... ce qui énervera l'auditeur.

Les pauses (/) ne sont pas admises entre les mots qui doivent être prononcés ensemble pour véhiculer le sens ou une partie du sens du message : ainsi, le sujet ne peut être séparé du verbe par une pause. À moins d'un jeu articulatoire voulu et particulier, les pauses sont obligatoires à la fin d'une phrase. Les pauses facultatives dépendent de notre propre degré d'expressivité en ce qui a trait aux nuances, à l'insistance, à l'importance des parties du message à regrouper.

EXEMPLES

Pauses interdites (la barre transversale indique la pause) :
• Les / fleurs sont jaunes (entre « les » et « fleurs ») ;
• C'est une grande / compagnie (entre « grande » et « compagnie ») ;
• J'ai / été très malade (entre « j'ai » et « été ») ;
• Les hommes parlent / trop (entre « parlent » et « trop ») ;
• Je / vous / demande pardon (entre « je », « vous » et « demande »).

Pauses obligatoires :
• Qu'est-ce que vous voulez ? (en fin de phrase) ;
• Les femmes qui se rendent chez ce coiffeur / en sortent plus belles (après le mot « coiffeur ») ;
• Voulez-vous me donner son nom, / s'il vous plaît ? (après le mot « nom ») ;
• C'est certain, / et je vous le répète, / je dois partir à 5 heures (après « certain » et « répète »).

Pauses facultatives (au choix) :
• Je vous remercie beaucoup / beaucoup / beaucoup.
• Je vous remercie beaucoup / beaucoup beaucoup.
• Je vous remercie / beaucoup beaucoup beaucoup.

La durée des pauses. D'autres éléments de la parole sont à prendre en considération parce qu'ils influencent considérablement notre débit. Mentionnons particulièrement la **durée des pauses**. Si cette durée est trop brève, les segments de phrases ou les phrases elles-mêmes risquent de se bousculer de façon indue et gêner ainsi la compréhension. À l'inverse, leur longueur excessive peut rendre difficile le lien à établir entre les parties du discours qui, en s'additionnant les unes les autres, construisent le sens.

Les hésitations. Tout le monde sait que nous pouvons hésiter en parlant et jusqu'à un certain point, c'est bien naturel. L'élimination totale des hésitations lors de la prise de parole en public révèle une maîtrise peu ordinaire de l'expression orale. Reprises de bout de phrases, parties de phrases commencées, abandonnées ou changées, allongement exagéré de syllabes, répétition inconvenante du son « e », etc., constituent des obstacles et même des entraves à la qualité de transmission du message.

Ce qu'il faut retenir, de façon générale, au sujet des hésitations, c'est que leur présence peut varier selon le niveau de langage : plus le contexte de communication est familier, mieux les auditeurs les tolèrent ; plus la situation de conversation doit satisfaire à des exigences formelles rigoureuses, moins les interlocuteurs les accepteront. En d'autres termes, les hésitations sont davantage perçues comme des erreurs gênantes et désagréables devant un auditoire choisi qu'au cours d'échanges familiers entre amis dans une brasserie.

Fiche 1

APPRÉCIATION DU DÉBIT

Surveiller, vérifier et évaluer :

1. si le débit est trop rapide ;
2. si le débit est trop lent ;
3. si les pauses obligatoires sont respectées ;
4. si les pauses interdites sont observées ;
5. si les pauses facultatives sont utilisées à bon escient ;
6. si la durée des pauses est trop longue ;
7. si la durée des pauses est trop brève ;
8. si les hésitations sont trop nombreuses ;
9. si les reprises se multiplient indûment.

LA VALEUR DE L'INTONATION

L'intonation est cet élément mélodique de la voix qui accompagne toutes nos phrases prononcées. C'est elle qui, en montant la voix sur une phrase comme « Tu viens avec moi ? », fait saisir une interrogation. C'est encore l'intonation qui commande que l'on baisse la voix à la fin d'une phrase. C'est aussi celle que l'on exploite abondamment dans le but de nuancer le sens des mots : pensons par exemple aux multiples intonations possibles et différentes pour dire « merci ! » C'est également son caractère rectotono qui, utilisé de façon exhaustive, commence par agacer pour arriver à distraire puis pour finir par endormir, parce que ce ton « monocorde » devient « monotone » et marque l'absence d'intérêt, de dynamisme, de vie du message. N'oublions pas alors de noter que cette intonation constitue un élément phonétique englobant qui impressionne, influence notre interlocuteur : nous pouvons souvent en voir l'effet immédiat par les réactions ou l'expression changeante du visage des personnes.

Pour notre gouverne personnelle, nous pouvons inscrire sous intonation les principaux schémas mélodiques de base de la voix. Il faut distinguer quand nous parlons :

La **voix descendante** (↘) ou la **combinaison montante puis descendante** (↗ ↘) tout au long de l'articulation d'une phrase. C'est l'intonation énonciative :

Avec ma bicyclette, je peux aller à la campagne.

Il ira à la chasse.

Je prendrai l'avion demain.   C'est à 8 heures que je partirai de Québec.

Ton descendant (↘) ou **montant** (↗) selon la structure de la phrase pour marquer la surprise, l'étonnement. C'est l'intonation exclamative :

Comme il est bête !   Attention ! Gare à vous !

Jamais rien vu de pareil !   Au feu ! Au secours !

Le ton fondamental de la voix **descend** (↘) ou **monte** (↗) selon la construction phrastique avec ou sans locution interrogative, pour poser une question. C'est l'intonation interrogative :

Tu veux venir avec moi ?   À quoi penses-tu ?

Qu'est-ce que tu veux faire ?   Tu vas partir vers midi ?

La voix qui **ne varie pas trop de hauteur**, n'appelant donc pas de réactions marquées chez l'auditeur : c'est l'intonation suspensive. C'est celle qui met en attente de quelque chose à venir parce que le message n'est pas terminé ou complet :

Je vais te le dire, mais...   Tu comprends pourquoi ? C'est parce que...

Ou tu pars, ou tu restes. Alors, décide...

Le registre de voix. Le registre peut s'entendre de deux façons : la capacité de la voix de marquer des écarts plus ou moins prononcés de hauteur ; ou encore de changer brusquement ou progressivement de niveau dans l'échelle des hauteurs de la voix. Chacun dispose d'un registre de voix qui lui est personnel et que l'on peut classer chez les hommes et les femmes selon un processus ressemblant à celui utilisé en musique ; en fait, dans la parole et selon les possibilités physiologiques propres à chacun, nous pouvons jouer dans une certaine gamme pour produire des hauteurs variables de sons aigus ou graves. Pour bien comprendre cette notion, remémorons-nous des situations où des exclamations surprenantes ont été marquées de « oh » ou de « youppi » de joie, ou de « quoi » de colère, etc. Dans la parole, ces diversifications de hauteur supportent des nuances invraisemblables d'expressivité :

(*Avec colère*) Tu sais ce que je vais faire ?

(*Discrètement*) Je vais lui tordre le cou.

(*Avec calme*) Ça ne change rien. Sauf que...

(*Avec joie*) Ah !

Fiche 2

CONTRÔLE DE L'INTONATION

Surveiller, vérifier et évaluer :

1. l'à-propos de l'intonation énonciative ;
2. l'adéquation de l'intonation exclamative ;
3. la justesse de l'intonation interrogative ;
4. la pertinence de l'intonation suspensive ;
5. le potentiel et le naturel du registre de voix.

LES VARIATIONS DU RYTHME

Un autre aspect du discours spontané joue un rôle de premier ordre à l'oral : c'est le **rythme**. Pour la bonne compréhension du rôle du rythme, il faut rappeler la notion d'**accent**. Celle-ci doit être interprétée comme une façon de « marquer », de « mettre en évidence » les syllabes de certains mots à cause de leur apport prioritaire au sens des phrases. Un mot accentué en français correspond toujours à un mot important pour déterminer le sens d'un message. En français, on « accentue » une syllabe en lui attribuant une durée plus grande que les syllabes voisines (c'est l'**accent régulier**), ou en exploitant plutôt la force pour frapper une syllabe (on se référera alors à l'**accent d'insistance**).

Toutes les syllabes qui ne sont pas privilégiées par l'un ou l'autre de ces procédés seront considérées comme inaccentuées, c'est-à-dire accompagnant ou secondant les autres.

EXEMPLES

Accent régulier (sur les syllabes en caractères gras) :
• Je suis **sûr** que c'est bien **lui**.
• Il n'est pas arri**vé** avant trois **heures** ou **moins**.
• Cette robe **jaune** a coû**té** presque cent doll**ars**.
• J'es**père** que tu lui as dis mer**ci**.

Accent d'insistance (sur les syllabes en caractères gras soulignés) :
• C'est une femme **forte**. **Très**, **très forte**.
• C'est **moi** qui **mène**. **Pas lui** !
• C'est un **maudit** im**bé**cile.
• Je n'ai pas **dit** « **co**gnait », mais « **gro**gnait ».

La succession d'une série de syllabes inaccentuées qui se termine par une syllabe accentuée construit le rythme d'une séquence de mots. La distribution des accents réguliers et d'insistance sur les ensembles sujet, verbe et complément compose les groupes rythmiques qui, avec l'intonation, jouent en quelque sorte le rôle équivalent de la ponctuation en langue écrite.

La place des accents s'avère donc la clef de la composition rythmique de notre manière de parler. Cet accent est habituellement attendu sur la dernière syllabe d'un groupe rythmique qui correspond généralement à un élément de sens. C'est ce que l'on trouve dans l'exemple suivant pour illustrer notre propos.

Succession de syllabes constituant des éléments rythmiques (les syllabes en caractères gras portent un accent régulier et terminent un élément de sens) :

> *La mère de Frédé**ric** va au supermar**ché**. Elle fait les **cour**ses, le samedi ma**tin**. Elle achète des **fruits**, parfois des lé**gumes**. Elle trouve la **vian**de trop **chè**re. Elle rentre à la mai**son** chargée de pro**visions**. Frédéric a **faim**. Il ouvre le réfrigéra**teur**. Il y met le **nez**. Il ne trouve rien de **bon**. Il sort de la cui**sine**.*

Nous reprenons le même texte, mais aux accents rythmiques prévisibles (syllabes en caractères gras), nous ajouterons des accents d'insistance (syllabes en caractères gras et soulignés). Relisons ce texte en frappant d'une voix plus forte les syllabes soulignées d'un accent d'insistance et en allongeant la syllabe tonique. Exerçons-nous à ces deux modalités d'élocution, comparons-les et évaluons les différences d'expressivité ou nuances de sens.

> *La **mère** de Frédéric va au supermar**ché**. **Elle** fait les **cour**ses, le samedi ma**tin**. Elle achète des **fruits**, parfois des lé**gumes**. Elle trouve la **vian**de **trop** **chè**re. Elle rentre à la mais**on** **char**gée de pro**visions**. Frédéric a **faim**. **Il** ouvre le réfrigéra**teur**. Il **y** met le **nez**. Il ne trouve **rien** de **bon**. Il **sort** de la cui**sine**.*

Fiche 3

LE SUPPORT DU RYTHME

Surveiller, vérifier et évaluer :

1. la place de l'accent tonique ;
2. le besoin d'accent du groupe sujet ;
3. l'utilité d'un accent sur le groupe verbe ;
4. la fréquence de l'accent sur le groupe complément ;
5. l'exploitation de l'accent d'insistance.

L'EXPLOITATION DE L'INTENSITÉ DE LA VOIX

Tout bon locuteur qui s'adresse à un auditoire doit exercer un contrôle indéniable sur le **volume de sa voix**. Parler trop **fort** n'est pas mieux que parler trop **faible** : dans un cas on se fait écorcher les oreilles et on oublie le message... dans l'autre, on doit tendre l'oreille de façon forcée, ce qui nuit à la compréhension entière du message. Il y a donc un seuil moyen du volume de la voix que nécessite une audibilité invitant à écouter. Il y a également un degré de force au-dessous duquel notre auditeur cessera de faire des efforts pour capter notre message : si cela arrive, nous provoquons des « décrocheurs phonétiques ». Comment peut-on écouter si l'on n'entend pas bien ?

Le volume de la voix dépend beaucoup du contrôle que le locuteur exerce sur sa respiration. Celle-ci joue un rôle primordial : un manque d'air dans les poumons réduit nos possibilités de parler plus ou moins fort. Une mauvaise répartition de notre capacité de respiration sur les phrases par la judicieuse répartition des pauses peut provoquer des hésitations, des ruptures de rythme... et surtout une voix qui s'éteint graduellement au fur et à mesure que nous discourons. Où trouver des exemples de modifications indues du volume de la voix, c'est-à-dire celui qui passe rapidement et exagérément du fort au faible ? Écoutons alors certains de nos téléromans préférés... et nous constaterons que nous devons parfois demander à quelqu'un de nous répéter ce qui se dit parce qu'on parle dans certaines scènes comme si l'on se confiait tout le temps des secrets !

La **respiration** se réalise en deux moments distincts : l'**inspiration** et l'**expiration**. Au repos et sans parler, on peut admettre grosso modo que les temps d'inspiration et d'expiration s'équivalent en durée. Lorsqu'on s'exprime oralement, la durée d'inspiration se raccourcit et celle de l'expiration s'allonge : cette dernière prend de l'importance parce que c'est à l'aide de l'écoulement de l'air provenant des poumons que l'on articule, prononce et donne du volume à la voix.

EXEMPLES

Les séquences de respiration (inspiration et expiration) au repos se distribuent selon un schéma à peu près régulier comme le suivant :

Dans la production d'une phrase, les deux moments (inspiration et expiration) se reconnaissent toujours mais diffèrent en durée :

inspiration   *expiration*

Je veux par<u>tir</u> tout de <u>suite</u> pour Mon<u>tré</u>al.

Faire varier l'intensité de sa voix suppose donc en général un plus ou moins grand débit d'air. **Contrôler ce débit d'air pour privilégier ou faire ressortir des syllabes ou des mots dans une phrase constitue une qualité phonétique indéniable.** Pensons tout simplement à notre propre respiration (son exploitation, son contrôle, son rôle, etc.) dans des moments de colère, de joie, de peine. Observons le jeu de la respiration chez les gens de théâtre, ses variations selon les sentiments qui animent, marquent ou caractérisent diverses scènes. Ce qui est vrai pour les comédiens, par exemple, l'est tout autant pour le simple mortel qui parle.

Ces constatations faites, un bon locuteur misera sur les effets du volume de sa voix pour créer des effets d'expression. Toutefois, sa liberté de manœuvre dépend directement de la situation de communication qui lui dictera les limites à respecter : parler fort sans aller jusqu'à crier, s'exprimer faiblement sans laisser croire qu'on est en train de mourir.

Fiche 4

JEU DU VOLUME DE LA VOIX

Surveiller, vérifier et évaluer :

1. si la respiration est insuffisante pour parler fort ou faible ;
2. s'il n'y a pas exagération en force ou en faiblesse de la voix ;
3. s'il y a exploitation du volume de la voix pour mettre de l'expressivité dans le message.

L'ENCHAÎNEMENT DES SONS

Quand nous parlons, nous utilisons en moyenne entre 33 et 36 sons différents. Leur production ne se réalise pas comme s'ils étaient indépendants, mais **ils s'enchaînent les uns aux autres** de façon plus ou moins intime ; pour employer une image, ces sons peuvent être aussi dissociés les uns des autres que des grains de chapelet, mais peuvent aussi s'imbriquer tels les maillons d'une chaîne. Ce comportement phonétique de notre articulation relève des jonctions.

Pour être plus concret, nos façons de discourir ont permis de dégager par exemple les lois traitant des liaisons. Il est aisé de se rappeler que la liaison s'occupe principalement de la jonction des sons à la frontière des mots. Le traitement des liaisons comporte trois catégories bien connues :

a) **Les liaisons obligatoires**. Elles apparaissent quand les sons à enchaîner les mots les uns aux autres sont essentiels. Imaginons que nous prononcions « les hommes » sans le « z » de liaison ! Dans des cas similaires comme les suivants, la liaison doit être faite :

- Les_élèves.
- Les_enfants.

- Les_écoles.
- Les_oiseaux.

b) **Les liaisons interdites**. Ce sont celles qui commandent d'éviter d'unir des mots les uns aux autres pour des motifs supérieurs à l'euphonie ! Ainsi, nous pouvons prononcer un « z » de passage dans l'expression « les héros » et on rira beaucoup parce que l'on entendra « les zéros » ! La liaison est donc interdite dans le premier cas et c'est l'usage courant qui en révèle l'étendue et la pratique. La même règle de liaison interdite s'applique aux exemples suivants :

- Les / haches.
- Les / hanches.

- Toujours / étourdi.
- Les / haricots.

c) **Les liaisons facultatives**. Ce sont les jonctions que l'on peut faire ou non à la rencontre de deux mots dans une phrase. Cette liberté peut donc s'exercer bien différemment. De nos jours, on observe que plus la situation est formelle (la lecture d'un texte par exemple), plus on produit de liaisons facultatives ; plus la situation est familière (conversation spontanée entre amis par exemple), moins on tend à introduire de liaisons facultatives. Pensons à notre manière de prononcer « Il est arrivé... » devant un personnage important et devant notre copain à la brasserie, etc. En d'autres termes, plus la situation est spéciale, plus on monte de niveau de langage, plus on additionne de liaisons facultatives et plus on donne l'impression d'être recherché ; plus la situation est fréquente, plus le niveau est familier, plus on est détendu, moins on s'efforce de produire des liaisons facultatives.

Vérifions notre prononciation des phrases suivantes en imaginant diverses situations de communication :

- Je suis ici.
- Tu n'es pas allé.

- Nous sommes enchantés.
- Vous êtes étudiants.

d) Les jonctions comprennent aussi la **prononciation du fameux « e » muet**. Il n'est pas dans notre intention de détailler les règles de maintien et de chute du « e » muet. On trouvera la documentation appropriée en références. Retenons pour le moment qu'il existe une tendance assez répandue de laisser tomber ce « e » muet en finale de mots comme « table », « pupitre », etc., ou tout au plus de le prononcer faiblement pour bien faire entendre les consonnes précédentes. Si la chute du « e » muet risque d'entraîner une difficulté de compréhension, on constate qu'il est alors recommandé de le prononcer pleinement.

Comme dans les liaisons, la pratique du maintien et de la chute du « e » muet varie considérablement selon le contexte de communication qui conditionne les niveaux de langue. En effet, on remarque que cette voyelle est plus fréquemment prononcée au théâtre, à la lecture d'un texte que dans une conversation à bâtons rompus avec un groupe d'amis. Il y a donc là une délicate question d'adaptation aux circonstances de communication.

Fiche 5

LES JONCTIONS

Surveiller, vérifier et évaluer :

1. la pratique des liaisons obligatoires ;
2. le respect des liaisons interdites ;
3. l'adaptation dans l'usage des liaisons facultatives ;
4. le maintien du « e » muet ;
5. la chute du « e » muet.

L'ARTICULATION DES CONSONNES

Avec l'articulation des consonnes, on débouche sur la **netteté de la production phonétique**. On relève plusieurs types d'altérations qui modifient partiellement ou entièrement les consonnes. Une analyse détaillée de l'expression orale d'animateurs et d'animatrices de la radio et de la télévision de la région métropolitaine de Montréal a permis de dresser une liste de dix déformations différentes qui entachaient plus ou moins la nature des consonnes. Rappelons que les caractéristiques des deux catégories de consonnes françaises, à savoir les occlusives comme « p », « t », « k », etc., et les constrictives, comme « s », « ch », « f », etc., ne doivent subir aucune détérioration ou déformation majeure. Il faut donc éviter les principaux écarts suivants :

- **consonnes supprimées,** comme dans « vot(r)e avis », « Saint-Fé(l)icien » ; elles se manifestent souvent à l'intérieur des mots lorsqu'il y a rencontre de deux consonnes comme dans « spe(c)taculaire », « a(c)cident » ;

- **consonnes escamotées** parce que souvent le débit est trop rapide, comme dans « quat(re) enfants », « la tab(le) à dessin » ;

- **consonnes assibilées** qui est le phénomène où « t » et « d » sont accompagnées des sons « s » ou « z » devant « i » et « u », comme dans « têtu » et « dîner » ; si nous assibilons au point de faire disparaître le « t » ou le « d », nous commettrons une faute phonétique qui déforme notre mot, d'où une difficulté de compréhension possible ;

- **consonnes géminées** où l'on double inutilement une consonne, habitude fréquente chez les francophones québécois : « vous l'avez dit », « c'est lui qui l'a dit ».

À ne pas oublier : c'est la fermeté articulatoire qui caractérise les consonnes.

Fiche 6

LES CONSONNES

Surveiller, vérifier et évaluer :

1. la netteté des occlusives ;
2. la précision des constrictives ;
3. les consonnes supprimées ;
4. les consonnes escamotées ;
5. les consonnes assibilées ;
6. la gémination indue.

LA PRODUCTION DES VOYELLES

La qualité du timbre des voyelles ne peut être oubliée. En français, il est remarquable de constater que les voyelles doivent garder leurs caractéristiques propres principalement à cause de leur rôle primordial dans la syllabe. Une élocution soignée et précise comportera toujours des voyelles impeccables. De nombreux écarts menacent d'entacher l'articulation des voyelles.

Rappelons qu'en principe, aucune voyelle française (sauf le « e » muet) ne peut être omise : on doit alors bien percevoir toutes les voyelles, y compris le « u » dans « musicien », le « i » dans « finale », etc.

Leur sonorité doit être pleine et entière : gare alors à des mots comme « poupée » et « député ».

Il n'est pas d'usage, de nos jours, de diphtonguer les voyelles : la « tasse » qui devient « taousse », le « thé » qui s'entend « théi », etc., sont par conséquent à éviter.

L'ouverture des voyelles permet de déceler des « i », des « u » et des « ou » ressemblant beaucoup à des « e » : ici nous voulons souligner l'écart fréquent que l'on trouve dans les mots « église », « bout », « lu », etc.

Le défaut contraire, c'est-à-dire la fermeture du timbre, n'est pas plus acceptable : observons ces « a » qui sont souvent prononcés comme des « ê » dans « p<u>a</u>pa » « p<u>a</u>rent », etc.

Prêter attention enfin aux quatre voyelles nasales « an », « in », « un » et « on » qui ne doivent pas être de timbre trop « grêle », ce qui est dû à une antériorisation linguale.

Fiche 7

LA SONORITÉ

Surveiller, vérifier et évaluer :

1. la suppression des voyelles ;
2. la sonorité des voyelles ;
3. la diphtongaison des voyelles ;
4. l'ouverture des voyelles ;
5. la fermeture des voyelles ;
6. l'antériorisation des voyelles nasales.

LES PHÉNOMÈNES D'HYPERCORRECTION

Le désir de bien faire, de trop vouloir bien faire, peut entraîner une **préoccupation excessive de « bien parler »** jusqu'à observer des **« corrections indues »** : qui n'a pas relevé des corrections non requises débouchant sur d'autres écarts de diction ou de prononciation ? Mentionnons, pour illustrer notre propos, les liaisons superflues comme dans « tou-jour<u>s</u> évident... » avec ce « z » indésirable et surprenant. Ajoutons des maintiens excessifs du « e » muet jusqu'à en ajouter là où il n'y en a pas. Parfois ces habitudes peuvent engendrer des « tics » d'élocution tout à fait agaçants : « La guerre des six jour(e)s en mars(e) dernier... » Que dire des prononciations futiles de ceux qui veulent trop bien « parler » : que les locuteurs vont produire « perler » ?

Fiche 8

L'HYPERCORRECTION

Surveiller, vérifier et évaluer :

1. la présence de liaisons superflues ;
2. l'addition indue du « e » muet ;
3. le changement inapproprié de timbre des voyelles.

LA PRONONCIATION DU VOCABULAIRE DES EMPRUNTS OU DES MOTS RARES

La prononciation des mots de langues étrangères, comme celle des mots rares, peut provoquer l'hilarité si nous parlons à un auditoire. La marge de manœuvre est mince et doit s'ajuster continuellement aux habitudes les plus répandues du milieu où on se trouve. On attire tout particulièrement l'attention sur les noms propres de personnes ou de lieux, plus pour les emprunts à l'anglais parce que langue plus connue que pour les autres langues. Vous vous ferez désagréablement remarquer si, par exemple, vous prononcez « Boston » (en faisant entendre le « n » comme en France) dans un milieu québécois. Inversement, si vous ajoutez au « y » de « New York » un « v », on vous adressera un petit sourire en coin au Québec.

Il est donc essentiel de s'assurer de la prononciation la plus fréquente ou du moins la plus répandue des emprunts ou des mots rares dans le milieu francophone où nous devons intervenir.

Fiche 9

LE VOCABULAIRE DES EMPRUNTS OU DES MOTS RARES

Surveiller, vérifier et évaluer :

1. la prononciation la plus connue des mots empruntés ;
2. la prononciation bien vérifiée des mots rares.

CONCLUSION

Ce que nous venons de décrire constitue les éléments phonétiques qui jouent un rôle majeur dans l'appréciation du discours d'un locuteur ou encore dans l'impression globale dégagée d'une plus ou moins grande maîtrise de l'expression orale, notamment en public. Il est peut-être ardu de lutter contre toutes les déformations phonétiques qui nous menacent, d'améliorer les qualités intrinsèques du support phonétique du français. Il est peut-être impossible à atteindre, sauf pour quelques privilégiés doués... Un fait toutefois demeure : si on relève le cumul d'une trop grande quantité d'écarts ou d'erreurs à cette norme ou pratique objective, la manière de dire devient une entrave à une compréhension parfaite du message qui est l'objectif premier de toute communication.

Voilà un beau programme d'activités, un véritable plan d'action phonétique ! Bien s'exprimer est d'une complexité énorme parce que l'on doit faire appel à de nombreuses habiletés que seule une pratique constante et intense permet de développer. En considérant uniquement les aspects phonétiques de l'expression orale, nous concluons sans doute à l'impossibilité de faire face ou de tenir compte de la quantité innombrable de petits détails à surveiller. Il est en effet impossible de pratiquer adéquatement tous ces détails, de réfléchir à tout, de tout prévoir... partout et tout le temps. Pour ne pas se décourager, il ne faut pas viser à intégrer tout cela en même temps, surtout pas d'essayer de tout transposer en actions simultanément. À nous de procéder à notre évaluation ou de nous faire aider. Ce n'est pas l'attention dans l'instant qui importe le plus, mais l'effort dans le temps.

À la lumière du diagnostic porté sur nos points forts et nos points faibles, nous pourrons adopter des moyens d'amélioration. Les suggestions n'exigent donc pas d'être entièrement suivies à la lettre... ni d'être nécessairement toutes suivies. Outre les besoins identifiés, il restera à planifier sa démarche, l'adapter à son rythme, comme c'est le cas dans tout apprentissage. Nous voulons faire une mise en garde contre la spontanéité en la matière qui ne peut être nécessairement garante de qualité ; en effet, sous prétexte d'authenticité, on peut s'exposer aux pires déboires comme à de grandes frustrations. Il est dangereux d'associer à la spontanéité naïve de trop multiples vertus... si elle n'est pas protégée par une surveillance constante de nos habitudes langagières. En ce domaine, il faut nous rendre à l'évidence que nous devrons généralement travailler à la sueur de notre front.

Quand jour après jour nous aurons surveillé notre élocution, nous approcherons du comportement presque idéal. Toujours dans le but d'obtenir et de conserver l'attention et l'intérêt des autres, il faut moduler notre voix, lui donner de la vie, en varier l'intensité, le ton, le rythme. Varier par rapport aux interventions des autres et selon le contexte. Varier par rapport à soi-même d'une intervention à l'autre et même à l'intérieur d'une même intervention si nous voyons que l'attention des autres se relâche. Parler calmement ou rapidement, et énergiquement. Il nous faut éviter de nous exprimer d'une voix monocorde et impersonnelle, sauf si cela nous permet d'attirer l'attention des autres. Même si les gens ne sont pas d'accord avec ce que nous disons, ils seront au moins à l'écoute.

RÉFÉRENCES BIBLIOGRAPHIQUES

BOUDREAULT, M. *et al. Prononciation du français par le rythme.* Québec, Presses de l'Université Laval, 1967.

CLAS, A., J. DEMERS et R. CHARBONNEAU. *Phonétique appliquée,* Montréal, Presses de l'Université de Montréal, 1968.

GENDRON, J. D. *Phonétique ortho-phonique (Orthophonie - Exercices de correction – Textes de lecture,* Québec, Presses de l'Université Laval, 1968.

GERMAIN, C. et R. LEBLANC. *Introduction à la linguistique générale : La phonétique,* Montréal, Presses de l'Université de Montréal, 1981.

LÉON, M. *Exercices systématiques de pro-nonciations françaises (1 et 2),* Paris, Hachette / Larousse, 1964.

LÉON, P. *Prononciation du français stan-dard : Aide-mémoire d'orthoépie,* Paris, Didier, 1966.

LÉON, P. et M. LÉON. *Introduction à la phonétique corrective,* Paris, Hachette / Larousse, 1964.

MARCHAL, L. *Les sons et la parole,* Montréal, Guérin, 1981. (Langue et société)

LE TRAC ET LA TIMIDITÉ

Richard Cloutier
Professeur en psychologie à l'Université Laval

Le docteur Richard Cloutier s'intéresse aux implications cognitives de la communication interpersonnelle. Comment la représentation de soi interagit-elle avec la représentation de l'autre dans la communication ? Comment peut-on développer une meilleure maîtrise de nos moyens en communication interpersonnelle ? Comment peut-on développer un style interactif qui convienne vraiment à notre intimité personnelle ? Voilà les questions qui l'intéressent en ce qui a trait à la parole en public.

INTRODUCTION

Le trac et la timidité ont un effet semblable : ils nous plongent dans un état émotionnel plus ou moins intense susceptible d'affecter nos capacités d'expression en public. Cette activation émotionnelle s'accompagne de diverses manifestations physiologiques qui sont tantôt seulement perceptibles par nous-même, tantôt évidentes aussi à notre entourage : accélération du rythme cardiaque, rougeurs, sudation, tremblements, gestes nerveux, bégaiement, etc. Au fond, c'est le fait d'être l'objet de l'attention des autres qui est en cause : nous craignons de ne pas arriver à donner l'image sociale désirée.

Cependant, le trac et la timidité sont généralement considérés comme deux réalités distinctes : le trac est vu comme ponctuel, directement associé à une performance à exécuter à un moment donné (l'action dissipe l'angoisse irraisonnée), tandis que la timidité est perçue comme un trait personnel plutôt durable qui colore les conduites sociales de la personne.

Nous présenterons le trac et la timidité comme deux variantes de l'anxiété sociale, c'est-à-dire l'anxiété causée par la peur de ne pas avoir les moyens d'atteindre une certaine qualité dans la performance oratoire, la crainte de ne pas réussir à donner l'image désirée devant les autres. Nous éprouvons de l'anxiété sociale lorsque nous croyons que notre image n'est pas celle que nous souhaitons projeter ; cela s'applique aussi bien au trac qu'à la timidité.

Le trac et la timidité diffèrent également en fonction du cycle d'interaction entre l'acteur et son auditoire. Le trac renvoie généralement à l'anxiété d'auditoire, c'est-à-dire à la crainte éprouvée face à une performance préparée à l'avance, selon un plan. Dans ce cas, il n'y a pas d'interaction directe prévue avec l'auditoire (comme dans le cas d'un discours, d'un récital, d'une pièce de théâtre, etc.). De son côté, la timidité renvoie à l'anxiété d'interaction, c'est-à-dire à la peur de ne pas savoir comment faire, quoi dire lors d'une interaction directe avec une personne ou un groupe ; cette interaction requiert un ajustement constant et non prévu à l'avance. Bref, le timide craint de ne pas trouver de scénario convenable dans le contexte d'une interaction directe avec quelqu'un. Celui qui a le trac redoute plutôt de déroger au plan dans le contexte d'une interaction indirecte avec un auditoire.

Si le trac ressenti par un grand ténor à mesure que l'heure du concert approche est un phénomène différent de ce qu'éprouve le timide qui rougit à l'idée même d'avoir à demander une information à un étranger, dans les deux cas il y a la peur du jugement négatif des autres ; les deux proviennent de l'incertitude face aux capacités personnelles d'atteindre le but. Le ténor angoissé et le timide sont tous deux incertains de leurs moyens pour relever le défi. Ils sont tous deux anxieux à l'idée d'échouer, de commettre une bévue, de paraître ridicules au moment où tous les yeux sont rivés sur eux.

Le ténor a des standards de performance à atteindre ; il craint l'erreur, que sa voix manque. Il a peur de ne pas être à la hauteur, de décevoir son public ; il a l'impression que toute sa carrière et sa réputation sont en jeu. Ce tourment peut l'amener à poser toutes sortes d'exigences à son entourage dans le but prétendu de mettre toutes les chances de son côté pour réussir. Il ne se prive non seulement de demander de l'aide aux autres, mais encore il peut en abuser jusqu'à devenir tyrannique pour son entourage immédiat. L'anxiété sociale de notre homme ne concerne donc pas l'interaction avec des personnes prises individuellement, mais plutôt avec son public juge. En ce sens, plus notre ténor se pense bon, plus l'enjeu de sa performance face à sa carrière est important à ses yeux.

Mais notre timide aussi s'imagine au centre d'un spectacle, lui aussi a peur de paraître ridicule. Dans une certaine mesure, il pose lui aussi toutes sortes de conditions pour satisfaire ses aspirations : il se les pose à lui-même, centré qu'il est sur les moindres indices physiologiques pouvant le convaincre de son incapacité personnelle. C'est ce qui le poussera à éviter les situations qui nécessitent une interaction avec autrui et, lorsque celle-ci sera inévitable, il choisira le retrait, la discrétion, le silence. En un sens, le timide peut être tyrannique vis-à-vis de lui-même, se privant de toutes sortes d'avantages pour éviter la « grande peur ». On pourra cependant rencontrer des gens très timides avec les personnes étrangères, mais sans scrupules à l'égard de leur entourage immédiat par lequel ils ne sont justement pas intimidés. La timidité est rarement ressentie dans des situations très familières où il n'y a pas d'incertitude, comme en famille par exemple. L'anxiété sociale du timide concerne l'ensemble des interactions (individuelles ou collectives) qui comportent de l'inconnu.

Ce chapitre se divise en deux parties : dans la première, les bases psychologiques du trac et de la timidité sont présentées, en situant leurs ressemblances et leurs différences dans le contexte de la notion plus large d'anxiété sociale ; dans la seconde partie, certains moyens pratiques sont suggérés pour évaluer et combattre la source de l'anxiété sociale.

PSYCHOLOGIE DU TRAC ET DE LA TIMIDITÉ

Nous proposons donc, au départ, que le trac et la timidité appartiennent tous deux à l'anxiété sociale. Quatre formes d'anxiété sociale peuvent être identifiées : la timidité, le trac, l'embarras et la honte. Nous avons vu que le trac et la timidité, pour une bonne part, reposent sur l'anticipation d'une prestation publique ou d'une interaction avec quelqu'un. La dimension « anticipation » est importante puisqu'on a souvent observé que le trac disparaît lorsque l'acteur entre en action. Chez la personne qui sait qu'elle va faire un discours, l'activation physiologique augmente quelques minutes avant d'entrer en scène (le rythme cardiaque grimpe entre 95 et 140 battements par minute, contre une normale de 70 battements). Au moment de la confrontation avec l'auditoire, l'orateur en commençant à parler est dans un état de nervosité maximale : son rythme cardiaque va de 110 à 190 battements par minute pour diminuer après les trente premières secondes de présentation et retourner au niveau de l'anticipation, et même plus bas par la suite.

Pour ce qui est de la timidité, le cycle « anticipation-participation » est plus rapide que dans le cas du trac : lorsque nous adressons la parole à quelqu'un, les changements se font plus rapidement que lors d'un concert ou un discours public. Quant à l'embarras, c'est la forme d'anxiété sociale qui découle de la maladresse déjà faite, de l'erreur en cours. On peut dire que la timidité concerne l'anticipation d'une maladresse tandis que l'embarras est la conséquence de la maladresse comme telle.

Quant à la honte, elle se distingue de l'embarras surtout par le caractère moral qu'elle revêt. La honte est associée à un geste déshonorant, disgracieux, malhonnête. Elle relève donc d'un événement moralement répréhensible. L'embarras, comme la honte, implique que le manquement à la norme soit connu d'autrui, mais la violation morale ajoute à la gravité perçue du méfait, ce qui fait que la honte blesse davantage l'image personnelle que l'embarras. Donc, deux formes d'anxiété sociale sont davantage reliées à l'anticipation d'un échec (le trac et la timidité), et deux autres formes conséquentes à la bévue (l'embarras et la honte). Ce sont les deux premières formes d'anxiété sociale qui nous intéressent : le trac et la timidité.

L'anxiété sociale : la conséquence de l'incertitude

L'anxiété sociale peut se définir comme l'aboutissement d'un jugement porté sur soi par autrui dans une situation sociale, ce jugement pouvant être vécu réellement ou anticipé mentalement. Examinons les composantes de cette définition. L'anxiété est une réponse cognitive et affective associée à l'appréhension d'une conséquence négative que l'on a l'impression de ne pas pouvoir éviter. Chez une même personne, l'anxiété fluctue dans le temps et d'un contexte à l'autre. Cependant, il existe aussi des différences constantes d'une personne à l'autre, différences individuelles qui, comme nous le verrons plus loin, relèveraient de l'expérience personnelle et de facteurs biologiques. Une situation est dite « sociale » parce qu'elle implique que l'on soit l'objet de l'attention des autres (parler en public, se présenter à quelqu'un, demander de l'aide, etc.), donc sujet à l'évaluation d'autrui. On peut éprouver de l'anxiété sociale en s'imaginant dans une situation sociale ou en en vivant une. Comme les autres formes d'anxiété humaine d'ailleurs, l'anxiété sociale provient de l'incertitude. Incertitude quant à savoir quoi faire, comment s'y prendre pour donner l'impression voulue, comment faire face à l'imprévu ; incertitude quant à nos aptitudes à atteindre un but important, etc. Si l'on a souvent souligné les avantages d'une certaine dose d'anxiété sociale en tant que stimulant pour la vigilance mentale, on a encore mieux documenté l'effet nuisible d'une anxiété trop importante. L'anxiété sociale est proportionnelle à l'impression de ne pas être en mesure de passer avec succès l'évaluation associée à l'interaction sociale réelle ou imaginaire. Lorsque cette crainte de l'échec dépasse la confiance en nos propres moyens, elle n'agit plus comme stimulant sur notre performance, c'est-à-dire comme un coup de fouet poussant à déployer tous nos moyens ; elle devient plutôt une préoccupation perturbante qui nous fait perdre tous nos moyens.

FIGURE 4.1
Les composantes de l'anxiété sociale

Les caractéristiques personnelles de base	Le style interactif de la personne	Le contexte de l'interaction sociale
1. les traits constitutionnels 2. l'apprentissage social	1. l'identité sociale 2. la conscience de soi 3. les stratégies de contrôle de l'image de soi	1. le type d'interaction que doit vivre l'orateur 2. les caractéristiques de l'auditoire

La figure 4.1 propose trois groupes de composantes à la base de l'anxiété sociale :

- les caractéristiques personnelles de base (notre bagage héréditaire et notre histoire personnelle) ;

- le style interactif que nous adoptons ;

- le contexte d'interaction dans lequel nous nous inscrivons.

Cette figure traduit donc l'idée que notre anxiété sociale dépend de nos dispositions personnelles, mais aussi de la stratégie que nous adoptons et du contexte dans lequel nous nous trouvons. Voyons de plus près ces trois composantes : les caractéristiques personnelles (traits constitutionnels et apprentissages), le style interactif et le contexte de l'interaction.

Les caractéristiques personnelles

Une même situation sociale ne suscite pas la même crainte chez tous. Certains ont tendance à réagir plus fortement au contact d'une personne étrangère ou d'un groupe nouveau. Ils éprouvent généralement plus d'anxiété sociale que la moyenne ; ils sont timides. Or, comme en cas d'incertitude, la personne timide a tendance à s'abstenir pour éviter l'échec ; elle se caractérise habituellement par son inhibition sociale.

À l'extrême, la timidité maladive correspond à la « phobie sociale », c'est-à-dire « une peur irrationnelle persistante et le désir contraignant d'éviter une situation dans laquelle la personne est exposée à l'éventuelle observation attentive d'autrui, et dans laquelle elle craint d'agir d'une façon humiliante ou embarrassante ». Tout un continuum sépare cette crainte pathologique du jugement social de l'absence de timidité. Mais d'où nous vient la timidité ?

La timidité est-elle héréditaire ?

L'anxiété suscitée par l'interaction sociale serait déterminée par deux facteurs qui ont une action réciproque : le bagage héréditaire et l'apprentissage social. Dans un monde où l'on entretient de grands espoirs de pouvoir apprendre sans limites, de pouvoir se transformer à volonté, les bases héréditaires du comportement ne sont pas toujours faciles à accepter. Il existe cependant des fondements fiables à l'idée que la génétique, en interaction avec l'expérience vécue au contact de l'environnement, constitue un déterminant significatif de certains comportements sociaux.

En psychologie comparée et en biologie comportementale, bon nombre d'expériences faites sur des souris, des rats, des chats, des chiens, des loups, des porcs, des vaches et des singes ont montré que, selon la souche génétique à laquelle ils appartiennent, des sujets de la même espèce diffèrent significativement dans leur façon de réagir aux situations nouvelles, certains étant inhibés face au nouveau, d'autres spontanés.

Dans la documentation sur les fondements génétiques du comportement humain, regroupant des recherches sur plus de 25 000 paires de jumeaux, on a observé que 50 pour 100 de la variance de l'introversion et l'extraversion, ces deux « superfacteurs » comportementaux, seraient déterminés génétiquement. Bien que les concepts d'introversion et d'extraversion ne soient pas identiques à ceux de la timidité et la sociabilité, ils se chevauchent : l'introversion serait caractérisée par le repli sur soi, le retrait social, l'inhibition, tandis que l'extraversion supposerait la sociabilité, la spontanéité. Ces caractéristiques personnelles figurent parmi les plus stables que la psychologie contemporaine ait identifiées.

Chez les enfants, la réponse à des personnes étrangères est l'un des rares comportements qui soit stable dans le temps et qui soit indépendant de l'intelligence ou de la classe sociale des gens. En présence d'une personne étrangère, l'équipe du professseur Kagan, aux États-Unis, rapporte qu'environ 10 à 15 pour 100 des enfants de deux ou trois ans (en bonne santé) deviennent silencieux, vigilants et soumis pendant des périodes variant entre cinq et trente minutes, tandis qu'une proportion analogue d'enfants du même âge maintiennent leur conduite spontanée, comme si la personne inconnue ne faisait pas de différence pour eux. Ces deux groupes extrêmes d'enfants (60 au total) ont été suivis jusqu'à l'âge de sept ans et on a constaté qu'ils affichaient toujours les caractéristiques sociales observées quatre ans plus tôt, c'est-à-dire la réserve, la prudence et l'inhibition sociale pour les uns et la spontanéité, l'activité verbale et sociale spontanées pour les autres. On doit noter cependant que ce maintien du style social personnel ne se retrouve que dans ces groupes extrêmes ; pour les personnes situées plus près de la moyenne, les indices d'inhibition ou de spontanéité sociale observés à deux ans ne sont pas aussi révélateurs que ceux obtenus à l'âge de quatre ans, comme si des facteurs environnementaux conditionnaient davantage le comportement social de ces sujets moins extrêmes.

Certains auteurs prétendent que les enfants inhibés socialement viendraient au monde avec un seuil plus bas d'activation du système nerveux sympathique (amygdala et hypothalamus) : ils réagiraient plus fortement à l'imprévu et s'adapteraient plus difficilement à la nouveauté, comme en témoigne leur réaction physiologique plus vive dans des contextes de ce type (augmentation plus marquée et plus rapide du rythme cardiaque, puis variation moindre de celui-ci, diamètre plus grand de la pupille, tension motrice plus forte, etc.). Chez les timides, les structures neurologiques responsables des états comme la peur ou l'anxiété seraient plus facilement stimulées. Cependant, pour que ce type d'inhibition sociale se manifeste de façon durable chez l'enfant, il faut qu'un stress environnemental chronique agisse en interaction avec les prédispositions de naissance. Une hospitalisation prolongée, la disparition d'un parent, un milieu de vie hostile et conflictuel seraient des exemples de ce genre de stresseurs. Kagan *et al.* observent toutefois que ce type de condition de vie est rare dans leur échantillon d'enfants inhibés. En revanche, les deux tiers de ces derniers sont cadets de leur famille, contrairement au groupe d'enfants non inhibés où les deux tiers sont des aînés : « Un membre plus âgé de la fratrie qui saisit un jouet sans prévenir, agace, ou crie après un bébé peut fournir le stress chronique nécessaire pour transformer la prédisposition de tempérament en ce profil que nous appelons inhibition comportementale. » (Kagan *et al.*, 1988, p. 171.)

Les recherches de ces auteurs sur le comportement des enfants en garderie ont permis d'observer que les jeunes d'origine chinoise affichaient une réserve typiquement plus prononcée que leurs pairs caucasiens (timidité, crainte face à des adultes ou des enfants étrangers, pleurs plus prononcés au départ de leur mère, etc.). Cette différence assez constante a été interprétée comme culturelle jusqu'à ce que l'on se rende compte que les enfants chinois montraient, en laboratoire, des variations du rythme cardiaque systématiquement moins grandes que chez leurs pairs blancs, ce qui a donné aux chercheurs l'idée d'une base biologique à la timidité, hypothèse que leurs nombreux travaux ultérieurs ont appuyée. Il y aurait donc des fondements innés à l'inhibition sociale.

Une telle réactivité physiologique aux contextes nouveaux d'interaction sociale serait associée à une attention plus grande tournée vers soi. Lorsque notre conscience est tournée vers notre intérieur plutôt que vers un objet extérieur à nous, elle peut donner lieu à deux types de conscience de soi : une conscience de soi privée, c'est-à-dire tournée vers nos pensées et nos sentiments intimes (comme celle du personnage distrait du genre professeur Tournesol dans *Tintin*, qui se retrouve seul dans son monde intérieur en perdant contact avec son milieu extérieur) ; et une conscience de soi publique où l'attention est dirigée sur le fait que l'on est observé, évalué, que l'on offre telle ou telle image, etc. : « Mon cœur bat plus vite, mes mains tremblent, je suis nerveux, ils me regardent, ils peuvent se rendre compte de mon malaise, que puis-je faire pour éviter de paraître... ? ». Chez les timides, c'est cette conscience publique de soi qui serait activée par les signaux du corps ; ces derniers agissant comme des drapeaux qui disent à la personne « regarde comme tu es nerveux... tes mains tremblent, tu as chaud, que vont-ils penser ? de quoi as-tu l'air ? »

De nombreuses études ont montré que la conscience publique de soi était reliée à diverses formes d'anxiété sociale, dont le trac et la timidité. Or, comme nous l'avons vu, certaines personnes auraient une hypersensibilité innée aux contextes sociaux nouveaux ; si cette caractéristique entre en interaction avec les conditions appropriées, il pourra y avoir éclosion d'un profil stable d'inhibition sociale : la timidité. Il y aurait donc une base constitutionnelle à la timidité qui se déploierait en présence de certaines conditions du milieu.

L'influence du milieu social

En psychologie, il existe un principe de base voulant que les comportements récompensés ont plus de chances de se reproduire que ceux qui sont punis, et l'inverse est aussi vrai. Selon cette conception de l'apprentissage, les gens timides le seraient parce que l'expression ouverte de leurs sentiments ou émotions n'a pas été récompensée ou a même pu être punie au cours de leur développement. Cette conception n'est certainement pas fausse. Par exemple, on a trouvé que les enfants qui montraient une bonne confiance en eux avaient des parents tolérants, qui établissaient des limites claires de conduite à respecter, qui apportaient beaucoup de soutien aux projets de leurs enfants, tout en les laissant libres de développer des compétences utiles aux situations qu'ils avaient à vivre.

Au cours de son histoire personnelle, l'individu ne fait pas qu'apprendre en fonction de récompenses ou de punitions ; elle développe aussi des valeurs, se fixe des objectifs, des modèles ou des principes qui guideront sa conduite de l'intérieur. C'est ce qui permet d'expliquer pourquoi certains se soumettent à des régimes de vie très sévères sur le plan du travail, de l'alimentation, de l'exercice physique, etc., sans qu'apparemment ils soient récompensés pour de tels efforts. Cette capacité d'autorégulation elle-même se développe au cours de l'histoire personnelle.

En effet, par des expériences appropriées, la personne peut développer le sentiment qu'elle peut atteindre des standards élevés de performance si elle réussit à s'imposer une discipline, à contrôler ses pulsions immédiates, à fournir l'effort voulu, etc. ; c'est ainsi qu'elle peut avoir la conviction qu'elle est capable de surmonter des défis, de dépasser ses craintes, ses peurs, pour enfin réussir. A. Bandura appelle les « attentes d'efficacité personnelle » cette conviction d'être capable. Un individu peut développer des attentes élevées à l'égard de son efficacité personnelle, mais il peut aussi en développer des faibles : autant peut-on apprendre que l'effort en vaut la peine, qu'on peut aussi apprendre que nos efforts ne servent pas à grand-chose. Avec cette conviction, la personne peut être éblouie par les obstacles, prise de vertige devant les combats à livrer, figée devant les actions à poser. Bandura croit que les attentes d'efficacité personnelles sont le résultat d'un apprentissage progressif où plusieurs facteurs interviennent : les avantages perçus, les modèles auxquels on s'identifie, les standards de performance que l'on adopte, les expériences antérieures de réussite ou d'échec, la qualité de l'évaluation que l'on fait de la difficulté de la performance à faire, etc. Psychologiquement, les attentes d'efficacité personnelle sont importantes puisqu'elles déterminent si la personne tentera ou non de faire face à la situation, combien d'efforts elle déploiera, combien de temps ces efforts seront déployés, etc.

Sur le plan social, le timide aurait de faibles attentes d'efficacité personnelle : il serait plus ou moins convaincu qu'il n'est pas efficace dans les situations sociales. De son côté, la personne qui a le trac doute de son efficacité à atteindre le standard d'excellence visé ; elle peut être convaincue d'être plus efficace que la plupart des gens mais ce qui la préoccupe n'est pas la moyenne des gens, mais le niveau qu'elle s'est imposée.

L'image sociale que l'on a, que l'on veut, que l'on donne

Au fil des années, chacun développe un certain répertoire de façons de faire, de manières de se comporter devant les autres. Nous ne sommes pas toujours pareils, nous ne réagissons pas comme un robot à toutes les situations sociales ; nous avons un certain choix d'images à faire. Ce répertoire qui nous caractérise résulte lui-même d'une combinaison de prédispositions et d'apprentissages ; il offre un certain choix, limité mais réel. Selon l'évaluation faite du contexte social, nous adopterons une stratégie plutôt qu'une autre, nous ferons des efforts plus ou moins conscients pour influencer notre image, pour gagner la reconnaissance des autres, pour éviter leur blâme, etc. C'est du doute que l'on ressent à l'égard de nos capacités personnelles à créer l'impression voulue que surgit le trac ou la timidité. La personne qui n'a aucun doute sur ses capacités à réussir (celle qui a des attentes très élevées d'efficacité personnelle) n'éprouve pas ce type d'anxiété sociale, comme d'ailleurs celle qui ne poursuit pas de but, c'est-à-dire qui ne veut pas créer d'impression : si je n'ai aucune envie de réussir à donner une image, je ne serai pas anxieux.

Pourquoi veut-on contrôler notre image sociale ?

En termes simples, le désir de contrôler l'impression que l'on donne aux autres provient des avantages que l'on croit pouvoir tirer d'une bonne impression (admiration, approbation, respect, reconnaissance, sympathie, etc.) ou des pertes que l'on veut éviter (popularité acquise, réputation, amitié, etc.). Plus l'enjeu sera perçu comme important, plus la personne s'efforcera de donner une bonne impression (obtention d'un emploi ou d'un contrat, élection, etc.). La recherche d'un bénéfice ou l'évitement d'une perte sont donc considérés comme des éléments motivationnels de base, mais ils ne sont pas les seuls déterminants du style interactif qui sera adopté.

L'opinion que se fait la personne sur ses capacités à produire l'impression recherchée (ses attentes d'efficacité personnelle) et son évaluation des caractéristiques de l'auditoire (compétent contre incompétent, sympathique contre antipathique, motivé ou non, etc.) joueront aussi sur la stratégie de contrôle adoptée. Avant d'étudier certaines stratégies typiques pour contrôler l'impression que l'on donne, examinons en quoi consiste l'identité sociale personnelle et la conscience de soi. Nous verrons ensuite comment le trac et la timidité peuvent se situer dans ce type de répertoire.

L'identité sociale personnelle
ou ce que nous pensons que les autres pensent de nous

Ce que nous pensons que les autres pensent de nous, c'est-à-dire la façon dont nous croyons être perçu et évalué par les autres, correspond à notre identité sociale personnelle. L'identité sociale définit ce que la personne est et où elle se situe par rapport à la société. Ce n'est pas un substitut du concept de « soi », mais cela en fait partie comme un sous-ensemble. Tout facteur pertinent à soi qui peut être remarqué par les autres affecte l'identité sociale personnelle et a un impact potentiel sur les relations sociales. Voici des exemples d'éléments pertinents à soi : le rôle que l'on joue (employeur-employé ; professeur-élève ; parent-enfant ; traitant-traité ; etc.), le statut que l'on a, c'est-à-dire l'évaluation que l'on fait de nous dans les rôles que l'on joue (notre apparence physique, nos origines sociales [classe sociale, culture, affiliations, etc.]).

Convient-il d'être soumis ou dominant ? Passif ou actif ? Agréable ou désagréable ? Constant ou imprévisible ? Les gens évalueraient le caractère approprié ou inapproprié de leur conduite à partir de trois choses : l'identité sociale qu'ils se donnent, leur perception du contexte et les buts qu'ils poursuivent.

Nous possédons un certain contrôle sur notre identité sociale personnelle, mais pas un contrôle complet. Même si nous pouvons contrôler notre tenue vestimentaire, nous ne pouvons contrôler l'apparence de notre corps comme tel. Lorsque nous essayons de traduire une image sociale donnée, certaines limites de notre compétence peuvent échapper à notre contrôle ; certains automatismes (comme l'accent langagier) peuvent resurgir sans que nous nous en rendions compte. De plus, nous devons composer avec le contrôle que les autres essaient eux-mêmes d'exercer sur leur image. Si nous tentons de nous faire valoir comme une personne compétente dans un domaine et que deux autres personnes entrent en compétition avec nous en poursuivant ce même objectif, le résultat de nos efforts ne sera pas le même que si nous sommes en présence de personnes qui ne veulent pas afficher de compétence dans ce secteur. Le timide qui décide de « foncer » doit bien choisir son contexte sous peine de vivre un échec susceptible de renforcer sa faiblesse sociale.

La conscience de soi

Nous ne sommes pas toujours conscient de l'image que nous projetons ; parfois, toute notre attention est consacrée à l'action, à l'exécution d'une tâche, sans considération de l'image projetée. Dans ce cas, notre conscience publique de soi est faible et c'est la conscience privée qui domine ; à ce moment, nous ne contrôlons pas notre image sociale. Pour contrôler cette image que nous projetons, il faut en avoir une certaine conscience.

À l'extrême toutefois, si toute notre attention est portée sur ce dont nous avons l'air, sur ce que nous voulons paraître, sur la dimension évaluative de notre conduite, il nous manquera de l'attention pour exécuter la tâche que nous devons accomplir devant autrui.

Une grande conscience publique de soi a souvent été observée chez les gens timides. Ces personnes sont plus enclines à entretenir des doutes quant à leurs capacités de réussir des interactions sociales dans divers contextes. Elles ont aussi tendance à cultiver une faible estime d'elles-mêmes et à se centrer sur les écarts qu'elles observent entre ce qu'elles font et ce qu'elles voudraient faire dans le contexte de l'interaction, ce qui a pour effet d'amplifier leur anxiété.

L'excès de conscience publique de soi est nuisible car il accapare l'énergie mentale, si précieuse au moment de la communication. En revanche, le contrôle de l'image sociale ne peut reposer que sur une sensibilité minimale au fait d'être l'objet d'une évaluation sociale : la personne qui ne se prend pas elle-même comme objet de sa conscience ne peut avoir de contrôle sur l'impression qu'elle donne ; elle ne fait pas attention à l'image qu'elle projette. La conscience de soi dépend aussi du degré de sensibilité à l'évaluation d'autrui. Comment contrôler l'image que nous projetons ?

Stratégies de contrôle de l'image sociale

En matière de stratégie de contrôle de l'impression que l'on donne, trois grandes directions peuvent être identifiées : agir dans un but (être actif), éviter d'agir (être sur la défensive) et fuir la confrontation (se trouver une défaite, une échappatoire, une excuse).

Dans certaines situations, nous adopterons une stratégie active, c'est-à-dire que nous poserons des actes en vue de traduire une image désirée. Dans d'autres, nous prendrons une stratégie défensive, évitant d'attirer l'attention ou de risquer le discrédit auprès des autres. Dans d'autres situations enfin, l'approche consistera à se trouver une défaite, un prétexte qui, advenant un échec, servira d'excuse. Donc, trois directions possibles : l'action, la défense ou l'excuse.

Cinq stratégies actives

On peut distinguer cinq stratégies actives de présentation personnelle pour créer l'impression désirée : se montrer aimable, intimider, se mettre en valeur, se porter en modèle et supplier.

La première stratégie consiste à faire certaines choses pour se faire aimer : offrir un présent, consentir une faveur, se plier aux demandes, formuler des compliments, etc. L'intimidation vise à se faire craindre des autres, à faire voir que l'on est puissant, que l'on peut être menaçant, dangereux, etc. La troisième stratégie consiste à faire des choses qui montrent nos talents, nos forces, nos habiletés dans le but de se faire reconnaître comme compétent, intelligent, etc. Dans la quatrième stratégie, on se présente comme un modèle d'intégrité, de droiture, d'indépendance, de générosité, etc., de façon à ce que les autres qui adhèrent à des principes moraux nous admirent parce qu'on semble appliquer ces principes de façon exemplaire. Enfin, la cinquième stratégie active est la supplication : on implore les autres pour qu'ils accordent pitié, aide, indulgence, etc.

Chacune de ces stratégies relationnelles peut être efficace dans le contexte qui lui est approprié, mais peut aussi amener le contraire de l'effet escompté. Ainsi, la personne qui complimente trop peut paraître vouloir acheter les autres, celle qui veut se faire craindre peut se faire défier et provoquer non pas la soumission, mais l'opposition des autres. Celui qui cherche trop à montrer ses forces peut donner l'image d'un prétentieux qui veut « en mettre plein la vue ». L'autre qui se pose en modèle moral pourra être perçue comme une sainte nitouche parce qu'elle dépasse le seuil désirable par les observateurs. Enfin, dans certains cas extrêmes, il peut être approprié, compte tenu de l'urgence, de supplier quelqu'un de nous apporter son aide ; mais si une telle supplication sort de son contexte d'urgence ou de rare exception, elle peut discréditer sévèrement son auteur et susciter du mépris plutôt que de la compassion. En somme, le style interactif adopté ne sera valable que s'il convient au contexte social : une erreur d'évaluation de ce contexte et l'effet contraire à celui escompté pourront se produire.

La défensive

La deuxième orientation de présentation personnelle consiste à se faire petit, à s'effacer à l'attention des autres, à éviter de se mettre dans une situation où une bévue pourrait être commise. C'est la présentation défensive. Contrairement à l'orientation active où l'objectif était de gagner de la reconnaissance sociale, le but de l'orientation défensive est d'éviter de perdre des acquis sociaux. Dans certains contextes, il peut être risqué de rechercher activement l'approbation des gens au moment où leur désapprobation est plus probable. Par exemple, le ministre qui doit faire face à des électeurs mécontents en raison d'une fermeture d'usine impopulaire dans son comté n'augmentera pas sa cote de popularité en se surexposant. Le président d'une industrie où une grève s'éternise parce que les négociations sont suspendues ne sera pas tenté de faire des discours sympathisants sur les lignes de piquetage. Dans certains contextes sociaux, nous avons parfois la conviction qu'une participation sera désavantageuse, ce qui nous amène à éviter d'interagir, l'idée étant qu'en restant tranquille on évite les ennuis.

Le prétexte

Une troisième direction, située dans le prolongement de la défensive, consiste à dévoiler, dès le début d'une interaction, un handicap, un prétexte expliquant l'incompétence : « Je n'ai pas eu le temps de me préparer », « Je suis très fatigué »... Apparemment, il serait plus facile pour une personne de conserver son image sociale si, advenant un échec, elle a identifié au préalable une cause à cet échec : le handicap en devient l'explication plus que le manque d'habileté de la personne. Ainsi, la personne qui commence son discours en affirmant : « Je suis toujours très nerveuse lorsque je dois parler dans de telles situations » se protège d'une éventuelle erreur dans le contenu de ses propos. L'élève qui fait part à un compagnon de sa migraine avant d'entrer dans la salle d'examen se prépare un alibi advenant un résultat décevant, ce qui pourra lui éviter une remise en question peu souhaitable de sa capacité d'apprentissage.

Il existe donc un choix de stratégies pour contrôler l'impression que l'on donne. L'identité sociale que l'on s'attribue, la façon dont on évalue ses chances de succès dans la poursuite d'un but contribuent au choix d'une stratégie de contrôle d'image. Cependant, le contexte pourra aussi influencer ce choix.

Le contexte de l'interaction sociale

Le contexte de l'interaction sociale peut être défini selon deux axes : le type d'interaction que doit vivre l'acteur et les caractéristiques de l'auditoire.

Le type d'interaction que doit vivre l'acteur

Nous avons associé le trac et la timidité à deux formes distinctes d'anxiété sociale. Notre examen de l'influence du contexte de l'interaction nous permettra maintenant de mieux comprendre comment le trac et la timidité se situent l'un par rapport à l'autre. Ils diffèrent entre eux selon le cycle d'interdépendance qui existe entre le comportement de l'acteur et celui de son auditoire.

Le trac renvoie à l'anxiété ressentie en rapport avec une situation où l'orateur fera une prestation préparée à l'avance et où, sauf exception, il n'interagira pas directement avec son auditoire et se comportera selon le plan prévu (texte du rôle, partition musicale, plan du discours, etc.). Si l'auditoire réagit dans un sens ou dans l'autre, sauf exception, cette réaction pourra être interprétée par l'orateur mais ne pourra pas changer de façon draconienne le plan de sa prestation. Ainsi, une chanteuse en spectacle solo pourra être influencée par la chaleur de son public, mais elle ne pourra pas modifier son plan sous peine de perdre le contrôle de sa prestation.

La timidité concerne généralement un contexte où l'orateur ajustera sa conduite en fonction des réponses des autres, le cycle action-réaction étant beaucoup plus bref que dans les contextes où il est question de trac. L'interaction est alors contingente aux comportements mutuels ; chacun peut avoir un plan, une stratégie, des buts, mais il devra ajuster son rôle. Imaginons un vendeur en interaction avec un client qui ne s'occuperait pas des réponses ou des questions de celui-ci et fonctionnerait exclusivement selon un discours appris à l'avance. C'est justement ce que font certains agents de sollicitation téléphonique...

La timidité renvoie donc au doute à l'égard de nos capacités de donner une bonne impression dans le contexte d'une interaction directe, tandis que le trac est aussi la conséquence d'un doute sur nos capacités personnelles, mais il concerne une interaction indirecte avec un public.

Certains timides sont à l'aise devant un auditoire parce qu'une fois bien préparés, ils peuvent contrôler la séquence des événements sans avoir à improviser devant des réactions imprévues. Au contraire, certaines personnes entreprenantes peuvent ressentir un grand trac parce qu'elles craignent de ne pas pouvoir se conformer au plan prévu ; elles ont peur de déroger au scénario. Cependant, Buss a observé que l'anxiété d'interaction (la timidité) était en relation positive significative avec l'anxiété d'auditoire (le trac) : les timides sont plus sujets au trac que les non-timides.

Quoiqu'en relation l'une avec l'autre, ces deux formes d'anxiété diffèrent de plusieurs façons entre elles quant aux contextes qu'elles impliquent. Schlenker et Leary indiquent que, par rapport à la timidité, le trac renvoie généralement à un contexte où :

- l'attention d'un plus grand nombre de personnes se portera sur la prestation ;

- l'enjeu est grand (par exemple un discours public, en plus de compter plus de monde, se produit moins fréquemment et amène une évaluation plus formelle que l'anxiété d'interaction) ;

- le rôle de l'orateur doit être préparé à l'avance avec plus de minutie qu'en interaction directe ;

- la structure de la performance est plus articulée, ce qui guide l'orateur plus précisément mais lui laisse moins de marge de manœuvre advenant un imprévu ;

- l'auditoire offre des options différentes de l'interaction puisque la personne ne peut se taire, s'en aller avant la fin, etc.

Les caractéristiques de l'auditoire

L'enjeu de l'interaction dépend beaucoup des gens à qui l'on s'adresse. Leur nombre, leur rôle, la force et l'attitude qu'on leur attribue figurent parmi leurs caractéristiques significatives en regard de l'anxiété sociale.

Quant au nombre, on s'accorde généralement pour dire qu'un vaste auditoire est plus impressionnant qu'un auditoire restreint, mais cette relation n'est pas linéaire : on n'est pas deux fois plus anxieux devant deux personnes qu'une seule, ou devant deux cents que cent. Si l'auditoire est composé de gens forts par leur compétence, par la puissance de leur statut, leur popularité, leur attrait, etc., son jugement peut avoir d'importantes conséquences dans le sens de bénéfices potentiels pour la personne (prix, promotion, contrats...) ou dans le sens de pertes (refus d'offres, contraintes, démotion...). Gagner l'approbation, le respect, l'amitié ou le soutien d'un tel public peut représenter un atout important en même temps qu'il peut constituer une confirmation significative des capacités personnelles.

Si le public agit comme évaluateur et que son évaluation entraînera de lourdes conséquences, l'enjeu sera évidemment plus grand que si l'opinion n'a pas d'importance. Plus l'enjeu est grand, plus le souci d'atteindre des standards de performance est vif ; moins l'interaction est sans importance, moins la peur d'échouer sera vive. Cependant, il est intéressant de noter qu'à l'autre extrême, dans une situation très difficile où les chances de succès sont objectivement très minces, on peut éprouver moins de trac : l'échec ne nous sera pas attribuable personnellement puisqu'il était presque inévitable.

L'attitude perçue chez les autres peut aussi jouer un rôle important dans l'anxiété sociale. Si nous sentons l'auditoire comme ayant à l'avance une attitude négative, les bénéfices escomptés seront moindres, comme les chances espérées de réussite ; cela nous incitera à prendre un style interactif défensif moins axé sur un gain et davantage sur l'évitement des pertes. Si l'attitude de l'auditoire nous est inconnue, notre incertitude sur les moyens à prendre augmentera, ce qui contribuera à augmenter l'anxiété sociale.

Mais l'importance de tous ces facteurs ne dépend-elle pas de l'évaluation que nous en faisons subjectivement ? Dans une large mesure, c'est dans ma tête que cela se passe. Comment faire pour éviter l'anxiété sociale nuisible à ma communication ? Comment arriver à contrôler cette crainte de l'échec, elle-même un obstacle important à ma réussite ?

COMMENT CONTRÔLER L'ANXIÉTÉ SOCIALE POUR VAINCRE LE TRAC ET LA TIMIDITÉ

Dans la première partie de ce chapitre, nous nous sommes intéressés à la psychologie du trac et de la timidité en inscrivant ces deux réalités dans la notion plus large d'anxiété sociale. Le tableau 4.1 présente des observations pouvant être formulées à la suite de l'analyse précédente et pouvant servir de point de départ à notre recherche de moyens pour contrôler l'anxiété sociale.

Pour vaincre l'anxiété sociale, il faut d'abord le *vouloir,* être motivé. Il faut ensuite *savoir* ce qui se passe exactement, donc évaluer le problème afin d'*intervenir* efficacement pour diminuer l'incertitude avec le moyen approprié.

Comme l'illustre la figure 4.2, trois problèmes personnels principaux sont visés par la majorité des interventions pour diminuer l'anxiété sociale : l'hypersensibilité à l'évaluation d'autrui ; des habiletés et connaissances sociales insuffisantes et des cognitions inadéquates où, par exemple, la personne ne considère que les côtés négatifs de son image, sous-estime ses capacités ou se pose des standards de performance irréalistes. Nous examinerons maintenant les moyens utilisés pour s'attaquer à ces problèmes. Auparavant toutefois, puisque chaque cas est unique et qu'il n'existe pas de panacée, il importe de procéder à une évaluation individuelle du problème d'anxiété sociale.

TABLEAU 4.1
Principes du traitement de l'anxiété sociale

La motivation

La plupart des gens ressentent de l'anxiété sociale. C'est un phénomène qui fait partie de la sensibilité à autrui. Pour beaucoup cependant, il s'agit d'un phénomène nuisible à la vie sociale et sur lequel il serait souhaitable d'acquérir un meilleur contrôle. Donc, **l'anxiété sociale est un phénomène répandu mais que certains aimeraient sérieusement apprendre à mieux contrôler. Sans une motivation personnelle sérieuse à l'égard de l'intervention, les chances de succès sont minces.**

L'évaluation

Quantité de facteurs peuvent intervenir dans un problème d'anxiété sociale ; chaque cas individuel est un mélange particulier de prédispositions naturelles, d'apprentissages antérieurs, de stratégies d'interaction et de contextes sociaux. **Donc, chaque personne possède son profil particulier d'anxiété sociale qu'il faut évaluer avant d'intervenir.**

L'objectif : diminuer l'incertitude

Le trac et la timidité constituent deux formes d'anxiété sociale qui se traduisent par la crainte de ne pas avoir les ressources nécessaires pour atteindre un standard donné en matière d'impression laissée aux autres. Le trac et la timidité reposent tous deux **sur le doute que la personne ressent à l'avance sur ses capacités de donner l'impression voulue,** mais dans des contextes différents d'interaction sociale. Le trac et la timidité s'appuient sur l'anticipation de la situation d'interaction. Ils se distinguent l'un de l'autre par le degré de contingence des rôles dans l'interaction. Le trac concerne l'anticipation d'une prestation où l'auditoire n'interagit pas directement avec l'orateur mais indirectement, le comportement de ce dernier étant défini selon un scénario préparé à l'avance. La timidité touche l'anticipation d'une situation où l'auditoire interagit directement avec l'orateur selon un cycle qui n'est pas prévu à l'avance. Donc, **les efforts pour combattre l'anxiété sociale doivent viser la diminution de l'incertitude** en regard de l'efficacité personnelle dans les contextes sociaux pertinents.

FIGURE 4.2
Problèmes cibles dans les interventions de contrôle de l'anxiété sociale

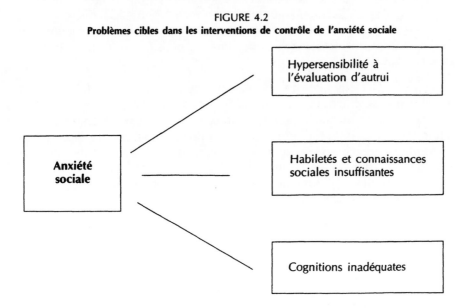

L'exercice suivant pourrait déjà nous placer dans une démarche d'évaluation. Examinons la figure 4.2 et identifions la source d'anxiété sociale la plus importante pour nous lorsque nous avons un exposé de dix minutes à faire devant une quinzaine de personnes de notre âge. Si nous avons tendance à diminuer nos capacités de façon exagérée, même si notre expérience antérieure prouve que nous réussissons facilement ce type de prestation, nous présentons alors des cognitions inadéquates et ce secteur pourra devenir la cible prioritaire d'une intervention. Si en revanche nous avons une communication orale à faire en public sans avoir bénéficié d'un exercice minimal, la cible première d'une intervention pourra être le développement des habiletés et connaissances pertinentes à nos fonctions. Le contrôle de l'anxiété sociale commence par l'évaluation du problème.

L'évaluation du problème d'anxiété sociale

Quel est l'objectif que l'on poursuit exactement ? Où en sont, au départ, les capacités de la personne à atteindre l'objectif ? Comment se comporte-t-elle en situation ? Quelles sont ses conduites verbales et non verbales ? À quoi pense-t-elle en elle-même ? Quels standards de performance poursuit-elle ? Quels sont les enjeux des interactions ? Voilà le type de questions auquel la démarche d'évaluation doit être confrontée avant d'identifier les cibles de l'intervention.

Il existe différentes méthodes pour évaluer l'intensité de l'anxiété sociale. La façon la plus courante (et peut-être la plus facile) est de demander à la personne elle-même de remplir un questionnaire. Au fil des années, quelques échelles ont été construites pour évaluer l'anxiété sociale ; il s'agit généralement de questionnaires auto-administrés où la personne est invitée à indiquer à quel degré l'énoncé lui correspond. Le tableau 4.2 fournit des exemples du type de questions que l'on retrouve dans ces échelles.

Les exemples de questions formulées au tableau 4.2 touchent des dimensions différentes de l'anxiété sociale : tantôt c'est la fréquence d'un comportement qui est sondée, tantôt c'est l'intensité d'une préoccupation intime, tantôt c'est la force d'un sentiment ressenti dans le contexte d'une interaction directe, alors que parfois c'est une situation de communication publique (interaction indirecte) qui est en jeu. M.R. Leary a cependant souligné l'importance de ne pas mêler ces dimensions dans l'évaluation de l'anxiété sociale.

TABLEAU 4.2
Exemples de questions utilisées pour évaluer l'importance de l'anxiété sociale

Consigne : Pour chaque question, le répondant est invité à encercler le chiffre qui correspond le mieux au degré selon lequel l'énoncé est vrai pour lui.
1 = ne s'applique pas du tout à moi
2 = un peu
3 = moyennement
4 = beaucoup
5 = s'applique tout à fait à moi

	− +
1. J'arrive rapidement à me détendre dans une nouvelle situation sociale	1 2 3 4 5
2. J'ai tendance à éviter les situations où je dois parler aux autres	1 2 3 4 5
3. Je suis mal à l'aise lorsque je dois entrer dans une pièce pleine de personnes que je ne connais pas	1 2 3 4 5
4. Je suis très soucieux de l'impression que je donne aux autres	1 2 3 4 5
5. Je réfléchis souvent à ce que les autres pensent de moi	1 2 3 4 5
6. Je ne suis pas sensible à la désapprobation des autres	1 2 3 4 5
7. Je ne m'inquiète pas lorsque j'ai à parler en public	1 2 3 4 5
8. Lorsque je parle à une autre personne, j'ai peur de rougir	1 2 3 4 5
9. Je deviens très nerveux à l'idée de passer une entrevue d'évaluation	1 2 3 4 5
10. Cela me prend du temps à surmonter ma gêne dans une nouvelle situation sociale	1 2 3 4 5
11. Je suis moins à l'aise pour travailler lorsqu'on m'observe	1 2 3 4 5
12. Cela ne me gêne pas d'aborder une personne étrangère	1 2 3 4 5

Certaines personnes se disent timides et elles affirment ressentir beaucoup de trac à l'idée d'avoir à s'exprimer en public, mais elles ne sont pas perçues comme étant anxieuses par les autres. Ces personnes ont acquis les habiletés sociales nécessaires pour réussir leurs interactions et elles ont appris à dissimuler les indices de l'anxiété qu'elles éprouvent subjectivement. Au contraire, d'autres sont perçues comme inhibées, timides ou maladroites socialement par les autres, mais elles ne rapportent pas un niveau d'anxiété plus élevé que la moyenne des gens ; ces personnes sont tournées vers elles-mêmes mais peu soucieuses d'être l'objet de l'évaluation d'autrui.

En 1983, Leary rapporte que l'on a démontré que la timidité se situait sur un axe différent de la sociabilité, c'est-à-dire la préférence d'être avec d'autres plutôt que seul : il est possible d'être sociable et timide à la fois, d'être peu sociable et peu timide, etc. Même si une personne ne sent pas en elle-même l'anxiété associée à la timidité, elle peut avoir une attitude sociale réservée et un caractère peu sociable qui lui confèrent une image de personne timide. Ainsi, dans une démarche d'évaluation de l'anxiété sociale, il est important de distinguer les comportements observables (les apparences) des sentiments ressentis subjectivement par l'individu. Dans cette optique, Leary souligne l'importance de différencier les comportements observables et les sentiments ressentis subjectivement, et il endosse aussi la distinction selon laquelle l'anxiété associée à l'interaction directe diffère de l'anxiété éprouvée devant un auditoire (interaction indirecte). Comme nous l'avons vu, cette première forme d'anxiété sociale correspond à la timidité (interaction contingente) tandis que la deuxième est associable au trac (interaction non contingente).

Le tableau 4.3 présente l'échelle de Leary, qui ne se consacre qu'aux sentiments ressentis subjectivement par la personne (à l'exclusion de ses comportements observables). Cette échelle permet de distinguer l'anxiété d'interaction (la timidité) de l'anxiété d'auditoire (le trac).

TABLEAU 4.3
Échelles de Leary évaluant l'anxiété d'interaction et l'anxiété d'auditoire

Consigne : Pour chaque affirmation, le répondant est invité à encercler le chiffre qui correspond le mieux au degré selon lequel l'énoncé est vrai pour lui.

1 = ne s'applique pas du tout à moi
2 = un peu
3 = moyennement
4 = beaucoup
5 = s'applique tout à fait à moi

Échelle d'anxiété d'interaction (timidité)

	− +
1. Je me sens souvent nerveux même dans les rencontres informelles.	1 2 3 4 5
2. Lorsque je suis dans un groupe de personnes que je ne connais pas, je me sens habituellement inconfortable.	1 2 3 4 5
3. Je suis généralement à l'aise lorsque je parle à une personne du sexe opposé*.	1 2 3 4 5
4. Je deviens nerveux si je dois parler à un professeur ou un patron.	1 2 3 4 5
5. Les parties me rendent souvent anxieux et inconfortable.	1 2 3 4 5
6. Je suis probablement moins timide que la plupart des gens dans les interactions sociales*.	1 2 3 4 5
7. Je me sens parfois tendu si je parle à une personne du même sexe que moi et que je ne la connais pas bien.	1 2 3 4 5

8. Je serais nerveux si je passais une entrevue pour un emploi.   1 2 3 4 5

9. J'aimerais être plus confiant en moi dans les situations sociales.   1 2 3 4 5

10. Il est rare que je me sente anxieux dans les situations sociales*.   1 2 3 4 5

11. En général, je suis une personne timide.   1 2 3 4 5

12. Je me sens souvent nerveux lorsque je parle à une personne du sexe opposé qui a belle apparence.   1 2 3 4 5

13. Je me sens souvent nerveux lorsque j'ai à téléphoner à une personne que je ne connais pas bien.   1 2 3 4 5

14. Je deviens nerveux si je dois parler à une personne en situation d'autorité.   1 2 3 4 5

15. Je me sens habituellement détendu avec les autres, même si ce sont des gens très différents de moi*.   1 2 3 4 5

Échelle d'anxiété d'auditoire (trac)

	−	+

1. Je deviens habituellement nerveux lorsque je parle devant un groupe.   1 2 3 4 5

2. J'aime parler en public*.   1 2 3 4 5

3. J'ai tendance à avoir le trac lorsque je dois parler devant un groupe.   1 2 3 4 5

4. Je serais terrifié si j'avais à parler devant un vaste auditoire.   1 2 3 4 5

5. J'ai des papillons dans l'estomac lorsque je dois parler ou me produire devant les autres.   1 2 3 4 5

6. Je me sentirais maladroit et tendu si je savais que quelqu'un me filme pendant que je m'adresse au groupe.   1 2 3 4 5

7. Mes pensées se mêlent lorsque je parle devant un auditoire.   1 2 3 4 5

8. Cela ne me dérange pas de parler devant un groupe si j'ai répété à l'avance ce que je dois dire*.   1 2 3 4 5

9. J'aimerais ne pas devenir aussi nerveux lorsque je parle devant un groupe.   1 2 3 4 5

10. Si j'étais musicien, j'aurais probablement le trac avant un concert.   1 2 3 4 5

11. Lorsque je parle devant les autres, j'ai peur d'avoir l'air fou.   1 2 3 4 5

12. Je deviens nerveux lorsque je dois faire une présentation à l'école ou au travail.   1 2 3 4 5

* La cote de cette affirmation doit être inversée avant l'addition des points : une cote 1 vaut 5 points et une cote 2 vaut 4 points.

Source : M.R. Leary, « Social anxiousness : The construct and its measurement » *Journal of Personality Assessment, 47,* 1983, p. 66-76. Reproduit avec l'autorisation de l'auteur.

L'exercice consiste à compléter chacune des deux échelles. Ensuite, en prenant bien soin d'inverser la cote des questions marquées d'un astérisque, la somme des cotes doit être faite afin de déterminer les deux résultats. Le résultat obtenu à l'échelle d'anxiété d'interaction est reporté à la figure 4.3a et celui à l'échelle d'anxiété d'auditoire, à la figure 4.3b. Nous pouvons ainsi déterminer si nous sommes plus anxieux ou moins anxieux que la moyenne des gens, et de combien.

FIGURE 4.3 a)
Répartition des résultats à l'échelle d'anxiété d'interaction

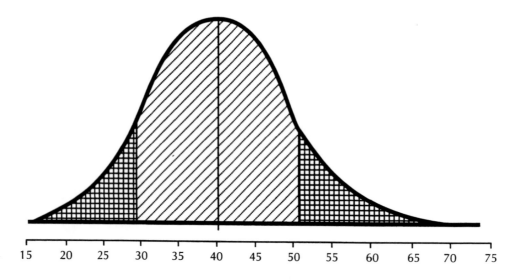

Une fois le résultat obtenu à l'échelle d'anxiété d'interaction, nous pouvons situer notre niveau personnel de timidité par rapport à la population générale dont la figure 4.3a présente la distribution des résultats. Si le résultat est de plus de 50, cela signifie que nous nous situons parmi les 15 pour 100 les plus timides de la population ; à ce moment il peut être intéressant pour nous d'envisager une intervention en vue de mieux contrôler la timidité.

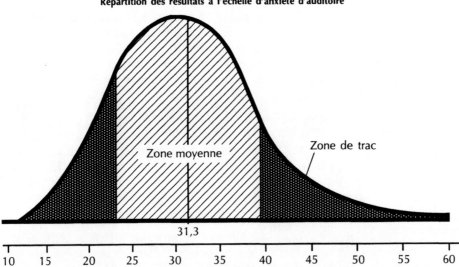

FIGURE 4.3 b)
Répartition des résultats à l'échelle d'anxiété d'auditoire

Zone moyenne

Zone de trac

31,3

10   15   20   25   30   35   40   45   50   55   60

Une fois le résultat obtenu à l'échelle d'anxiété d'auditoire, nous pouvons situer notre niveau personnel de trac par rapport à la population générale dont la figure 4.3b présente la distribution des résultats. Si le résultat est de plus de 40, cela signifie que nous nous situons parmi les 15 pour 100 de la population qui afffichent le niveau de trac le plus élevé ; à ce moment, il peut être intéressant pour nous d'envisager une intervention de meilleur contrôle du trac.

Figures élaborées à partir de W. Jones, S. Briggs et T. Smith, « Shyness : Conceptualization and Measurement, » *Journal of Personality and Social Psychology*, 51, 1986, p. 629-639. Normes obtenues auprès d'une population d'un millier de jeunes adultes.

       Par exemple, la moyenne générale obtenue auprès d'un échantillon de 1 199 adultes (âge moyen : 20 ans) est de 39,1 (écart-type = 10,6) pour l'échelle mesurant la timidité (anxiété d'interaction). Si notre résultat se situe entre 29 et 50, nous faisons partie de la zone moyenne de la population, c'est-à-dire parmi les 68 pour 100 qui affichent une timidité assez fréquente. Une étude menée au Québec auprès de 78 élèves âgés de 24,7 ans en moyenne a permis d'obtenir des résultats comparables : une moyenne de 39,9 et un écart-type de 10,5. Si notre résultat est plus bas que 28,5, il est clair que la timidité ne nous étouffe pas. À l'extrême, s'il se rapproche du minimum possible de 15, nous manquons peut-être de sensibilité à autrui. En revanche, si notre résultat dépasse 50, alors la timidité peut représenter un problème pour nous. Dans ce cas, il faut nous demander si nous voulons changer cet état de fait ou non. Sinon, pas de problème, nous sommes bien comme cela. Si oui, l'étape suivante consiste à rechercher l'origine de cette timidité dont nous voulons nous défaire.

La même démarche s'applique à l'échelle d'anxiété d'auditoire : si le résultat varie entre 23 et 40 (la moyenne générale est de 31,3 et l'écart-type de 8,5), nous nous situons dans la zone moyenne de trac, avec les 68 pour 100 de la population. Si le résultat se rapproche du minimum de 12, le trac n'existe pas vraiment pour nous. Au contraire, si le résultat dépasse 40 et s'approche du maximum de 60, nous savons parfaitement ce qu'est le trac et, si nous sommes motivé, nous pourrions bénéficier d'une démarche de traitement.

Que faire maintenant ? D'abord, il faut fixer l'objectif. Il est indiqué que le résultat à l'échelle de timidité affiche une corrélation de 0,60 avec celui du trac, indice assez élevé permettant d'affirmer qu'un timide a des chances d'éprouver aussi du trac, et vice versa. Donc, dans une certaine mesure, traiter la timidité peut diminuer le trac, et réciproquement. Mais cette corrélation n'est pas parfaite. De plus, les notions de trac ou de timidité sont bien larges ; il faut donc préciser la cible.

Quel est notre problème ? Sommes-nous hypersensible à la présence des autres ? Manquons-nous effectivement des habiletés sociales requises pour les prestations visées ? Sous-estimons-nous de façon erronée nos capacités sociales personnelles ? Nous donnons-nous des objectifs irréalistes de performance à atteindre ?

Pour répondre à ces questions, il faut une investigation plus poussée comportant par exemple :

- une observation de notre comportement dans divers contextes sociaux ;

- l'obtention d'information de nos parents et amis ou collègues de travail ;

- l'évaluation de nos connaissances sociales, des différentes situations qui nous posent problème ;

- l'influence de certains facteurs sur notre anxiété sociale, comme le degré de connaissance des autres, leur sexe, leur situation, leur nombre, le cadre et l'enjeu de l'interaction, etc.

Une fois notre profil tracé, des objectifs spécifiques d'intervention peuvent être fixés. Examinons maintenant les trois grandes facettes du traitement de l'anxiété sociale.

L'hypersensibilité à autrui : le traitement des réactions physiologiques

L'hypersensibilité à autrui est généralement associée à deux types de réactions observables : des réactions physiologiques (rougissement, tremblement, accélération du rythme cardiaque, sudation, etc.) et des comportements non verbaux indicatifs de nervosité (évitement du contact visuel, mouvements saccadés, problèmes d'élocution, rires nerveux, etc.).

Pour contrer les réactions physiologiques et comportementales reliées à l'anxiété sociale, une approche bien connue consiste à déconditionner la personne par désensibilisation. Selon l'approche du conditionnement classique, toute réponse qui a été acquise par conditionnement peut être « désapprise ». Il s'agit d'entraîner la personne à relaxer dans la situation anxiogène en l'associant avec la relaxation.

Typiquement, la désensibilisation comprend un plan d'exposition conçu par étapes progressives à la situation anxiogène et l'entraînement à la relaxation. Le plan d'exposition peut commencer par la situation où nous sommes confortablement assis, où nous devons fermer les yeux et *nous imaginer que nous allons prochainement* participer à une situation sociale qui nous rend généralement nerveux. Dès que cette pensée suscite en nous une réaction, il faut appliquer la méthode de relaxation que nous avons apprise. Il y a répétition de cette association « tension-détente » jusqu'à ce que l'idée ne provoque plus de réaction nerveuse. Ensuite, le plan d'exposition peut nous placer dans une situation un peu plus difficile. Nous devons dans ce cas *nous imaginer que nous sommes juste sur le point de vivre l'interaction* ; c'est le même principe que l'idée de la réaction nerveuse associée à la relaxation. Plus avant dans la progression vers le but, nous pouvons être appelé à *vivre réellement une simulation pratique de la situation anxiogène* où nous apprendrons à relaxer. Enfin, lorsque les autres étapes antérieures ont été franchies avec succès, c'est-à-dire que nous arrivons à maintenir notre calme dans la situation simulée, la vraie situation d'interaction sociale sera utilisée, qu'il s'agisse de rencontrer une personne étrangère ou de parler devant un groupe. La désensibilisation consiste donc à construire un escalier nous amenant progressivement à la situation anxiogène où, à chaque marche, nous apprenons à ne plus être nerveux, à relaxer. Une série d'études ont démontré le succès de la désensibilisation face à l'hypersensibilité sociale.

L'*intention paradoxale* est une autre approche utilisée comme technique de déconditionnement de l'éreuthophobie (la crainte excessive de rougir en situation sociale). Il s'agit de demander à la personne de faire tout ce qu'elle peut pour provoquer le symptôme dont elle veut se défaire. A. Salter a utilisé cette technique en disant à son client : « Je veux que vous vous pratiquiez à rougir délibérément. Dites-vous de rougir en tout temps : lorsque vous êtes seul et lorsque vous êtes avec d'autres. Exercez-vous à envoyer de l'électricité logique à votre visage au lieu de l'électricité émotionnelle, faisant que la logique prendra charge du rougissement. Cela neutralisera les pulsions émotionnelles involontaires et conditionnera ou entraînera un contrôle volontaire sur votre rougissement. Lorsque vous le contrôlerez, ce sera sa fin. »

L'intention paradoxale et la désensibilisation systématique sont des moyens de contrer nos réponses physiologiques associées à l'anxiété sociale. Leur application est possible pour diverses manifestations physiques du trac ou de la timidité, que ce soit le tremblement des mains, l'accélération de la respiration, la transpiration, etc. Deux autres facettes d'intervention peuvent être identifiées comme cibles d'intervention : le niveau comportemental et le niveau cognitif ; le développement des habiletés sociales s'adresse au premier.

Le développement des habiletés et connaissances sociales

Dans certains cas, nous avons raison d'être incertain de nos capacités puisque nous ne disposons pas des connaissances ou des habiletés requises pour réussir l'interaction dans laquelle nous sommes inscrit. Imaginons que l'on doit prendre contact avec des gens dont on ne connaît ni la langue, ni la culture, ni les règles sociales : il est probable que l'on adoptera un style « défensif » d'interaction pour éviter les bévues et, si possible, on avouera notre ignorance pour excuser notre maladresse. Imaginons encore que l'on doit prendre la parole dans cinq minutes pour expliquer les détails d'un projet que l'on connaît à peine... Dans ces cas il est normal d'être anxieux parce que nous n'avons pas les habiletés ou connaissances qu'il faut pour réussir.

L'approche d'entraînement aux habiletés sociales repose sur le postulat que l'anxiété sociale résulte d'un répertoire comportemental insuffisant ou inapproprié. La personne se sent incapable de réussir et a peur des conséquences de son échec, expérience qu'elle peut d'ailleurs avoir déjà vécue dans le passé et dont elle connaît les effets négatifs.

W.H. Jones, S.R. Briggs et T.G. Smith ont élaboré un schéma d'intervention que plusieurs programmes ont adopté par la suite. Il s'agit d'abord de dresser la liste des problèmes vécus dans différentes situations sociales. Ensuite, pour chaque situation, les cibles, c'est-à-dire les façons appropriées de se comporter et leurs implications sur le plan des connaissances et des habiletés, sont identifiées. Enfin, la personne subit un entraînement à l'aide de modèles, de jeux de rôle, de rétroaction audiovisuelle, d'exercices évalués *in vivo* dans les situations-cibles elles-mêmes. La figure 4.4 fournit des exemples que ce type de programme d'entraînement peut comporter. À certains égards, l'ensemble ressemble aux hiérarchies utilisées en désensibilisation systématique, mais au lieu d'être centrée sur les réactions physiologiques de la personne, la progression touche des étapes de la performance et les choses à y faire sur le plan pratique.

FIGURE 4.4
Schéma d'un programme d'entraînement des habiletés à faire un exposé en public

Étapes typiques de l'exposé		Exercice recommandé pour l'étape concernée
1. Arrivée à l'avant et introduction personnelle.	« Bonjour, nous allons commencer maintenant. Mon nom est Richard Cloutier, je vous souhaite la bienvenue à...	A, B, C, D, E
2. Identification à l'avant de l'exposé et annonce du plan qui sera suivi.	« Dans les 15 minutes qui vont suivre, je vais vous entretenir de [....] Les éléments suivants de ce sujet seront abordés [...] Si vous avez des questions à poser [...]	A, B, C, D, E
3. Présentation de chaque élément du plan, un à un. À la fin de chacun, il est souvent approprié de faire une synthèse.	« Abordons maintenant le xe point de notre plan [...] ensuite nous passerons à [...] ». Resituer chaque nouvelle étape par rapport au plan afin que l'auditoire se situe clairement sur le fil conducteur de l'exposé.	C, D, E
4. Résumé de la présentation. Conclusion.	« Notre examen du sujet x a comporté X étapes. Au début, nous avons vu que [...] Ensuite, nous avons [...] En conclusion, il apparaît que [...] »	C, D, E
5. Échange avec l'auditoire.	« Il nous reste maintenant x minutes [...] J'aimerais profiter de ce temps pour répondre à vos questions ou recevoir vos commentaires... »	C

Légende des exercices
A Écrire le verbatim du contenu à transmettre.
B Lire à haute voix, à plusieurs reprises le contenu écrit.
C Dire à haute voix le contenu sans lire.
D Enregistrer sur cassette audio ou vidéo le contenu tel que présenté en « C ».
E Évaluation : écouter l'enregistrement et prendre note, par écrit, des points à corriger. Reprendre à l'étape appropriée jusqu'au degré recherché de perfection.

C'est la préparation à la performance qui est visée ici. L'acteur qui n'a pas étudié son rôle, l'orateur qui n'a pas structuré son contenu, l'hôtesse qui ne connaît pas le milieu où elle doit accueillir les gens, le professeur qui ne sait pas sa matière, le vendeur qui ne connaît pas son produit, le négociateur qui ne connaît pas l'attitude de la partie adverse ont tous raison d'être anxieux devant leur prestation puisqu'ils ne sont pas du tout certains qu'ils s'acquitteront convenablement de leur tâche. La connaissance n'étant pas innée, il faut se préparer, étudier, acquérir les notions requises pour l'interaction, s'initier aux règles du jeu. Il faut répéter sa communication. Avec le temps, les éléments de base de la prestation seront de mieux en mieux contrôlés ; ils deviendront des automatismes. Qu'il s'agisse du psychologue qui fait sa première entrevue ou du lecteur de bulletin de nouvelles télévisé qui apparaît à l'écran pour la première fois, la nouveauté provoque un effet semblable d'incertitude : « Comment vais-je me présenter ? », « Que vais-je faire si... », « Vais-je bien me faire comprendre ? », etc.

Après de nombreux exercices pratiques, la personne acquiert une représentation mentale plus claire du déroulement de la situation. Les phases habituelles d'introduction, d'enchaînement d'un thème à un autre ainsi que la conclusion ne posent plus problème car la personne possède les outils pour réussir. Ces automatismes permettent au communicateur de penser à l'essentiel de son propos plutôt que de se préoccuper des détails, si importants soient-ils. Il s'agit donc de s'entraîner en situation.

Dans une bonne mesure, l'entraînement aux habiletés sociales consiste à donner, de façon accélérée, une expérience de communication à la personne dans des contextes les plus vraisemblables possible. Dans un cadre d'entraînement, la rétroaction est disponible et sert à apporter les correctifs souhaités, sans être punitive : c'est un entraînement à la réussite qui est visé et non un entraînement à l'échec. Dans tous les cas, cependant, les ingrédients de base sont temps et travail : il faut étudier, essayer, recommencer... cela fait partie du jeu de la réussite.

Le traitement des cognitions inadéquates

Jusqu'ici, nous avons vu le traitement des réactions physiologiques inappropriées et le développement des habiletés et connaissances. Abordons maintenant la troisième voie du traitement de l'anxiété sociale : le traitement des cognitions inadéquates. Lorsque nous sommes intimidé ou avons le trac, nous affichons donc des réactions physiologiques ou comportementales pouvant traduire notre malaise aux autres ; mais la première personne informée de la situation, c'est nous-même. L'interprétation que nous faisons de ces indices de nervosité peut contribuer à augmenter notre anxiété : « Mon cœur bat vite, mes mains tremblent, je rougis, c'est évident, ils vont s'en rendre compte, de quoi j'ai l'air, je rougis encore plus... » Une centration sur l'image projetée en découle, ce qui amplifie le phénomène de façon rétroactive. L'hypersensibilité à autrui devient l'hypersensibilité à soi-même, accompagnée de cognitions inappropriées à l'adaptation sociale. Notre attention se centre sur des aspects de nous-même qui nuisent dans notre combat contre l'anxiété. La thérapie émotivo-rationnelle et la modification comportementale cognitive constituent deux méthodes connues de traitement de ces cognitions inadéquates.

Dans certaines situations nouvelles, plus importantes, nous sommes plus soucieux de notre comportement. Nous avons alors tendance à entretenir un dialogue interne, à nous parler intérieurement. Or certains

commentaires de ce dialogue interne peuvent être utiles à notre performance parce qu'ils s'adressent positivement aux choses à faire, aux facteurs
de réussite (« Je vais prendre mon temps » ; « je vais suivre mon plan pour
être mieux structuré » ; « je vais regarder chaque personne à tour de rôle » ;
« je vais adopter une attitude souriante et décontractée »). D'autres
commentaires internes peuvent cependant être nuisibles parce qu'ils sont
centrés sur les aspects négatifs ou menaçants de la situation (« Il y a plus
de monde que prévu » ; « les gens n'ont pas l'air sympathique » ; « j'aurais
dû me préparer davantage » ; « je ne suis vraiment pas fait pour prendre la
parole en public »).

Les personnes sujettes à l'anxiété sociale ont tendance à avoir
un dialogue interne qui stimule la nervosité en minant leur confiance en
eux-mêmes et qui contrevient à l'utilisation adéquate des habiletés personnelles pertinentes à l'interaction. L'approche de la thérapie émotivo-
rationnelle, comme celle de la modification comportementale cognitive,
prétend qu'il est possible d'entraîner les gens à abandonner leurs « mauvaises pensées » au profit d'un dialogue interne productif, ce qui a pour
conséquence de réduire les réactions d'anxiété physiologiques ou
comportementales. Ces deux approches proposent donc qu'en diminuant
les cognitions inadéquates, on peut diminuer l'anxiété sociale.

En thérapie émotivo-rationnelle, la première étape consiste à
entraîner la personne à reconnaître les commentaires défaitistes qu'elle se
fait à elle-même en situation d'interaction sociale réelle ou imaginée (« Je
vais dire une bêtise et passer pour un imbécile » ; « j'ai tellement l'air
nerveux qu'ils vont croire que je ne suis pas à la hauteur » ; « une personne
comme elle ne peut pas être intéressée à quelqu'un comme moi »). Une fois
que cette identification est possible, la personne est invitée à faire le suivi
de ses pensées irréalistes, à en noter leur nature et leur fréquence en
fonction de leur apparition. Des devoirs peuvent ainsi être donnés au client
qui doit faire le suivi de ses pensées inadéquates.

Enfin, il s'agit de leur substituer graduellement des commentaires plus positifs. C'est une restructuration cognitive qui utilise une hiérar-
chie de situations anxiogènes et où, plutôt que d'utiliser la relaxation pour
contrer la réaction anxieuse comme dans la désensibilisation, on utilise des
cognitions réalistes.

L'intervention doit être faite notamment sur les valeurs et les
conceptions plus globales des interactions sociales. Par exemple, la thérapie émotivo-rationnelle insistera sur le fait qu'il est normal d'être nerveux
dans certaines situations. Aussi, il est irréaliste de vouloir plaire à tout le
monde dans tous les contextes ; tout le monde commet des erreurs et cela
« n'empêche pas la terre de tourner », etc. A. Ellis estime que le problème
provient en grande partie du fait que l'individu est aux prises avec des

valeurs qui ne sont pas logiques et qui le placent dans des positions inte-nables, ce qui provoque l'anxiété ; la thérapie consiste à désendoctriner l'individu de ce système conceptuel impraticable. La dédramatisation des enjeux sociaux qui en découle s'accompagne aussi d'une moins grande centration sur soi : la personne cesse de s'imaginer qu'elle est au centre de l'attention de tout le monde. L'espace mental ainsi libéré chez elle peut être occupé par la tâche elle-même, ce qui se traduit par une meilleure performance avec moins d'effort. En un sens, ce traitement nous apprend à moins se prendre au sérieux ; à s'accepter tel que l'on est.

Le tableau 4.4 fournit un exemple d'interaction entre un thérapeute et son client qui peut faire comprendre la nature de cette approche initialement proposée par Ellis.

TABLEAU 4.4
Exemple de dialogue entre client et thérapeute en thérapie émotivo-rationnelle

THÉRAPEUTE.– Je vais vous demander de vous imaginer dans une situation donnée et de me dire jusqu'à quel point vous vous sentez nerveux. Je voudrais alors que vous pensiez à voix haute aux choses que vous vous diriez en vous-même concernant ce qui vous rend anxieux. Ensuite, nous tenterons de situer vos attentes dans une perspective plus réaliste. De temps à autre je ferai certains commentaires et je voudrais que vous les considériez comme s'ils venaient de vous. D'accord ?

CLIENT.– D'accord.

THÉRAPEUTE.– Je voudrais que vous fermiez vos yeux maintenant et que vous vous ima-giniez dans la situation suivante : vous êtes assis sur la scène d'un auditorium, à côté des autres membres de la commission scolaire. Dans quelques minutes vous devrez vous lever et présenter votre rapport à l'auditoire. Sur une échelle de 0 à 100 pour 100 dites-moi à quel degré de nervosité vous vous trouvez.

CLIENT.– Environ 50.

THÉRAPEUTE.– Alors je me sens pas mal nerveux. Voyons ce que je peux me dire à moi-même qui me rend nerveux.

CLIENT.– Je suis nerveux parce que je dois lire mon rapport devant tous ces gens.

THÉRAPEUTE.– Mais pourquoi cela me dérange-t-il ?

CLIENT.– Bien, je ne sais pas si cela va bien se passer pour moi.

THÉRAPEUTE.– Mais pourquoi cela m'énerve-t-il ? Cela me bouleverse parce que...

CLIENT.– ... parce que je veux faire bonne impression.

THÉRAPEUTE.– Et si je n'y arrive pas...

CLIENT.– ... bien, je ne sais pas. Je ne veux pas que les gens pensent que je suis incompétent. Je crois que j'ai peur de perdre le respect des gens qui croyaient que je savais ce que je faisais.

THÉRAPEUTE.– Mais pourquoi cela m'énerve-t-il tant ?

CLIENT.– Je ne sais pas. J'imagine que je ne devrais pas. Peut-être est-ce parce que je m'en fais trop au sujet de la réaction des autres à mon endroit.

THÉRAPEUTE.– Comment puis-je trop m'en faire ?

CLIENT.– Je crois que c'est peut-être l'une de ces situations où je dois plaire à tout le monde et il y a vraiment beaucoup de monde dans la salle. Il y a des chances que je n'obtienne pas l'approbation de tout le monde et peut-être que cela m'énerve.

THÉRAPEUTE.– Voyons un instant jusqu'à quel point cela est rationnel.

CLIENT.– Pour commencer, je ne crois pas vraiment qu'il est probable que je vais rater complètement. Après tout, je me suis préparé à l'avance, et j'ai organisé assez claire-ment ce que je veux dire. Il est possible que je réagisse comme si j'avais déjà échoué même si c'est peu probable que cela se produise.

THÉRAPEUTE.– Je me dis que je ne pense pas que cela me bouleverse si j'échoue, mais, au fond, je ne crois pas ce que je me dis...

CLIENT.– C'est vrai, je serais bouleversé si j'échouais. Mais actuellement, je ne devrais vraiment pas considérer cette situation comme un échec.

THÉRAPEUTE.– Qu'elle serait la meilleure façon pour moi d'envisager cette situation ?

CLIENT.– Bien, ce n'est certainement pas une question de vie ou de mort. Ce n'est qu'un insignifiant rapport de comité. Une foule de gens dans la salle savent qui je suis et ce que je suis capable de faire. Et même si je ne donne pas une performance époustou-flante, je ne pense pas qu'ils vont changer leur opinion sur moi sur la base d'une présentation de cinq minutes.

THÉRAPEUTE.– Et si quelques-uns d'entre eux le faisaient ?

CLIENT.– Même si certains d'entre eux changent leur idée sur moi, cela ne veut pas dire que je serais moi-même différent. Je demeurerais ce que je suis sans égard à leur opinion. C'est ridicule de ma part de juger de ma valeur personnelle à partir de l'opinion des autres.

THÉRAPEUTE.– Avec cette nouvelle attitude par rapport à la situation, à combien situez-vous votre pourcentage d'anxiété ?

CLIENT.– Oh ! environ 25 pour cent.

THÉRAPEUTE.– D'accord, parlons un peu des idées qui vous sont venues pendant cette situation avant de l'essayer à nouveau.

Source : M.R. Goldfried et G.C. Davison, 1976, tiré de D.A. Haaga et G.C. Davison, « Cognitive change methods », *Helping People Change*, New York, Pergamon Press, 1986, p. 244-245.

Le client est invité à pratiquer de son côté ce qu'il a appris en thérapie, à noter les difficultés qu'il rencontre pour analyse lors des prochaines sessions d'entraînement.

L'approche de la modification comportementale cognitive partage plusieurs dimensions avec celle de Ellis. Elle est aussi basée sur l'idée qu'en intervenant sur le plan de nos pensées, on peut modifier nos réactions physiologiques et comportementales à l'anxiété sociale :

> *Une prémisse de base de la modification comportementale cognitive est que l'on ne peut changer le comportement sans augmenter chez l'individu la conscience à l'égard de ses pensées, sentiments, comportements et l'impact qu'ils ont sur les autres.* (Michenbaum, 1986, p. 349.)

Après l'évaluation comme telle du problème, cette approche commence donc aussi par une étape où le sujet développe sa capacité d'identifier les pensées et sentiments qui lui viennent à l'esprit face aux interactions sociales réelles ou imaginées. Cependant, plutôt que de mettre l'accent sur un changement des valeurs personnelles en rapport avec les contextes sociaux, comme dans la thérapie émotivo-rationnelle, l'approche de D. Michenbaum intervient directement sur le contenu et la nature du dialogue interne dans les contextes sociaux visés. Ici, le thérapeute commence par s'assurer que le client possède les connaissances et habiletés sociales requises et prend tout le temps nécessaire à leur développement, si besoin est. Ensuite, dans des expériences *in vivo* plutôt qu'imaginées, les cognitions personnelles font l'objet d'analyse et de restructuration. L'utilisation d'une bande vidéo comme moyen de rétroaction et d'analyse est courante dans cette approche, qu'il s'agisse d'entraîner la personne à reconnaître ses réactions intérieures à l'anxiété ou à reconnaître ses habitudes comportementales en situation. La cible de cette approche est donc ce que la personne se dit en elle-même : *à l'approche* d'un stresseur, *pendant* la situation où elle est confrontée au stresseur et *après* la prestation comme telle. Le tableau 4.5 fournit des exemples du type de dialogue interne recherché à diverses étapes de la confrontation à la situation anxiogène.

TABLEAU 4.5
Exemples de dialogue interne développé en entraînement à l'ajustement au stress

Phase de préparation à la situation stressante
Qu'est-ce que tu as à faire exactement ?
Tu peux élaborer un plan pour le réaliser.
Pense à ce que tu peux faire pour y arriver.
C'est beaucoup mieux que de s'énerver.
Pas de réflexions négatives : pense logiquement seulement.
Ne commence pas à t'en faire ; ça n'aide en rien.
Peut-être que ce que tu crois être de l'anxiété est plutôt de l'envie de faire face à la situation.

Phase de confrontation avec le stresseur
Soigne ton moral, tu es capable de relever ce défi.
Surmonte ta peur mentalement.
Une étape à la fois ; tu peux traiter la situation.
Ne pense pas à la peur ; concentre-toi sur ce que tu as à faire. Garde la tête froide.
Cette tension que tu ressens peut être une alliée, un stimulant pour réussir.
Détends-toi, tu te débrouilles bien, respire lentement...

Confrontation du sentiment d'être dépassé
Lorsque la peur arrive, prends une pause.
Concentre-toi sur le présent ; qu'est-ce que tu as à faire ?
Il est possible que ta peur augmente ; ce n'est pas grave, tu peux y faire face.
Une chose à la fois, voici mon prochain point, allons-y doucement.
Ça y est, j'y suis...

Commentaires personnels renforçants

Ça a marché, tu l'as fait.

Ce n'était pas si pire que tu l'imaginais.

Tu t'en es plus fait avec ta peur que cela en valait la peine.

Tu as vu : lorsque tu contrôles tes idées, tu contrôles ta peur.

À chaque fois que tu utilises cette stratégie, tu t'améliores.

Tu peux être fier de tes progrès.

Tu l'as eu !

Traduit et adapté à partir de D. Michenbaum, « Cognitive behavior modification », *in* F.H. Kanger et A.P. Goldstein (éd.), *Helping People Change*, New York, Pergamon Press, 1986, p. 371.

CONCLUSION

Trois grandes voies s'ouvrent donc dans le traitement de l'anxiété sociale : le traitement de l'hypersensibilité à autrui, le développement d'habiletés sociales et l'élimination des pensées inadéquates. La conséquence commune du changement sur ces plans est de faire diminuer l'incertitude face à l'autre ou face aux autres. Toute démarche de traitement doit suivre les étapes suivantes :

1. sondage de la motivation à changer ;
2. évaluation précise du problème ;
3. formulation d'objectifs ;
4. choix d'une ou de plusieurs méthodes d'intervention ;
5. traitement ;
6. évaluation des progrès ;
7. ajustement du traitement.

Surmonter l'intimidation demande un effort ; il faut se lancer, risquer, oser. Certes, les traits personnels, l'histoire de réussite antérieure, les habiletés développées au cours des années interagiront pour déterminer le niveau d'anxiété sociale. Le cours à donner devant cent élèves était un très gros défi pour le jeune professeur et est devenu pour lui une prestation courante vingt ans plus tard même si, à chaque fois, il subsiste quelque chose du défi initial et qu'il y a encore un coup à donner pour surmonter la crainte. Objectivement, la tâche est demeurée la même ; subjectivement, son évaluation a changé.

C'est dans ce type d'apprentissage subjectif que réside notre marge de manœuvre par rapport à la timidité, notre possibilité de la surmonter. Phénomène très important à noter, c'est dans l'action que l'apprentissage se produit. La personne timide qui ne passe pas à l'action demeure avec sa même évaluation, celle qui l'amène à la fuite. Au contraire, si elle réussit à relever des défis, si petits soient-ils au départ, elle ne peut que se rendre graduellement à l'évidence qu'elle peut dompter sa crainte. Chacune des méthodes de contrôle de l'anxiété sociale examinées dans la seconde partie de ce chapitre repose sur les trois mêmes éléments : le travail, le temps et la progression graduée. Qu'il s'agisse de contrôler ses rougissements, ses tremblements, ses pensées défaitistes ou développer des habiletés de communication publique, il faut oser s'attaquer au problème, c'est-à-dire se mettre au travail ; projeter l'atteinte de l'objectif dans le temps et non pas croire au miracle du changement instantané ; et planifier le cheminement vers l'objectif en étapes successives, chacune devant être bien maîtrisée avant de passer à la suivante, les retours en arrière étant possibles et normaux.

Enfin, une bonne partie de notre trac ou de notre timidité vient du fait que l'on se prend trop au sérieux, que l'on veut trop faire bonne impression, se donner une image. Pourquoi ne pas se prendre tel que l'on est ?

RÉFÉRENCES BIBLIOGRAPHIQUES

ARKIN, R.M. « Self-presentation styles », in J.T. Tedeshi (éd.), *Impression Management Theory and Social Psychological Research*, New York, Academic Press, 1981.

BANDURA, A. « Self-Efficacy : Toward a unifying theory of behavioral change », *Psychological Review*, n° 84, 1977, p. 191-215.

BANDURA, A. *Social foundations of thought and action : A social cognitive theory*, Englewood Cliffs, New Jersey, Prentice Hall, 1986.

BLANCHARD, R.T., K.J. FLANNELLY et D.C. BLANCHARD. « Defensive behaviors of laboratory and wild rattus norvegicus », *Journal of Comparative Psychology*, n° 100, 1986, p. 101.

BUSS, A.H. *Self-consciousness and social anxiety*, San Francisco, Freeman, 1980.

CHEEK, J.M. et A.H. BUSS. « Shyness ans sociability », *Journal of Personality and Social Psychology*, n° 41, 1981, p. 330-339.

COHEN, D.H. *Memory Systems of the Brain*, New York, Guilford, 1985.

COOPERSMITH, S. *The antecedents of self-esteem*, San Francisco, Freeman, 1967.

DIBNER, A.S. « Amibiguity and anxiety », *Journal of Abnormal and Social Psychology*, vol. 56, p. 165-174.

EDELMANN, R.J. *The psychology of embarrassment*, Chichester, England, John Wiley & Sons, 1987.

ELLIS, A. *Reason and Emotion in Psychotherapy*, New York, Lyle-Stuart, 1962.

FENIGSTEIN, A. Fenigstein, « Self-consciousness, self-attention, and social interaction », *Journal of Personality and Social Psychology*, n° 37, 1979, p. 75-86.

FENIGSTEIN, A., M.F. SCHEIER et A.H. BUSS. « Public and private self-consciousness : Assessment and theory », *Journal of Consulting and Clinical Psychology*, n° 43, 1975, p. 522-527.

GOLDFRIED, M.R. et G.C. DAVISON. *Clinical behavior therapy*, New York, Holt, Rinehart & Winston, 1976.

HAAGA, D.A. et G.C. DAVISON. « Cognitive change methods », in F.H. Kanfer et A.P. Goldstein (éd.), *Helping People Change*, New York, Pergamon Press, 1986.

HENDERSON, N.D. « Human behavior genetics », *Annual Review of Psychology*, n° 33, 1982, p. 403-440.

JONES, E.E. et S. BERGLAS. « Control of arttributions about self through self-handicapping strategies : the appeal of alcohol and the role of underachievement », *Personality and Social Bulletin*, n° 4, 1978, p. 200-206.

JONES, E.E. et T.S. PITTMAN. « Toward a general theoty of strategic self-presentation », in J. Suls (éd.), *Psychological Perspectives on the Self*, vol. 1, Hillsdale, New Jersey, Lawrence Erlbaum, 1982.

JONES, W.H., S.R. BRIGGS et T.G. SMITH. « Shyness : Conceptualization and measurement », *Journal of Personality and Social Psychology*, n° 51, 1986, p. 629-639.

KAGAN, J. « Temperamental Contributions to Social Behavior », *American Psychologist*, n° 44, 1989, p. 668-674.

KAGAN, J., R. KEARSLEY et P. ZELAZO. *Infacy : Its place in human development*, Cambridge, Harvard University Press, 1978.

KAGAN, J., J.S. REZNICK et N. SNIDMAN. « The physiology and psychology of behavioral inhibition in children », *Child Development*, n° 58, 1987, p. 1459-1473.

KAGAN, J., J.S. REZNICK et N. SNIDMAN. « Biological bases of childhood shyness », *Science*, n° 240, 1988, p. 167-171.

LEARY, M.R. « Social Anxiousness : The construct and its measurement », *Journal of Personality Assessment*, n° 47, 1983, p. 66-75.

MICHENBAUM, D. « Self-instructional methods », *in* F.H. Kanfer et A.P. Goldstein (éd.), *Helping people change : A textbook of methods*, New York, Pergamon Press, 1975.

MICHENBAUM, D. *Cognitive-behavior modification : An integrative approach*, New York, Plenum, 1977.

MICHENBAUM, D. « Cognitive behavior modification », *in* F.H. Kanfer et A.P. Goldstein (éd.), *Helping People Change*, New York, Pergamon Press, 1986.

Mini-DSM-III, *Critères diagnostiques de l'American Psychiatric Association*, Paris, Masson, 1988, p. 148.

MOTLEY, M.T. « Taking the terror out of talk », *Psychology Today*, n° 22, 1988, p. 46-49.

PAUL, G.L. *Insight vs. desensitization in psychotherapy*, Stanford, California, Stanford University Press, 1966.

PILKONIS, P.A. « The behavioral consequences of shyness », *Journal of Personality*, n° 45, 1977, p. 596-611.

PLOMIN, R. « Environment and genes : Determinants of Behavior », *American Psychologist*, n° 44, 1989, p. 105-111.

SALTER, A. « Conditioned Reflex Therapy », Londres, Allen & Unwin, 1952.

SCHLENKER, B.R. *Impression management : The self-concept, social identity, and interpersonal relations*, Monterey, California, Brooks/Cole, 1980.

SCHLENKER, B.R. et M. LEARY. « Social anxiety and self-presentation : A conceptualization and model », *Psychological Bulletin*, n° 92, 1982, p. 641-699.

SELIGMAN, M.F.P. *Helplessness*, San Francisco, Freeman, 1975.

STONE, G.P. « Appearance and the self », *in* A.M. Rose (éd.), *Human Behavior and social processes*, Boston, Houghton Mifflin, 1962.

SUZZARINI, F. *Vaincre sa timidité*, Paris, Marabout, 1978.

TROWER, P., B. BRYANT et M. ARGYLE. *Social skills and mental health*, Londres, Methuen, 1978.

WATSON, D. et R. FRIEND. « Measurement of social-evaluative anxiety », *Journal of Consulting and Clinical Psychology*, n° 23, 1969, p. 448-457.

WOLPE, J. *The Practice of Behavior Therapy*, 3e éd., New York, Pergamon Press, 1982.

ZIMBARDO, P.G. *Shyness*, New York, Jove, 1977.

LAISSER LE DIRE SE FAIRE

Denis PELLETIER
Professeur en orientation et counseling à l'Université Laval

Les principaux enseignements et secteurs de recherche de Denis Pelletier portent sur le concept de soi, le développement vocationnel, l'expression et le développement émotif. Il est connu du grand public pour deux ouvrages de psychologie populaire : *L'Arc-en-soi*, publié en coédition par Robert Laffont (Paris) et les éditions Stanké (Montréal), en 1981, et *Ces îles en nous, propos sur l'intimité*, par Québec/Amérique (Montréal), en 1987.

INTRODUCTION

La parole en public vise toujours en définitive à faire connaître son point de vue, sa manière personnelle de voir les choses. Je témoigne de ce qu'est la réalité quand elle passe par moi. Même lorsqu'il s'agit d'une communication scientifique, il y a un certain contexte à faire valoir, une problématique à mettre en place pour qu'apparaissent les tensions internes, pour que soient saisis la pertinence de la recherche, le caractère parfois décisif d'une hypothèse, l'originalité méthodologique de la démarche expérimentale ou encore l'inattendu de certains faits observés. Tout cela pour dire que je ne peux vraiment échapper à mon point de vue.

Je ne dis pas que la communication scientifique comporte immanquablement l'intention d'arranger le réel. Je dis seulement que dans le cas le plus manifeste d'objectivité, il y a encore et toujours un point de vue. Et pour qui veut ou doit prendre la parole en public, le point de vue en question constitue, à mon avis, l'essentiel de la situation et la vraie raison d'être là. Autrement dit, le public s'attend à découvrir ce point de vue et il apprécie le communicateur qui tente de l'assumer avec simplicité et transparence. Car de fait, contrairement à ce que l'on pourrait croire, il faut une certaine humilité pour n'être qu'à son point de vue. C'est en effet une position vulnérable où s'abolissent les prétentions de détenir tout le savoir d'un sujet donné.

Permettez-moi de rapporter une expérience qui fut particulièrement significative quant à ma considération du statut d'expert. C'était à la fin des années 1970. Un journal faisait paraître un article portant sur des élèves du secondaire qui avaient été reçus au parlement du Québec à l'occasion de l'année de la jeunesse. Sur invitation du premier ministre, ils étaient venus présenter un mémoire sur ce qu'ils attendaient des adultes. « Nous réclamons, disaient-ils, le droit de nous exprimer, de dire ce que nous voulons, ce que nous pensons. Nous souhaitons ardemment que les adultes nous écoutent et nous désirons surtout qu'ils n'essaient pas de nous rendre semblables à eux. » Il y avait au centre de cet article une photo montrant des cerfs-volants avec en-dessous une légende : « Les adolescents sont comme des cerfs-volants. Ils ont l'air libres mais toujours attachés. »

Je me rappelle avoir lu cet article avec grand intérêt et surtout avec tristesse. Je constatais soudainement l'état dans lequel je me trouvais. Professeur à l'Université Laval, docteur en psychologie, chercheur, spécialiste en développement personnel et en psychologie cognitive, j'étais l'expert qui avait droit de parole de par mon érudition, de par toutes les informations que je possédais, de par toutes ces lectures des autres que j'avais faites et que je me sentais obligé de faire pour maintenir mon statut d'expert. Mais après toutes ces années à m'approprier le savoir, avais-je encore quelque chose à dire ? Quelque chose à dire, vous comprenez, qui vienne de moi, vraiment de moi, quelque chose qui exprime mon point de vue, pas celui de la discipline, mais le mien propre ? Après toutes ces années, j'en étais encore, comme ces adolescents, à réclamer le droit à l'expression et je ne pouvais en tant que personne, et c'était là ma tristesse, que prendre conscience de mon propre vide.

LA PEUR DU VIDE OU L'ABSENCE D'UN CONTENU

La première condition de la parole en public est d'avoir quelque chose à dire, quelque chose à dire qui vienne de moi et qui exprime vraiment mon point de vue. Cela peut paraître simple, mais s'avère très complexe. Selon cette règle, je devrais communiquer seulement que ce que je connais bien, ce que je connais pour l'avoir expérimenté moi-même. Ainsi, à propos de tout concept ou tout principe, je devrais avoir fait le point sur les expériences personnelles qui s'y rattachent, de sorte que je m'appuie sur un certain vécu. Ce vécu devient pour ainsi dire mon filet de sécurité. Je ne tomberai pas en plein exposé, sur du rien. Je pourrai toujours me raccrocher à des exemples concrets et à des observations de première main. C'est précisément cette peur du vide qui empêche souvent ceux qui prennent la parole de se laisser aller. Ils se cramponnent à leur texte et n'osent y déroger. Il s'ensuit un monologue monotone et parfois pénible. S'il arrive heureusement que l'exposé soit suivi d'une période de questions, c'est à ce moment que le communicateur se révèle. Son public lui fera probablement comprendre que c'est justement la partie qu'il a le plus appréciée.

Le défi pour le communicateur consiste donc à dépasser sa peur du vide. Mais comment y parvenir ? Comment peut-il être intimement persuadé qu'il a quelque chose à dire et que son point de vue va pouvoir s'élaborer, se déployer au fur et à mesure de sa communication ? Sur quoi peut-il prendre appui pour que le discours se déroule de lui-même, que les mots s'appellent les uns les autres sans préoccupation de la forme, celle-ci étant la conséquence de son absorption dans ce qui est à dire ? Comment laisser le dire se faire ? Par quels processus cela peut-il s'accomplir ? Quel état intérieur est requis pour que la magie s'installe et que l'inspiration suive son cours ?

Si j'étais complètement absorbé par mon sujet, si j'avais la passion du contenu, si j'étais tout entier dévoué à ce que je veux communiquer, si le point de vue ou la cause à faire connaître était plus important que moi, je ne m'inquiéterais pas de ce que j'ai l'air, je ne me soucierais guère de ma performance, je n'aurais pas à me préoccuper de ce que les gens vont penser de moi. Si je m'absorbais entièrement dans ce qui est en train de se dire, mon public ferait de même et je ne me sentirais pas l'objet de son attention, je n'aurais pas la sensation gênante d'être exposé.

Toute la difficulté du communicateur est là : il croit être l'exposé. Il n'échappe pas à l'impression embarrassante d'être vu, observé, évalué. Et c'est donc l'image de lui-même qui est en jeu.

L'IMAGE DE SOI OU LA PRÉOCCUPATION NARCISSIQUE

Il ne faut pas se le cacher. Quelque part, en toute personne qui prend la parole en public, il y a un désir d'être connu et reconnu, un besoin d'être vu et de bien paraître. Je ne dis pas que c'est toujours le cas, mais comme il y a un commencement à tout, je présume que pour la plupart des gens, moi compris, moi assurément, les premières expériences de communication ont été motivées par un besoin de prestige, de leadership ou encore de réussite sociale. Le narcissisme se traduit négativement par la peur terrible de perdre la face et de ne pas être à la hauteur de la situation, d'où un trac fou. C'est pourquoi bon nombre de gens, même s'ils en ont envie, renoncent à vivre l'expérience de la parole en public à moins d'y être contraints par une circonstance particulière ou par le rôle dévolu aux fonctions qu'ils exercent. Toujours est-il que l'exposition devant autrui s'avère menaçante quant à l'image de soi.

Il faut presque remonter à la petite enfance pour comprendre l'origine du narcissisme. On pense habituellement que le narcissisme équivaut à de l'égocentrisme. Serait narcissique celui qui ramène tout à lui et qui tente de satisfaire ses besoins sans la considération des autres, particulièrement des besoins d'estime de soi. Cette idée va à l'encontre cependant de ce qu'est justement ce phénomène. Comment dire ? L'enfant veut plaire à ses parents. Il veut être aimé. Il tente donc le plus possible de se conformer à leurs attentes. Pour toutes sortes de raisons, les parents à des degrés divers n'acceptent pas l'enfant tel qu'il est et tel qu'il vit. Ils auront tendance à aimer l'enfant seulement s'il manifeste des comportements acceptables et seulement s'il exprime des sentiments positifs. Cela revient à dire que l'enfant, pour se sentir aimé et pour avoir une image positive de lui-même, doit réprimer ses vraies émotions et doit se conformer le plus possible au rôle qu'on lui demande de jouer en tant qu'enfant. De fait, chaque fois que l'enfant agit par lui-même et qu'il ose s'affirmer, il y a risque pour le parent de percevoir cette quête d'autonomie et ce besoin d'opposition comme une forme de rejet envers lui-même. C'est donc en partie l'identité mal assurée du parent qui oblige l'enfant à contenir, voire réprimer ce qu'il vit intimement.

Il se subtitue dès lors au besoin d'être aimé un besoin d'être apprécié, reconnu, voire admiré. L'enfant s'installera par conséquent dans le souci de bien paraître et de répondre le plus possible au désir de ses parents. Il en viendra à confondre amour et admiration. Il mettra le reste de sa vie à vouloir réussir. L'image de soi devient ainsi à la longue l'intériorisation des évaluations d'autrui à son égard et il tiendra à son image positive de lui-même comme d'autres, mieux acceptés et plus authentiques, tiendront à leur bien-être et à des relations vraies avec leur entourage.

À l'inverse, l'enfant qui se doit d'être admiré se voit peu à peu écarté de son vrai moi et de ce qu'il ressent vraiment, au point qu'il ne sait pas faire la différence entre son désir et les attentes d'autrui à son égard. Jamais réussite n'aura pour effet de l'apaiser vraiment. Le besoin d'être aimé n'est au fond jamais atteint par la performance. L'effort qu'il met à être reconnu, apprécié, admiré ne fait pas de lui quelqu'un qui est aimé pour lui-même. Peut-être n'a-t-il pas encore assez réussi ? Peut-être la prochaine fois, s'il se montre meilleur encore, éprouvera-t-il le contentement qu'il cherche ?

Peine perdue ! L'image de soi, la plus positive qu'elle soit, s'avère insuffisante et déficitaire. C'est pourquoi un jour ou l'autre l'obsession de l'image devra faire place à une réconciliation avec soi, à une acceptation de soi dans tous ses aspects, forts et faibles, désirables et indésirables, agréables et désagréables. C'est à travers le deuil de la perfection et du grandiose que peut se résorber le narcissisme. Il s'agit donc d'un long travail sur soi que la vie se charge d'encourager et d'une maturité que l'âge saura favoriser.

Nous éprouvons tous à des degrés divers cette préoccupation de l'image et nous ressentons tous qu'un échec dans l'image de soi risque de porter atteinte à notre valeur personnelle. Et c'est pourquoi nous tenons tellement à nous protéger.

La peur du vide et le souci de l'image constituent de fait les deux côtés d'une même médaille. Notre souci de bien paraître nous éloigne de ce que nous sommes vraiment, de ce que nous vivons réellement, d'où l'impression que nous sommes vides, que nous ne trouvons pas un fondement solide en nous-même. Si j'avais l'habitude de mon expérience intérieure, si j'étais présent à mes émotions, si je faisais constamment le point sur ma propre expérience, si j'élaborais mes réflexions à partir de mes obervations, si j'étais un point de référence pour mes propres conduites, si je prenais la peine d'approfondir mon propre point de vue, si je connaissais mes véritables motivations, si j'avais idée de ce que je cherche et de ce qui m'importe, si je tenais compte de mes pensées et de mes images pour créer et pour m'exprimer, j'aurais moins peur du vide, j'aurais même la conviction d'un trop-plein, d'un surplus qui demande à être.

Il n'y a pas mille façons de fonder sa conduite : ou je fonde ma conduite sur ce qui doit être, ce qui est attendu dans les circonstances, ce qui correspond à la norme, ou je fonde ma conduite sur ce que je ressens comme étant mes émotions, mes sentiments, mes valeurs, mes opinions et mes convictions.

LES EXIGENCES DE L'EXPRESSION OU LA NÉCESSITÉ INTÉRIEURE

L'exécution d'une œuvre, que ce soit en musique, en peinture ou en tout art, exige certes une part de maîtrise technique, mais doit toujours comporter aussi une part d'expression. Il en est pareillement de la parole en public.

Nous ne nous intéressons pas dans ce chapitre aux aspects techniques de la communication, mais plutôt à la qualité de l'expression, à la manière dynamique et spontanée de rendre le message.

L'improvisation dramatique s'avère un lieu privilégié pour observer directement la nature de l'expression car il n'y a pas dans l'improvisation la nécessité d'acquérir une technique préalable. L'acteur peut être placé en situation d'improviser sans être obligé de « faire ses gammes ». L'expérience de l'expression lui est accessible immédiatement. Disons brièvement que l'improvisation dramatique consiste à inventer un personnage et à le faire vivre instantanément dans un contexte donné. Imaginons un banc public sur lequel une personne est assise. Une autre personne s'approche. Une interaction va émerger de cette rencontre. Que va-t-il se passer ? Cet atelier, je le propose chaque année à une vingtaine d'étudiants au cours d'un séminaire sur l'expression et le développement émotif. Une étudiante en particulier, donnons-lui le nom de Marie-Josée, se demande à l'instant même si elle sera oui ou non la prochaine participante. Elle se doit à elle-même d'improviser. Elle y tient. Bien qu'elle soit venue pour cela, elle laisserait passer encore le prochain tour, et puis l'autre d'après, et puis encore l'autre. Elle se sent paralysée par la peur. D'autres sont passés avant elle et se sont bien tirés d'affaire. Mais elle, Marie-Josée, ne risque-t-elle pas de manquer son coup, de se retrouver bredouille, encore moins confiante en elle-même ? Peur du vide. Peur de l'image de soi. Alors c'est plus fort qu'elle. Elle se met à imaginer le scénario. Elle élabore déjà dans sa tête des phrases à dire, elle précise à l'avance les circonstances particulières, elle suppose déjà pour l'autre le rôle qu'il devrait tenir. Plus elle met d'effort à se préparer, moins elle se rend disponible à l'instant présent et à l'interaction. De fait, elle s'applique fébrilement à la tâche, impossible, de tout prévoir. Elle le dira, elle-même, après l'improvisation : elle était dans sa tête en train de vouloir tout contrôler.

C'est plus fort qu'elle. Marie-Josée le sait bien : il suffit d'être dans la situation, seulement être et pour cela une seule chose à faire : ne rien faire. Avec le silence, avec sa seule présence à ce qui est, Marie-Josée pourra s'exprimer.

L'expression spontanée requiert en pareil cas une attention à l'autre et à soi dans le moment même où l'un et l'autre se rencontrent, elle, Marie-Josée, avec ce qu'elle ressent et surtout avec cet autre tel qu'il la regarde, tel qu'il respire, tel qu'il se meut. Soudain l'idée lui vient que le personnage assis sur le banc est un enfant esseulé et dans le même instant elle se définit comme une femme qui va l'aider...

Marie-Josée se trouve elle-même étonnée du personnage qu'elle devient et l'interaction à laquelle elle s'expose la fait évoluer vers une action et vers une issue qu'elle n'aurait pu prévoir logiquement.

L'expression semble obéir à une loi de nécessité intérieure. Quand j'enseigne à mes étudiants et que mon enseignement occupe toute mon attention, je ne me demande pas ce que je dois dire. Je le dis comme cela vient. Les mots surgissent du contenu à livrer. En pareil cas, il y a peu de choix à faire. Ce qui est communiqué l'est d'une manière pour ainsi dire nécessaire. Il se révèle à partir d'une logique interne, sous-jacente, implicite. Ce qui s'exprime spontanément ne peut s'exprimer d'aucune autre manière. Il est strictement approprié à ce que je suis et à ce qui se passe dans la situation réelle. Il dépend de ma condition physique, de mon intérêt personnel, de mon aisance verbale. Il dépend du climat particulier, du lieu et du groupe auquel je m'adresse. La spontanéité fait instantanément synthèse de ce qui est impossible à considérer avec sa seule raison. Je n'aurais pu prévoir tout cela, mais tout cela est pris en compte dans l'attention entière que je voue au sujet et à l'auditoire. Comment dire que je suis à ce moment précis dans un état d'improvisation, dans un état d'ouverture et de présence à l'événement où je fais se rencontrer le contenu qui demande à être et les étudiants qui cherchent à comprendre. Je deviens en quelque sorte un lieu de passage par où le contenu trouve sa voix. Celui qui s'exprime spontanément éprouve nettement la sensation de ne pas créer de toutes pièces mais de permettre que cela passe. Il est en état de s'étonner lui-même de ce qu'il exprime. Certes il connaît son sujet. Il sait de quoi il parle. Mais que les mots surgissent comme ils surgissent ne dépend pas essentiellement de lui. Il ne savait pas qu'il allait le dire ainsi, qu'une image allait s'imposer, qu'une expérience précise allait être rappelée, que tel aspect de la question allait prendre de l'importance, que telle association d'idées allait se faire. La seule chose qui dépend de lui en pareil circonstance, c'est la confiance qu'il se permet d'avoir en sa propre spontanéité. C'est en ce sens sans doute que Platon croyait aux idées innées comme si la connaissance précédait la conscience que nous pouvons en avoir ; c'est en ce sens aussi que la présence d'un autre nous met en état de révéler davantage à nous-même ce que nous pensons intimement.

Ce qui s'exprime spontanément s'exprime d'une manière nécessaire, déterminé par ce qui se passe dans la plus pure actualité de la situation. Il suffit au lecteur de se rappeler un moment de grande spontanéité pour saisir le caractère juste, unique, irremplaçable de ce qui s'est produit. Nous avons, disons, rencontré une personne qui nous est chère et qui nous manquait depuis longtemps. Ce qui s'est passé à ce moment s'est passé exactement comme cela s'est passé. Rien ne pouvait être autrement. Si nous avons vécu cette rencontre d'une manière spontanée, nous savons que rien de cela ne pouvait être modifié.

Tout cela pour dire que la préparation de Marie-Josée ne permettra jamais de prévoir assez l'événement pour y donner une réponse aussi complète et adaptée que celle qui arrive spontanément.

LECTEUR.– Bon, d'accord, j'accepte de vivre la peur du vide et le risque de mal paraître, mais toute la question est de savoir sur quoi m'appuyer. Comment vit-on la spontanéité ? Que puis-je faire pour être spontané ? C'est un vrai paradoxe, pour ne pas dire une impasse si je ne peux rien faire pour improviser en public quelque chose qui se tienne et qui ait du sens. Cela veut-il dire qu'on l'a ou qu'on ne l'a pas et que la parole en public ne peut s'apprendre ?

AUTEUR.– Votre question pourtant fort à propos me met dans l'embarras. Je ne peux prétendre être un expert de la parole en public. Comme on dit, j'ai appris « sur le terrain ».

Mais j'ai appris. Cela s'apprend, mais, à mon avis, il n'y a pas de méthode particulière, pas de technique pour y arriver. C'est plutôt une constatation que j'ai faite. Et une fois qu'on a constaté, la confiance vient avec l'exercice.

LECTEUR.– Constater, constater. Je veux bien constater, mais constater quoi ? Je ne crois pas qu'une série d'échecs m'aide à être spontané. Au fond, le vrai savoir c'est de savoir comment opère la spontanéité.

AUTEUR.– C'est tout à fait exact. La constatation dont je parle permet de comprendre ce qu'est la spontanéité. Vous serez d'accord avec moi qu'ordinairement il est facile d'être spontané.

LECTEUR.– Vous voulez me faire jouer le rôle naïf de celui qui sait sans le savoir. Allez-vous me faire jouer au chat et à la souris longtemps encore, d'autant plus que le vrai lecteur que je suis se sent coincé dans un dialogue que vous fabriquez de toutes pièces ?

AUTEUR.– En effet, comme on dit, c'est plutôt une affaire « montée ». Le seul mérite de ce semblant de conversation est de casser la monotonie du texte par ce qu'on appelle une « rupture de ton ». D'accord, je reprends la rédaction où je l'ai laissée. J'en étais donc à établir le fondement de la spontanéité.

LE FONDEMENT DE LA SPONTANÉITÉ OU LE SENS ÉMOTIONNEL

La constatation dont je parlais précédemment se rapporte au lieu intime à partir duquel chacun s'exprime. Au moment même où je communique avec quelqu'un, je maintiens un rapport avec quelque chose en moi qui tente d'émerger. C'est ce qu'on pourrait appeler le sens émotionnel. Le sens émotionnel serait ce qui précède la parole. Il se trouve juste à l'origine de l'intention. C'est à partir de lui qu'émerge le sens de ce qui se dit. Il joue le rôle d'un « lead », d'un fil conducteur, d'une commande de recherche qui se déploie dans la mémoire, dans les expériences, dans les apprentissages, dans toute l'information que contient mon histoire. Tant et aussi longtemps que je suis en contact avec cette émergence, avec ce qui l'occasionne, j'ai le sentiment que j'ai quelque chose à communiquer et que ce quelque chose exige mon attention pour parvenir à sa pleine explicitation. C'est ce qui meut actuellement ma propre écriture. Et je sais à la seconde près quand je décroche, quand je m'en éloigne. Je sais que cette origine pourrait m'échapper, que je risque d'en être distrait. Et c'est pourquoi je vais m'y absorber le plus entièrement possible malgré tout ce qui me sollicite de l'extérieur.

C'est évidemment une absorption que je ne puis maintenir longtemps et toujours avec la même intensité. Je devrai faire des pauses, des silences, des retours à cette source pour finalement me reprendre et poursuivre ce travail de recherche et de mise au monde en quelque sorte.

Ainsi, chaque fois qu'un interlocuteur suspend sa communication parce qu'il a perdu le fil, il essaie de reprendre contact avec ce sens émotionnel, le sens prélogique qui n'aura son sens réel qu'une fois traduit dans les formes du langage. Le sens émotionnel dont il est question est comme un comprimé de sens qui doit être dissous dans les mots et même dans les gestes pour être reconnu et exister socialement.

Le sens émotionnel précède le discours. Il le fonde et le propulse vers l'extérieur. Chaque fois que je suis en présence d'un autre et que cet autre me communique un contenu donné, j'éprouve d'abord un sentiment d'accord ou de désaccord qui me conduit par la suite à expliciter les raisons de cet accord ou de ce désaccord. Il n'y a pas de prime abord toutes sortes de raisons de m'opposer à son point de vue ou de l'encourager dans la direction qu'il prend. Non, il y a d'abord ce sens émotionnel, ce jugement en forme d'impression, cette émotion qui commence à poindre, ce mouvement vers lui ou contre lui.

Retenons simplement qu'une communication qui n'est pas préparée à l'avance, une communication dont le contenu se révèle dans l'instant, s'arrime au flux vivant du sens émotionnel. C'est d'ailleurs ce qui rend la communication sincère, ouverte et branchée sur le contenu lui-même plutôt que sur une stratégie de manipulation et de persuasion. La communication spontanée tire son dynamisme de sa volonté de partir de quelque part et non pas de son entêtement à se diriger vers une conclusion. Il est certain que le sens émotionnel comporte une direction, mais une direction qui n'est pas forcée, qui se nourrit dans son parcours de tout ce qui m'arrive et de tout ce qui se révèle dans la communication en acte, dans la communication *in vitro*, le processus apparaissant en même temps que le contenu.

Quiconque s'adonne à la parole en public sait exactement à quel moment il se perd, à quel moment il s'emballe. Comme l'homme du discours amoureux, il sait fort bien quand il devient faux. Aussitôt qu'il ne fait plus corps avec lui-même, il se sent exposé et se met en quête d'une contenance. Et c'est là, à mon avis, que se trouve la difficulté : celle de vivre ou plutôt de gérer son inconfort en public.

Je ne peux en effet faire abstraction de ma condition physique. J'ai besoin d'être à l'aise et de respirer normalement. J'ai besoin d'avoir une posture qui me laisse libre de mes mouvements. Je dois tenir compte de ma fatigue et de l'énergie dont je dispose. Cela ne fait pas problème dans la vie de tous les jours. Je reprends mon souffle. Je fais des pauses. Je bouge. Je cherche et je trouve une position corporelle où je suis bien. Je relâche l'attention et la tension. Je me laisse distraire et me concentre à nouveau. Toutes ces conduites élémentaires risquent par contre d'être perturbées au moment de prendre la parole en public.

Cette aisance corporelle est absolument indispensable pour que je puisse m'exprimer spontanément. C'est précisément parce que je suis à l'aise et en possession de mes moyens que je peux m'absorber dans le contenu de la communication et que je peux par le fait même demeurer présent au sens émotionnel.

Plus encore, le corps m'est nécessaire pour communiquer. La parole en public n'est pas que verbale. Elle se déploie selon un rythme et une intensité qui appartiennent à ce que les gens de théâtre appellent le « sous-texte ». La tâche du comédien consiste en effet à rendre le texte non pas textuellement, mais en saisissant le sous-texte. Toute œuvre, qu'elle soit littéraire ou musicale, comporte une part d'interprétation. Celle-ci vise à rendre le climat de la situation et même de l'époque, les sentiments sous-jacents, les intentions implicites et l'histoire personnelle de chaque personnage. Pour qu'il prenne vie, pour être authentique, le personnage qui apparaît dans la pièce à un moment donné doit avoir vécu bien avant et être devenu humain par le bien, par le mal, par le désir, par l'angoisse et par toutes les grandes émotions de l'existence. Bref, le comédien doit puiser en lui-même les aspects de sa vie qui donnent de la consistance à son personnage. Il n'est pas seul à le faire. Le metteur en scène propose également son idée du sous-texte et du contexte et peut aider le comédien à faire une interprétation à la fois juste, cohérente et liée à l'interprétation des autres comédiens.

Dans le cas de la parole en public, le sous-texte se rapporte à la connotation affective du contenu et à sa mise en valeur. Il y a une manière de parler qui met tantôt la parole entre parenthèses, tantôt la prépare à des temps forts. La parole, comme la musique, comporte des mouvements lents et retenus puis vigoureux, vifs et puissants.

Les comédiens diront aussi que la salle réagit bien, qu'elle est vivante ou qu'elle est amorphe, éteinte, absente et que tout cela influence leur jeu. Ils tirent une bonne part de leur énergie du rapport particulier avec le spectateur. Le texte reste toujours le même, mais le sous-texte dépend de toutes les conditions internes et externes, conditions imprévisibles qui font que la représentation théâtrale n'est jamais tout à fait la même d'une fois à l'autre.

Faut-il le rappeler ? La spontanéité s'apprend non pas en recourant à des techniques, mais en se fondant sur une compréhension des processus en cause. Nous avons constaté qu'elle s'appuie sur le sens émotionnel et sur l'interprétation du sous-texte. Il nous reste à faire une dernière constatation : tout cela dépend de la qualité relationnelle du communicateur avec son public.

LA COMMUNICATION EST ESSENTIELLEMENT UN PHÉNOMÈNE RELATIONNEL

Je ne peux en effet m'absorber dans le contenu et m'appuyer sur le sens émotionnel que si je suis à l'aise, installé pour ainsi dire dans une situation où je me sens légitimé de prendre la parole et où je me sens accueilli, accepté, entendu par un public qui m'autorise à être là et me permet d'exposer mon point de vue.

Cela suppose de fait une forme de contrat que je dois négocier dès le départ avec l'auditoire. Si je me présente comme l'expert d'une question donnée et que je décide unilatéralement de l'instruire, je risque d'usurper un pouvoir qui ne m'a pas été vraiment accordé. Il me faut en un certain sens considérer tout ce public comme s'il s'agissait d'un seul interlocuteur et je dois m'appliquer à le connaître et à prendre contact avec lui. Je ne peux donc d'emblée m'engager dans un exposé ou dans un discours sans m'assurer au préalable qu'il en convient et qu'il est disposé à m'entendre. Je ne peux d'autre part considérer qu'il est tout à fait ignorant de ce que je veux communiquer. L'auditoire a son idée sur la question. Il a ses propres expériences de sorte que je m'adresse à lui en supposant sincèrement que je ne suis pas seul à être compétent et à pouvoir traiter le sujet.

Mon interlocuteur me saura gré de ne pas m'imposer par les titres professionnels ni par le jargon du métier. Et il comprendra vite mon désir d'être en relation avec lui si je porte d'abord attention sur lui, sur la situation présente et sur sa propre expérience de vie.

Je devrais pouvoir entrer en relation avec mon public si je présente mon sujet dans le contexte d'un vécu commun. Autrement dit, suis-je en mesure d'intéresser l'auditoire en me référant à des expériences que la plupart des gens ont pu vivre ? Puis-je dès le départ évoquer une situation problématique ou une interrogation que les interlocuteurs ont été un jour à même de ressentir dans leur propre contexte de vie ?

Ainsi, nous saurons l'un et l'autre de quoi il est question. Le « nous » est formé et du même coup la complicité s'installe. Nous sommes sur la même longueur d'onde parce que nous portons notre attention sur un objet commun.

Encore une fois, il ne s'agit pas d'une technique, mais d'un état d'esprit : je ne m'adresse pas à soixante ou à cent soixante ou à deux mille personnes, mais à une seule personne.

Cette constatation peut paraître étonnante, mais elle s'avère pourtant réaliste. C'est chaque personne qui m'écoute et non pas une foule. Si je m'adresse à une foule, chaque personne ressent la communication comme ne s'adressant pas à elle, mais aux autres.

L'écoute de la radio peut nous permettre de constater ce fait. On peut se rendre compte que les interviews qui retiennent le plus facilement notre attention ont souvent un caractère intimiste. Quand la personne interviewée répond comme si elle s'adressait qu'à une autre, on se sent partie prenante de la conversation. On se sent témoin d'un dialogue qui ne s'impose pas, qui ne force pas l'attention et qui laisse place à notre propre réflexion.

Je voudrais utiliser comme illustration un moment de ma vie d'auteur qui s'est passé il y a quelques années mais que je vais relater au présent. Chaque fois que je sors d'une interview, à la radio ou à la télé, j'ai l'impression d'en avoir trop dit et en même temps pas assez. Je viens de publier un livre et je sens le besoin de le défendre. Alors chaque fois qu'on me pose une question, j'en profite pour faire passer le plus de contenu possible. Mes proches me disent que j'ai le ton professoral. Je ne suis pas vraiment présent à la personne qui m'interviewe. Ma voix porte haut, je pousse les mots comme pour traverser les murs, je veux rejoindre un public que je ne vois pas, mais auquel je m'adresse obstinément. Et puis, il y a ce matin. Ce matin, dans un petit studio, qui fait à peine deux mètres sur trois, je suis avec H.B. C'est une animatrice d'un naturel exceptionnel. Je me dis intérieurement que je suis avec elle, seulement avec elle. Son attitude y est sûrement pour quelque chose. J'oublie ces gens qui m'écoutent. Et puis, après tout, ce ne serait pas grave si le contenu du livre n'était pas livré entièrement.

Quelque chose en moi se détend. Enfin, je me sens concret, vrai et surtout présent, disponible plus que jamais à la situation. Elle m'interpelle selon son style, me lance sur une piste. Je commence à répondre en surveillant cette fois les moindres signes qu'elle me ferait. Je ralentis la phrase. Je fais une pause. Je me donne le temps de respirer. Elle a juste l'intervalle qu'il faut pour reprendre la parole. Je l'écoute. Oui, cette fois, je l'écoute. Je ne me demande pas où va ma propre logique. Je ne cherche pas le mot de sa part qui me ferait revenir dans mes plates-bandes. Non, je me mets à la suivre, peu importe où elle me mène. Je lui fais confiance. Oui, je lui fais confiance. Je sais qu'elle aime ce que j'ai écrit. Elle me raconte tout bonnement le plaisir qu'elle a souvent à se bercer. Nous n'avons aucune difficulté à nous en

*tenir à la question de la santé mentale. Nous le faisons chacun
à notre manière. Elle participe au contenu même de l'entretien.
Je ne suis plus l'expert et elle, seulement celle qui interroge. Nous
avançons ensemble dans l'inconnu de notre communication.*
(Denis Pelletier, *Ces îles en nous, Propos sur l'intimité*, p. 93.)

Le fait de considérer le public comme s'il s'agissait d'un interlocuteur unique me place dans un rapport presque intime avec lui. Je ne
sens pas l'obligation de parler fort, de projeter la voix et de forcer le ton
et, du même coup, ma manière de parler demeure naturelle. Cela veut dire
précisément que j'introduis dans la communication des rythmes, des silences,
des pauses, des hésitations qui donnent à la personne qui m'écoute
l'espace pour me recevoir et même pour m'interrompre.

Il existe donc dans la communication une sorte de fragilité où
l'autre renouvelle constamment son adhésion et me laisse le droit de
parole. Je ne suis pas seul responsable de la communication. Pour maintenir le contact avec ce que j'ai nommé précédemment le sens émotionnel,
je me dois une présence à moi-même qui requiert, comme je l'ai dit aussi
précédemment, une exigence d'absorption, de recentration sur ce que je
cherche à dire et le temps que je m'accorde, par la même occasion, offre
à la personne qui m'écoute la possibilité de s'appartenir, de se reprendre,
d'entrer en elle-même et de consentir à nouveau à me donner son attention.

Ainsi le communicateur et son public, le public et son
communicateur sont engagés dans la même passion du contenu, dans un
même désir de comprendre, dans un même besoin de s'assurer que les
conditions nécessaires à la réussite de l'événement puissent se maintenir.

Je pense à des noces d'argent dont je fus témoin et surtout à
cette femme gracile qui devait prendre la parole. De toute évidence, il
s'agissait pour elle d'une tâche immense et sa vulnérabilité était telle que
jamais dans une salle le silence ne fut entendu à ce point. « Je n'ai pas
l'habitude... je ne sais pas si je vais y arriver... » Tout le monde se trouvait
là avec une sympathie extrême. On aurait dit que chacun la faisait exister.
On avait pour ainsi dire accès à l'origine même de sa parole. Elle venait
du cœur, sans intermédiaire, sans l'artifice d'un discours bien fait. Sa
maladresse, son malaise, sa voix chétive d'abord et puis chaleureuse
commandait une écoute d'une rare intensité. Cela m'a donné beaucoup à
réfléchir sur le pouvoir de ce qui est simple et authentique. Cela m'a surtout
convaincu que c'est le public qui fait le discours quand le communicateur
ne remplit pas tout l'espace.

UN PRÉAMBULE EN GUISE DE CONCLUSION

Comment rassembler mes réflexions pour en faire un principe unique qui saurait expliquer la parole en public ?

Je crois que la réussite de la communication tient à un état d'esprit, à un état que je dois installer en moi-même avant tout discours. Je le résumerais ainsi :

« Qu'est-ce qui m'a pris d'accepter l'invitation ? Je n'aurais pas dû. Pourquoi faut-il chaque fois que je vive ce stress ? J'étais bien chez moi et me voilà obligé de rencontrer ces gens. Qui sont-ils exactement ? Je ne sais pas. "Ça ne vaut pas la peine de laisser ceux qu'on aime pour aller faire tourner un ballon sur son nez."

« Je n'ai pas le choix, je dois y aller. Mais je serai rassuré quand je verrai ces gens pour vrai. J'ai l'impression pour le moment de m'adresser à des inconnus. Je me demande bien de quelle façon je vais pouvoir les rejoindre avec l'exposé que je dois faire.

« C'est un exposé que je possède dans les grandes lignes, mais pour le détail, il va falloir improviser. J'espère qu'ils seront réceptifs et surtout que je vais faire bonne figure. Et si, une fois sur place, je ne trouvais pas les mots, si je n'arrivais pas à me réchauffer, si je devais, à froid, constater que je vais nulle part ! Si je n'arrivais pas à trouver le filon, la petite flamme qui va m'allumer, si je n'arrivais pas à m'oublier moi-même ! Car c'est cela, le plus difficile : trouver en moi une part d'enthousiasme, une raison nouvelle de communiquer mon point de vue.

« Au fond, j'ai peur de ma peur. J'ai peur d'être affolé à l'instant où je n'aurai rien à dire, à l'instant où va se substituer à l'inspiration une sorte d'attente comme si le souffleur en moi me laissait tomber et me livrait au public sans plus aucun texte.

— Ce serait si grave que cela, Denis, si tu te trouvais en pareille situation ? Tu en parles comme si ta vie en dépendait. Tu en parles comme si les gens n'étaient pas avec toi, mais contre toi.

— Ouf ! c'est vrai. Je n'ai pas à paniquer. Surtout si j'ai pris bien soin de faire le contact avec eux, je ne vois pas pourquoi ils ne seraient pas indulgents, je ne vois pas pourquoi ils ne m'accorderaient pas leur sympathie. Si je m'égare, je peux toujours recourir à mes notes. Pourquoi ne m'arrêterais-je pas quelques instants pour me retrouver, pour m'assurer que je suis vraiment en train de dire ce que je veux dire ? Je peux même en plein exposé réfléchir tout haut sur ce que je cherche : "Je n'arrive pas à dire exactement ce que je veux dire. Il me semble qu'il y a quelque chose de plus important, de plus essentiel à vous communiquer. Peut-être qu'en poursuivant comme je le fais, je vais y parvenir."

M'en voudraient-ils pour autant si je leur montrais un communicateur en train de se chercher, en train de débusquer le contenu qui veut se frayer un chemin ? Est-ce si nécessaire que j'aie toutes les réponses à l'avance ? Toutes les certitudes ?

— C'est évident. Si tu te présentes comme expert, tu dois tout savoir. Mais autrement tu as le champ libre, tu peux t'en remettre à leur vécu, faire appel à ce qu'ils connaissent eux-mêmes.

« Bon, Denis, tu vas te calmer. Tu vas accepter tes limites. Tu vas dire les choses comme tu les penses et surtout tu vas accepter tout de suite que ce n'est pas une communication parfaite, que tu n'es pas le meilleur communicateur en ville. Tu as par contre la générosité d'être toi-même. Tu n'as donc pas à craindre ton public.

« Tu t'inquiètes comme si les gens venaient te juger. Ils ne t'en veulent pas. Ils veulent seulement entendre ton point de vue. Alors tu n'as qu'à parler à ton point de vue. Et ton point de vue, entre nous, qui le connaît mieux que toi ?

— C'est vrai je n'ai rien à leur prouver, ni à leur démontrer. Je veux seulement témoigner de ce que je comprends et surtout de ce qui me tient à cœur.

— C'est cela, Denis. N'oublie pas ce qui te tient à cœur. Le service que tu veux rendre ou la cause que tu veux défendre vaut beaucoup plus que ton image, plus que ta réussite, plus que ta performance. Qu'est-ce que tu veux au juste ? Que les gens te trouvent bon ou qu'ils comprennent ton point de vue ?

— Tu as raison. C'est quand je ne veux plus être bon que je me sens bien.

— Voilà donc la conclusion que tu cherchais : c'est lorsqu'on se sent bien que l'on devient bon ! »

Références bibliographiques

GENDLIN, Eugène T. *Une théorie du changement de la personnalité*, Montréal, Éditions Ville-Marie, 1986.

KAPLAN, Louise. *Symbiose et séparation*, Paris, Robert Laffont, 1979.

LOWEN, Alexander. *La peur de vivre*, Paris, EPI, 1983.

MILLER, Alice. *Le drame de l'enfant doué*, Paris, Presses universitaires de France, 1983.

PELLETIER, Denis. *Ces îles en nous, propos sur l'intimité*, Montréal, Québec/Amérique, 1987.

ROGERS, Carl. *Liberté pour apprendre*, Paris, Bordas, 1981.

STANISLAVSKI, Constantin. *La construction du personnage*, Paris, Pygmalion, 1984.

VIORST, Judith. *Les renoncements nécessaires*, Paris, Robert Laffont, 1988.

LE CHARISME SÉDUCTEUR

Claude COSSETTE
*Professeur en
communication
et image
à l'Université Laval*

Claude Cossette fonde
en 1964 Cossette
Communication
Marketing, qui est
aujourd'hui la plus
importante agence de
publicité au Canada.
Il devient professeur
titulaire à l'Université
Laval en 1983.
Claude Cossette a publié
cinq livres importants
dont *Les images
démaquillées, La
créativité : une nouvelle
façon d'entreprendre* et
*Comment faire sa
publicité soi-même.* Il a
aussi dirigé la série
d'émissions télévisées *La
Publicité au Québec.*

INTRODUCTION

Le mot « charisme » évoque un concept à la mode. On résume souvent aujourd'hui la qualité des politiciens, des artistes, des chefs spirituels par un jugement sur leur charisme : ils en ont, ou ils n'en ont pas. Et la sanction est appliquée le plus souvent sur la prise de parole en public des personnalités.

Même les revues spécialisées sur la bonne forme physique des jeunes cadres dynamiques se penchent sur le charisme : « Developping Charisma : A Secret to your Success » titre en première page l'*Executive Fitness.*

Le charisme serait-il donc un talent qui se cultive ? Le succès continu d'organisations (comme l'Institut de culture personnelle du Québec, le Dale Carnegie Institute for Effective Speaking and Human Relations, ou les clubs Toastmasters) qui visent à développer les talents oratoires et le leadership chez les individus s'appuie sur la conviction populaire que le charisme est un talent qui se développe.

Ou naît-on plutôt avec le talent charismatique ? Il est de notoriété publique en effet que les véritables leaders n'ont pas eu besoin de cours pour atteindre à l'excellence charismatique. Pensons, par exemple, au « vieux », le commandant du sous-marin UA du roman *Das Boot* de Lothar-Günther Buchheim : à trente ans à peine, sans presque jamais parler, il était capable de mener ses sous-mariniers en enfer même.

LE CHARISME EST UN DON

Bref, il est difficile de trouver une réponse claire et succincte à ces questions. Pour notre part, nous croyons que l'on naît avec un talent charismatique ; mais, comme pour tous les talents, le don charismatique se cultive. Nous essaierons de comprendre la nature de ce don, après quoi nous verrons comment il peut se cultiver.

Qu'est-ce que le charisme ?

Qu'entend-on par « charisme » ? Quelle différence y a-t-il entre le « charisme » et le « leadership » dont on parle depuis vingt ans, ou le « talent de chef » dont on parlait depuis toujours ? Quelle définition peut-on donner du « charisme » ?

Le *Grand Dictionnaire encyclopédique Larousse*, édition 1982, définit le charisme comme « l'autorité d'un chef fondée sur son pouvoir charismatique ». À ·« charismatique », on y donne la définition suivante : « Se dit d'un dirigeant qui jouit auprès des foules d'un prestige et d'un pouvoir de séduction extraordinaire ».

À la définition 3 du même article, on réfère à l'expression « pouvoir charismatique » (du grand sociologue allemand Max Weber qui, sans doute le premier, a expliqué scientifiquement ce concept) : « Domination d'une personne qui incarne une sacralité qui le dépasse comme individu, mais qui est en elle ; cette transcendance légitime l'exercice de son pouvoir sur le groupe. » Le *Robert* ajoute que l'expression « charisme » s'est répandue en politique vers 1960.

Le charisme est donc l'ascendant qu'exerce une personne sur les autres, ascendant fondé sur sa capacité de séduire, mais avec la conviction intérieure d'être investi d'une mission. Dans ce sens, Jésus, Hitler, de Gaulle ou Pierre Elliott Trudeau étaient dotés à coup sûr de personnalités charismatiques.

Pourtant, André Malraux ne partage pas cette opinion. Selon lui, la séduction joue peu sur l'emprise des puissants. Par exemple, il explique ainsi l'ascendant du général de Gaulle : « Ses discours, ses conférences de presse, n'avaient rien de charismatique. Sa force était – est toujours – dans l'autorité, non dans la contagion. » Malraux distingue donc l'emprise charismatique du chef qui agit par contagion affective de l'emprise autoritaire qu'il exerce davantage par ascendant moral et intellectuel. Weber, rappelle le *Grand Larousse*, explique que l'autorité charismatique ne vient en effet ni de la tradition, ni de la loi : la personne charismatique « incarne une sacralité qui légitime l'exercice de son pouvoir sur le groupe ». C'est ce que l'histoire démontre par le célèbre Appel du 18 juin du général. Disons plus simplement que le charisme est un don qui rend une personne sympathique aux yeux de son public qui lui reconnaît une allure agréable, une intelligence vive et une sincérité convaincante au point de le suivre dans ses raisonnements, ses attitudes et ses actions, bref, de le choisir comme chef.

Le charisme est gratuit

Il y a donc – tout le monde l'admet – des dirigeants qui jouissent d'une personnalité magnétique, qui sont des « personnes charismatiques », dit-on ; cela, sans effort, sans apprentissage. Effectivement, le mot « charisme » vient du grec *charis,* qui signifie « grâce ». Le charisme est donc une grâce, un don gratuit, reçu sans que cela nous soit dû. Comme dit Roland Hi ! Ha ! Tremblay : « Tu l'as ou tu l'as pas. » Quelle mystérieuse réalité que le charisme : réalité si puissante et, pourtant, obtenue comme un cadeau sans qu'on l'ait même demandée !

En plus d'être d'une nature mystérieuse, le charisme semble agir d'une manière occulte : « Faible moyen, le moyen dont on ne connaît pas le fonctionnement », affirment certains. Et pourtant, le charisme agit, il agit même avec force : pensons à des télévangélistes comme Billy Graham ou Pierre Lacroix qui ont rassemblé des foules de plusieurs dizaines de milliers de personnes en un marathon d'écoute, à Fidel Castro qui tient ses discours fleuves à un ou deux millions de personnes sur la place de la Révolution. Ici, la « parole en public » produit un effet hypnotique.

Pour les personnalités charismatiques, la parole produit véritablement des miracles. Nous ne pouvons nous empêcher de penser ici au prologue de l'Évangile de Jean : « Au commencement était la Parole [...] et la Parole était Dieu [...] et rien de ce qui a été fait ne s'est fait sans la Parole [...] » Il semble bien en effet que les mots – mais rappelons-nous que chez les juifs anciens, il n'y avait pas hiatus entre parole et action ! – que les mots, les mots bibliques en tout cas, mots collés-au-réel, ont créé le monde, qu'ils ont « révélé » la réalité.

La personne charismatique utilise le langage comme un moyen hypnotique : l'auditoire est, comme le dit l'expression consacrée, suspendu aux lèvres de l'orateur. Les grands chefs politiques contemporains, ceux qui ont duré, étaient tous gratifiés de personnalités charismatiques. Cela est aussi vrai de Lénine que de Churchill, du général de Gaulle que de René Lévesque. Mais qu'est-ce que des personnes si diverses avaient donc en commun ?

Les traits des grands chefs

Si mystérieuse que soit la nature du charisme, si occulte que soit son mode de fonctionnement, les chercheurs ont tenté d'identifier les traits de personnalité des gens dits charismatiques.

Ainsi, Nancy K. Austin a identifié sept traits de personnalité communs aux grands chefs :

- les grands chefs sont ouverts au changement ;
- les grands chefs n'ont qu'une ou deux grandes passions ;
- les grands chefs savent qu'un peu d'excentricité est un atout ;
- les grands chefs misent sur l'esprit d'équipe ;
- les grands chefs laissent place à l'initiative de leurs collaborateurs ;
- les grands chefs investissent dans la formation de leurs disciples ;
- les grands chefs ne sont pas identifiables à un modèle unique.

Cette énumération donne déjà une bonne idée des caractéristiques du chef charismatique. Mais comme le dit le dernier point : les personnes charismatiques ne sont pas identifiables à un modèle unique, donc pas identiques entre elles. Elles sont charismatiques par certaines caractéristiques communes, mais elles sont différentes les unes des autres comme le sont tous les individus : on ne peut évidemment pas assimiler le pourtant charismatique Jim Jones (le pasteur fou qui, en Guyane en 1978, a entraîné huit cents de ses fidèles dans la mort avec lui) à Jésus-Christ qui a permis à des millions de personnes de trouver un sens à leur vie.

Remarquons qu'il faut sûrement irradier un certain charisme pour accéder à la tête d'un grand pays comme les États-Unis. Mais, rapportait Austin, « les grands chefs ne sont pas identifiables à un modèle unique ». Sur ce point, Hugh Sidey de *Time Magazine* (cité par Austin) fait remarquer que les sept derniers présidents des États-Unis étaient dotés de sept personnalités fort différentes qui, dans chaque cas, les avaient faits les dirigeants prestigieux d'un des plus grands pays du monde.

Dwight D. Eisenhower était un conciliateur qui savait rapprocher les personnalités antagonistes ; c'était son instruction et sa culture qui tissaient à John F. Kennedy son auréole ; ce qui donnait son ascendant à Lyndon B. Johnson, c'était sa connaissance des coulisses du pouvoir ; la force de Richard M. Nixon, c'était sa compréhension de la politique étrangère ; Gerald R. Ford était estimé pour sa personnalité compréhensive et humble ; on reconnaissait à Jimmy Carter une grande intelligence... entachée d'indécision ; Ronald Reagan savait repousser les contraintes habituelles du pouvoir pour ne se consacrer excellemment qu'à son « rôle ».

Bref, sept chefs charismatiques aussi différents les uns des autres que ne l'était Maurice Duplessis de Pierre Elliott Trudeau.

Charisme et démagogie

Mais ces chefs, s'ils étaient « charismatiques », ne l'étaient pas tous au même degré. Ils démontraient tous assez d'ascendant sur leurs concitoyens pour disposer du pouvoir suprême, mais pas toujours suffisamment pour durer ou pour réaliser de grands projets. Il saute aux yeux de tout Québécois – et quelle que soit son allégeance politique ou religieuse – que le degré d'emprise charismatique diffère largement du premier ministre Lévesque au premier ministre Bourassa, du cardinal Vachon au cardinal Léger.

Certains prétendent même que dans le langage journalistique contemporain, on dilue le sens du mot « charisme ». Martin Peretz affirme que la signification du mot « charisme » s'étiole depuis Weber, qui le réservait à des personnages solides comme Jésus, Bouddha ou Napoléon : « L'expression est désormais mise de l'avant pour n'importe quelle personne souriante qui sollicite les suffrages et qui est capable de susciter quelques salves d'applaudissements. » Il ajoute, déçu et grinçant : « Ronald Reagan et Jesse Jackson ont profité de la confusion qui existe entre "charisme" et "démagogie". »

En effet, le fossé qui sépare « charisme » et « démagogie » est parfois très étroit. Et, devant chaque citoyen qui recourt à la parole en public, on est en droit de se demander si l'on se trouve en face d'une personnalité charismatique destinée à susciter des disciples, ou d'un beau parleur démagogique en voie de manipuler les foules.

Le *Grand Dictionnaire encyclopédique Larousse* définit la démagogie de la façon suivante : « Politique ou comportement consistant à flatter les aspirations à la facilité et les passions populaires pour obtenir ou conserver le pouvoir, ou pour accroître sa popularité ». Qu'est-ce à dire ?

Le démagogue est un « suiveux » qui joue au chef : il ressert à ses auditeurs ce qu'ils attendent de lui. La politique de plus en plus répandue du « gouvernement par les sondages », c'est de la démagogie : dites-moi ce que vous pensez et cela deviendra « mes » pensées... que je vous proposerai dans mes interventions publiques.

Le seul but du politicien démagogue, c'est de garder le pouvoir en flattant ses commettants, en se présentant comme un miroir (aux alouettes ?). Ainsi, le politicien démagogue n'oserait pas lancer ses propres projets qu'il considérerait pourtant essentiels pour le bien, à long terme, du peuple, surtout si ces projets ne semblent actuellement pas recevables par les citoyens. Le politicien démagogue est un chef à courtes vues qui dirige à la manière des despotes romains en répondant ostensiblement aux besoins primaires : « *Panem et circences,* Du pain et des jeux ! »

À l'opposé, le chef charismatique est mû par un idéal, une vision de l'avenir qui l'anime, le fait vivre, le propulse en avant. Il a la « foi qui soulève les montagnes », comme disait Jésus. Il propose donc *ses* projets ; il sait faire accepter *ses* idées ; il entraîne. On « adhère » à ses vues des choses ; on devient son adepte. Voilà ce qu'est un chef charismatique !

On peut essayer de voir comment cette relation charismatique s'établit entre un chef et son public. En fait, tout à fait inconsciemment la plupart du temps, le chef charismatique s'impose par certaines attitudes plus que par des techniques. Les principales attitudes que l'on retrouve inhérentes à presque toute personnalité charismatique sont les suivantes :

- sa passion pour l'objet de sa communication ;
- le désir fou de persuader ;
- la conviction d'y arriver ;
- l'enthousiasme communicatif ;
- une communication branchée.

La passion pour l'objet de sa communication

La première condition pour mettre en place une situation qui puisse permettre d'établir une communication charismatique, c'est la passion. Passion pour l'objet de sa communication. Qu'est-ce qui a permis à Louis Bélisle de réaliser son *Dictionnaire de la langue française au Canada* malgré les contraintes de ses partenaires en affaires, à René Lévesque de réussir la nationalisation de l'électricité malgré son propre parti, à Jean XXIII de lancer le concile Vatican II malgré les peurs de son entourage, à Jean Drapeau de construire son Stade olympique malgré les mises en garde des ministères ? C'est leur passion (délirante ?) pour l'unique objet de leur préoccupation du moment. La personne charismatique est en effet toujours une personne passionnée par son sujet : elle le maîtrise intellectuellement et le chérit affectivement.

La personne charismatique maîtrise intellectuellement son sujet : c'est une personne curieuse, minutieuse (voire maniaque), insatiable : tout ce qui concerne l'objet de sa passion l'intéresse. Partout autour d'elle, elle identifie les idées qui complètent la connaissance de son sujet : une conversation, un article, un événement, tout est prétexte à enrichir son « projet ». Elle n'a de cesse que quand elle a épuisé son sujet. C'est une passionnée de la Connaissance elle-même, peut-être.

La personne charismatique chérit affectivement son sujet : c'est son « bébé », comme on dit. Qui n'a pas rencontré un auteur – Pierre,

Jeanne ou Jacques – qui parle de « son » livre en gestation sur lequel il passe nuits, week-ends et vacances ? Cette passion fait, bien sûr, que la personne charismatique parle d'abondance de son sujet, que les arguments se bousculent dans sa tête, que la démonstration s'échafaude avec solidité.

Cette passion fait que le ton même sur lequel elle en parle provoque un impact persuasif. Elle connaît son sujet sur le bout des doigts. Mais, même la passion pour son sujet ne suffit pas pour exercer un ascendant sur ses auditeurs. Il faut encore avoir le désir fou de persuader.

Le désir fou de persuader

La personne charismatique est animée par un désir débordant de persuader. Elle ressent comme un bien, un besoin, voire une responsabilité morale, de faire valoir son point de vue, de convaincre son public : elle veut persuader. La personne charismatique vit cette réalité comme une nécessité intérieure ; il lui semble primordial d'y arriver.

Oui ! oui ! le contenu du discours est important ; il existe même des techniques de persuasion. Mais, comme le fait remarquer Gustave LeBon, « leurs effets dépendent de celui qui les emploie ». L'interlocuteur qu'est l'orateur est donc une donnée importante de la persuasion, donc de l'emprise d'une personne sur ses auditeurs.

L'orateur charismatique est un missionnaire, un prosélyte : l'objet de sa communication lui apparaît comme de première importance ; il croit que son idée peut – va ! – changer le monde. Faire des partisans, des interlocuteurs qui adhèrent à son point de vue lui semble donc une nécessité vitale – vitale, au sens strict : sa vie en dépend. Et cela lui semble aussi essentiel pour ses destinataires.

C'est donc ce désir fou de persuader, ce manque, ce vide à combler qui l'anime, attise sa fièvre, donne un ton charismatique à sa communication. En effet, c'est quand ce besoin d'emporter l'adhésion de l'autre est exacerbé que la communication charismatique est à son meilleur... et que le tribun a l'impression de pouvoir y arriver.

La conviction d'y arriver

Il est important qu'un orateur charismatique veuille persuader. Aussi importante est sa conviction qu'il va réussir à faire valoir son point de vue, qu'il va réellement entraîner ses interlocuteurs derrière lui, qu'il va effectivement les persuader. Cette conviction lui donne un élan quasi irrésistible.

C'était la force d'Adolf Hitler. Ses généraux et maréchaux les plus intelligents (comme le maréchal Rommel) réalisaient bien que Hitler menait l'Allemagne au désastre : réunis dans un groupe de conspirateurs qu'on a appelé la « Swartze Kappelle », ils étaient résolus à renverser le tyran. Mais ils réalisèrent aussi que les gens ordinaires gardaient foi en leur chef véritablement charismatique.

Cette conviction – cette confiance ! – de pouvoir conserver son ascendant sur ses fidèles transparaît dans l'exposé de la personnalité charismatique : les auditeurs sentent qu'elle tient la situation bien en main. Et si, subitement, la magie ne fonctionne plus, certains leaders reniés tombent des nues : au beau milieu de son discours destiné à montrer son autorité (quelques jours à peine avant de mourir sous les balles de la révolution à Noël 1989), Ceaucescu découvrait, interloqué, que la foi de ses ouailles s'était évanouie, qu'elles le contestaient, le houspillaient. (Sur un « black-out » de trois minutes de la télévision, le despote disparaissait dans son antre avant de le faire dans la mort : la magie était devenue noire.)

Mais l'attitude de l'orateur charismatique qui croit encore en lui-même et en sa mission, qui a la conviction de pouvoir encore une fois persuader son auditoire, transpire le courage, la ténacité, la solidité : chaque personne de son auditoire sent qu'elle peut compter sur lui. Derrière cette conviction, le tribun charismatique entraîne la foule : elle est fascinée, hypnotisée, obnubilée. Elle se rend : elle continue de le choisir comme chef. À chaque fois, elle le plébiscite en quelque sorte.

L'enthousiasme communicatif

Cette communication se fait dans une espèce d'excitation, parfois d'extase, qui est ressentie de part et d'autre. Quel Québécois de plus de trente-cinq ans ne se rappelle pas comme un moment de communion la Saint-Jean-Baptiste de 1975 sur le mont Royal avec Robert Charlebois, Gilles Vigneault, Jean-Pierre Ferland et les autres, nos leaders culturels d'alors ?

Le chef charismatique est la plupart du temps une personne qui vit largement sur ses émotions. Cette personne a une sensibilité à fleur de peau. Elle a les larmes faciles, elle sait se libérer dans un large et profond rire : elle est proche de ses affects : elle « n'est pas constipée », comme on dit souvent des intellectuels ou des gens « bien élevés ».

Esprit, affects et besoins corporels sont vécus chez elle de manière unitaire. Elle n'est pas déchirée entre raison et passion, par exemple. Elle a une certaine facilité à faire coexister ces deux aspects de sa personnalité en un tout harmonieux. Elle vit… comme emportée par la force de Vie.

Au point optimal de la communication avec son auditoire, la personnalité charismatique se sent véritablement en communion intime avec son public. Tout son corps reflète d'ailleurs cette attitude intérieure : le sang est échauffé, les yeux sont brillants, le corps est penché en avant, le geste est ample, la voix est projetée. Il transmet une énergie catalysante, il irradie la Vie.

C'est cette Vie qui rend sûre d'elle-même la personne douée de charisme. Celle-ci pense, parle et agit de manière autonome. Cette liberté enthousiasme. Elle enthousiasme le tribun autant que les auditeurs. C'est que la Vie enthousiasme toujours les vivants.

Une communication « branchée »

Comme Gilles Pelletier ou Marina Orsini, la personne charismatique a de la présence. C'est une comédienne, peut-être, mais une comédienne qui sait exprimer parfaitement les sentiments qui l'animent.

Elle est en dialogue intime aussi avec son public. Elle est sensible aux « messages silencieux » de son auditoire : un geste nerveux, une moue, un regard voilé, un recul, bref, la mimique et le langage du corps n'ont pas de secret pour elle. Et ce langage ne ment pas, comme l'a montré l'anthropologue Desmond Morris.

La personnalité charismatique maîtrise ce langage de manière intuitive : tout chez l'autre lui parle. Elle est continuellement « branchée » sur l'autre. De la même manière, elle transmet son message par le langage corporel… qui est aussi compris intuitivement par l'auditoire.

Elle en profite pour accorder son rythme de communication : un moment elle vocifère, à un autre elle chuchote (elle recourt peut-être même au fracas du silence) ; elle menace, puis flatte ; elle joue sur l'excitation de la répétition ou de l'énumération, après quoi elle fignole quelque figure de rhétorique plus polie.

C'est tout un rythme qui est finalement mis en place. La personne charismatique communique jazzé. Et le rythme envoûte.

Ceci étant dit, et bien que le talent charismatique soit probablement essentiellement inné, on peut toujours s'exercer à améliorer ses performances : le métier de séducteur de foule, d'une certaine manière, se développe. À preuve, le succès des cours de parole en public de Dale Carnegie qui, commencés au YMCA de New York, rassemblaient dès la fin de la dernière Grande Guerre – un effet sans doute de la satisfaction enthousiaste des diplômés – plus de 50 000 élèves par année.

Alors, qu'est-ce qu'un lecteur désireux de s'améliorer pourrait bien faire pour développer ses talents d'orateur ?

LE CHARISME SE CULTIVE

Si le véritable talent charismatique est sans doute inné, on peut au moins travailler un certain nombre d'attitudes et de comportements qui servent habituellement la personnalité charismatique.

On se rappellera l'histoire de Démosthène qui était affligé de défauts de langue ; à force de travail, il est devenu le célèbre orateur athénien dont la renommée est toujours vivante aujourd'hui.

Cinq points à évaluer

Nous avons examiné, dans la première partie de ce chapitre, cinq caractéristiques communes à tous les leaders charismatiques. Pour développer sa maîtrise de la parole en public, examinons, dans un premier temps, où nous nous situons personnellement quant à ces cinq points. Cela ne fera pas nécessairement de nous un leader charismatique, mais cela nous éveillera aux réalités de base.

Savoir qui nous sommes, et où nous allons. La personne charismatique poursuit des buts, est animée par un idéal. Étant passionnée, elle parle de ce qui la passionne, et suscite ainsi chez les autres la passion.

Pour développer nos qualités d'orateur, nous devons bien identifier ce qui nous importe dans la vie, savoir où nous allons... et où nous voulons mener les autres. Soyons à l'écoute de ce que nous sommes profondément. Nous pourrions pour cela nous aider d'une technique comme le « focusing » de Eugene T. Genlin.

Vouloir convaincre. Avant d'aborder un auditoire, il faut se mettre en position de vainqueur : comme l'athlète, concentrer son attention sur le but à atteindre ; en l'occurrence, le but, c'est emporter l'adhésion.

Nous pouvons sans doute nous exercer à la méditation-concentration, ce qui pourrait assurément nous aider à développer cette attitude.

L'assurance de réussir. La personnalité charismatique sent déjà avant de commencer que le message, *son* message, va passer. Quand on prend la parole en public, il faut être convaincu que l'on peut réussir, que l'on *va* réussir.

Nous pouvons développer cette qualité en misant sur l'auto-suggestion, en faisant taire sa petite voix intérieure qui peut-être prétend que nos auditeurs sont fermés à notre message. La personnalité charismatique entend plutôt sa petite voix qui lui dit : « Ça va marcher, ça marche, on t'écoute, on te croit. »

Un enthousiasme sans bornes. Il faut agir avec passion, spontanéité, laisser sortir son « senti intérieur » ; c'est ça qui démontre son enthousiasme. Il faut être vrai pour réussir à susciter l'enthousiasme chez les autres. C'est la force de l'orateur charismatique.

Devant un auditoire, les personnalités charismatiques, qu'elles soient enseignant, politicien ou prêcheur, font toutes « du théâtre », mais du « théâtre-vérité ». C'est cette facilité de pouvoir exprimer spontanément, avec authenticité, son univers intérieur qui révèle la passion... qui suscite l'adhésion passionnée. Le premier ministre Brian Mulroney ne déchaîne pas l'enthousiasme quand il intervient avec son calme de rigueur... un rôle que lui soufflent ses « conseillers ».

Communiquer jazzé. L'orateur talentueux sait comme il est important d'imposer un rythme à la parole en public. Comme dans un drame, le discours démarre sur l'exposé calme d'une situation, puis la structure croît en se complexifiant jusqu'au point optimal. Et le ton doit se mouler à cette progression.

Nous pouvons apprendre les rudiments de la communication efficace en lisant, en nous inscrivant à des cours, en examinant comment travaillent les experts.

Avec des notions de communication de masse, nous nous rappellerons de ne poursuivre qu'un seul objectif, de recourir à un langage extrêmement simple, d'user de la répétition, de présenter les arguments dans le bon ordre, de conclure sur une incitation à l'action, etc.

Nous pouvons miser sur ces points en y travaillant comme sur des « trucs » dont nous disposons pour être un conférencier plus intéressant. Nous pourrons en effet prendre la parole en public de manière plus effective si nous recourons à ces techniques. Mais cela ne fera pas obligatoirement de nous une personnalité charismatique.

Être son propre charisme

Un leader charismatique ne fait pas seulement qu'exprimer un attrait charismatique ; il *est* son propre charisme. On explique qu'un individu doit fonctionner sur les trois plans de sa personnalité et de manière de plus en plus tournée vers l'extérieur. Les dimensions intellectuelle, affective et corporelle fonctionnant harmonieusement et de manière parfaitement intégrée chez un individu, celui-ci parvient ainsi au summum de ses capacités. Il est devenu un individu mûr. Et il a alors de grandes chances d'exprimer un certain charisme.

Sur chacun des plans, les activités s'exercent avec plus de profondeur à mesure qu'elles sont de plus en plus tournées vers les autres.

Tout cela pour dire que, pour pouvoir refléter un certain charisme, un individu doit avoir intégré les différentes facettes de sa personnalité, de l'inné à l'acquis. Pour pouvoir s'exprimer véritablement, un individu doit avoir surmonté les conditionnements opérants, qu'ils soient biologiques ou sociaux. S'exprimer, c'est pouvoir exprimer ce que l'on sait, mais aussi ce que l'on *sent*.

Pour pouvoir exprimer ses sentiments, on doit pouvoir les reconnaître et les accepter ; accepter son corps tel qu'il est comme moyen de découverte et d'expression de ces découvertes. Bref, on doit avoir éliminé les conditionnements acquis de refoulement.

Si nous voulons développer nos qualités charismatiques, c'est donc sur toute notre personnalité que nous devrons travailler. C'est le mûrissement, la sagesse que nous devrons viser.

Une personne mûre

On ne peut en effet prétendre à une personnalité charismatique si l'on n'a pas atteint une certaine maturité (et l'âge n'est pas ici l'indice révélateur principal de la maturité). Il n'y a pas d'ascendant charismatique possible si l'on n'est pas « bien dans sa peau ».

En effet, une personne puérile n'est généralement pas prête à se dévoiler, même à risquer d'être identifiée pour ce qu'elle est. Elle cherche plutôt à « avoir l'air » gentille, à « avoir l'air » intelligente, à « avoir l'air » volontaire. Finalement, elle n'est pas elle-même ; elle vit en porte-à-faux. Et cela est finalement décelé par les auditeurs : le « courant magnétique » ne passe plus.

Une personne mûre se connaît bien ; elle connaît ses faiblesses, et ses forces aussi. Elle sait qu'elle n'est pas parfaite, et se trouve *malgré cela* acceptable. Elle essaie de s'améliorer, mais ne prétend pas pour cela à la perfection. Elle connaît ses limites et les prend en considération dans ses comportements.

Un prophète comme Jean Vanier, fondateur des résidences L'Arche qui rassemblent en famille les handicapés mentaux, l'avoue répétitivement : « Une personne, qui consciemment ou inconsciemment a peur de sa faiblesse et du pouvoir de mort qui est en elle, sera dure avec la faiblesse des autres. Elle voudra cacher son insécurité derrière son efficacité. »

Aussi, une personnalité charismatique comme Jean Vanier ne redoute pas de creuser son univers intérieur par la psychothérapie, les retraites « au désert », la confrontation, la prière, etc.

La personnalité charismatique se connaît donc, s'accepte. Et elle s'abandonne. Elle considère comme une raison suffisante d'être ce qu'elle est pour prétendre au leadership. Elle ne souffre pas de culpabilité, n'a pas besoin de justification extérieure, d'approbation populaire pour penser et agir.

Elle prétend d'abord au droit de *suivre son élan vital*. Elle est projetée en avant par un besoin intérieur de dévoiler ce qu'elle pense, d'agir comme elle sent.

Un cœur d'enfant

La personne charismatique est, d'une certaine façon aussi, naïve. Elle se « laisse être », au risque d'être parfois excessive. Au fond, la personne charismatique est, comme on dit aujourd'hui, authentique (une valeur à la mode !) : un cœur d'enfant.

Un peu comme un enfant, le leader charismatique vit sa vérité du moment. Ainsi apparaît-il comme une personne vivante, vraiment « vivante ». Il est ressenti par ses auditeurs comme une force vive, un noyau de Vie. Et les autres nodules de vie que sont les auditeurs sont prêts à s'agglutiner autour de ce noyau qui agit sur eux comme un aimant. Il entraîne des disciples, des adeptes.

Comme chez l'enfant aussi, la personne charismatique joue sur le besoin d'amour (toujours inassouvi chez les enfants que nous sommes tous). Devant un public – son public ! –, la personne charismatique vit une communion : le courant électrique passe. Il y a comme un échange : la personne charismatique se sent aimée par son auditoire, et elle le lui retourne bien. On connaît les commentaires d'artistes comme Diane Dufresne, Jean Lapointe, Rose Ouellet (« La Poune »), sur « l'amour » qu'ils entretiennent avec leur public. « J'aime mon public, et mon public m'aime », entend-on souvent.

Bref, plus de peur d'être démasqué, pris au dépourvu : « On est comme on naît », chantait Charles Trenet. Et c'est bien comme ça. Cette authenticité supporte cette qualité charismatique de la communication efficace. Cette authenticité donne existence à la personne charismatique ; elle la rend vraie, tangible.

Une attitude de gagnant

La personne charismatique est soutenue par son attitude, une attitude de gagnant : elle *sait* qu'elle pourra emmener derrière elle l'ensemble de son auditoire. Elle le sent, le tient, l'entraîne, le mène. La personne charismatique se sent maître de la situation.

Peut-être en ce sens les « clubs de service », les cours « de personnalité » ou le « théâtre d'improvisation » sont-ils des écoles privilégiées de l'apprentissage de la confiance en soi.

Roger Ailes, responsable de la campagne médias du président américain George Bush, croit que le charisme est lié à la capacité d'une personne de « contrôler l'atmosphère » et que « quelqu'un qui contrôle l'atmosphère détermine son propre rythme pour dire ce qu'il a à dire en vue d'un impact maximum ».

La personne charismatique s'exprime elle-même tout entière. Elle ne fait pas que parler : *elle communique*. Et pour cette communication, le silence est tout aussi important que la parole. La parole crée, rend existant. Mais cette « parole », c'est le « souffle » vivifiant, la respiration qui donne la vie, le silence qui donne à comprendre.

Comme le résume si bien le sociologue des symboles Jean Baudrillard, « la séduction dessine à la place [du social et du politique] une sorte d'immense territoire blanc parcouru des flux tièdes de la parole, de réseau souple lubrifié par des impulsions magnétiques ». Le charisme est une aura électrique...

LES TRUCS DE L'ORATEUR CHARISMATIQUE

On veut bien que la séduction soit lubrifiée par des « impulsions magnétiques ». « Mais encore ? » peut-on se demander. Pour répondre à cette question, nous proposons de voir succinctement quelques trucs de métier qui semblent le plus souvent attachés à une personnalité charismatique : ceux reliés à la préparation, ceux reliés à l'exposé et ceux reliés à l'après-exposé.

La préparation

Les premiers éléments de réponse se trouvent dans la préparation de l'apparition publique. L'aisance que le public constate chez une personne charismatique est souvent le résultat d'une préparation minutieuse de sa part, ce qui lui assure la maîtrise de la situation. Comment se manifeste cette préparation ?

Un titre accrocheur. Une bonne communication charismatique commence par un titre bref, clair, descriptif et accrocheur dont on chapeaute sa communication. Il ne suffit pas d'être compétent et de savoir transmettre du contenu : il faut que le contenu de notre communication soit « pressenti » par le public – qui se transformera éventuellement en auditoire – , et pressenti comme intéressant. Cela se réalise en trouvant un titre... « publicitaire » à notre communication.

L'habillement. Un conférencier charismatique doit établir la communication par ses vêtements aussi. C'est d'ailleurs le premier message qu'il enverra à son auditoire quand il posera le pied sur l'estrade. C'est ainsi qu'il affirmera par ses vêtements : « Je suis une personne "straight", réservée, sur la défensive, etc. » ou bien « Je suis une personne marginale, décontractée, chaleureuse, etc. » On sait l'importance que IBM met à ce que ses représentants se présentent en complet foncé, chemise blanche et cravate classique ; comme au théâtre, le costume, c'est le caractère du personnage.

Apprivoiser les lieux. Avant la rencontre avec son public, l'orateur charismatique prend contact avec les lieux où il exposera ses idées, où il établira la communication avec ses auditeurs. Comment cela se fait-il ? En parcourant l'espace physiquement pour en connaître les secrets, en sentir l'odeur, en connaître l'écho, en assimiler la couleur, en vérifier le chauffage, l'aération.

Alors l'orateur aura au moins apprivoisé la salle… ce qui lui rendra plus facile la tâche d'apprivoiser les gens. Il se sera assuré que le matériel dont il aura besoin est sur place : lutrin, tableau, projecteur, etc. Il aura vérifié aussi que la disposition des lieux est conforme à ses souhaits : l'emplacement de l'orateur, la disposition des fauteuils, etc. Il aura alors pris possession de l'espace.

Le confort de l'auditoire. Le conférencier doit voir à son confort… mais aussi à celui de ses auditeurs. En effet, des fauteuils inconfortables, une température excessive, une ventilation insuffisante, un éclairage déficient, la fumée des cigarettes, etc., peuvent hypothéquer dangereusement la communication. Il ne faut pas oublier que c'est nous le héros, et non pas les gens de notre auditoire – qui n'ont pas à payer de leur souffrance notre prestation. C'est nous qui devons performer, et non pas ceux qui sont venus nous écouter.

Sachons que si nos auditeurs éventuels ne jouissent pas d'un minimum de confort, il est illusoire de penser que nous réussirons à les emporter avec nous sur les ailes du rêve.

L'exposé

Quand vient le temps de l'exposé lui-même, il existe un certain nombre d'attitudes et de comportements sur lesquels on peut travailler pour améliorer sa performance. Il est évident que les quelques conseils suivants ne transformeront pas subitement notre personnalité.

Comme nous l'avons vu dans la première partie de ce chapitre, le talent charismatique est lié à la personnalité profonde d'un individu, et ce n'est souvent que le temps – et la longue marche sur la voie de la sagesse – qui peut améliorer les choses.

Le trac. La peur d'affronter un auditoire qui se manifeste dans le trac ne peut s'effacer par « quelques grandes respirations », comme le prétendent certains manuels. Le trac – cette « angoisse irraisonnée », comme l'écrit le *Petit Robert* – est causé (comme toutes les angoisses d'ailleurs !) par la distance entre ce que l'on vit « ici et maintenant » et « l'ailleurs-plus tard ».

Francine Girard, une enseignante québécoise qui s'intéresse à la communication publique, affirme (avec sondage à l'appui) que le trac « est un phénomène normal et universel que la prise de parole en public provoque presqu'automatiquement ». L'auteure rapporte que 92 pour 100 des élèves en communication orale du cégep « éprouvaient avant de monter sur scène une grande anxiété et la crainte d'oublier ce qu'ils avaient à dire ».

Agir dissipe le trac : si l'on se concentre sur ce que l'on ressent vraiment maintenant, si l'on parle de sa peur actuelle à un voisin, si l'on s'applique à répéter son discours, alors on a toutes les chances de voir son trac (plutôt que soi-même !) s'évanouir, puisque l'on a oublié le futur et que l'on vit dans le présent... où il n'y a pas de public.

Et tout à l'heure, quand nous « monterons en scène », le trac ne sera pas davantage présent, ou si peu, puisque nous serons en train d'agir au présent.

Ne pas s'excuser. Quand on prend la parole en public, on n'a pas à s'excuser pour ses imperfections, ni souligner ses faiblesses. Agissons en maître : nous sommes là pour parler ? Alors parlons ! C'est tout.

Mettre le doigt sur ses « bobos » ne fera qu'augmenter le malaise. À moins que l'on ne sache le faire sur un ton humoristique : il n'y a rien comme de rire de soi pour établir le contact.

Mais l'essentiel est de se montrer soi-même, tel que l'on est, humain, vrai. Alors notre auditoire nous pardonnera nos imperfections, la sagesse populaire appréhendant ce que Oscar Wilde écrivait dans *Phrases et philosophies* : « La véritable perfection d'une personne réside non dans ce qu'elle a, mais dans ce qu'elle est. »

L'attitude confiante. L'attitude physique annonce les couleurs de la joute. Le « vaincu » confirme déjà sa défaite dans sa posture, de même que le vainqueur affiche son optimisme dans ses poses assurées (position debout, mains sur les hanches, mains ouvertes, etc.). Nierenberg et Calero écrivent : « La confiance en soi, chez l'individu qui a bien réussi et qui sait où il va, se traduit d'abord par une attitude fière, droite, sensible. » Et si nous conseillons souvent aux jeunes de se tenir droit, c'est non seulement parce que c'est bon pour leur dos, mais aussi parce que cela leur donne confiance en eux.

Se présenter. Il faut prévoir de se faire présenter à son auditoire. Si personne ne prend l'initiative de nous présenter, on doit le faire nous-même.

Il ne faut jamais présumer que notre auditoire sait qui nous sommes. Même ceux qui nous connaissent déjà apprécieront de reconnaître dans les quelques détails pertinents que nous donnerons, la personne qu'ils auront à écouter. Cette présentation répétée – par les quelques détails choisis qui sont inlassablement resservis – entretient autour de la personnalité charismatique l'aura publique dont elle doit s'entourer.

Un exposé d'une page. Il est impossible de vivre ce que l'on dit si l'on doit lire un texte ; même les meilleurs y parviennent à peine. Bien sûr, on peut – on doit ! – écrire son texte si l'on veut éviter les banalités, le désordre, la panne sèche. Mais il faut pouvoir faire son exposé naturellement, c'est-à-dire sans le lire.

Lors de sa communication, on s'aidera d'un court canevas d'une ou deux pages portant les titres et les sous-titres. Cela suffira pour se rafraîchir la mémoire. Au besoin, on écrira les citations mot à mot pour pouvoir les rapporter avec exactitude. Sinon, on se contentera d'un plan comme aide-mémoire. Mais au grand jamais ne devons-nous asséner à notre auditoire la lecture d'un texte – ce qui ferait disparaître toute allure charismatique de notre présentation.

Dire peu de choses. Communiquer, c'est établir le contact. Il suffit parfois de dire très peu de choses pour pouvoir établir la communication : tout réside alors dans le plaisir de savourer la communication, de se sentir solidaires.

Mais même s'il a des choses importantes à dire, l'orateur charismatique sait que, dans un groupe nombreux, il ne peut transmettre qu'une seule idée (tout au plus deux ou trois). Il sait bien que c'est là que réside la force de la communication publicitaire. Ainsi, pendant cinq ans et 25 millions de dollars, la Fédération des producteurs de lait du Québec a répété une seule idée : « Le lait, franchement meilleur ! »

Un vocabulaire simple. Un bon orateur charismatique sait s'exprimer dans une langue simple et directe. La parole publique ne peut fonctionner dans les subtilités : c'est trop court et ça s'adresse à trop de gens trop distraits.

Donc, pas d'abus de jeux de mots, pas d'images originales. Comme l'a démontré le célèbre linguiste George Zipf, les mots les plus efficaces sont les mots les plus courts, les plus simples et les plus polyvalents, et donc les plus connus. Un texte simple doit comprendre 75 pour 100 de mots de moins de deux syllabes. Une phrase facilement compréhensible ne doit contenir qu'une douzaine de mots.

Être concret. Parlons de ce que nous savons de manière concrète. Disons *quand* cela s'est passé ou se passera : « Hier matin... », « Dans moins de cent jours... ». Disons *où* cela s'est passé : « Au chalet d'été de ma belle-mère... », « Sur le quai venteux de Saint-Joseph-de-la-Rive... ».

Si nous nous contentons d'affirmer que nous avons convaincu « plusieurs milliers de partisans », nous serons moins convaincants que si nous crions : « J'ai réussi à faire adhérer 2 143 amis à mon projet ! »

Miser sur le sensationnel. Pour parler efficacement en public, on doit savoir miser sur les slogans qui frappent l'imagination – même s'ils en viennent à dépasser sa pensée. Contrairement à ce que les gens pensent généralement, la personnalité charismatique n'est pas pointilleuse quand elle s'exprime en public : il lui faut dessiner la réalité à larges traits – comme un affichiste le fait.

Le général de Gaulle, qui avait un talent charismatique indéniable, rabrouait ses contestataires en lançant qu'il se fichait bien de « tout ce qui grouille, grenouille et scribouille ». Pour emporter la faveur des citoyens à l'idée de nationaliser les compagnies privées d'électricité, René Lévesque placardait, en 1962, les médias du Québec avec le slogan : « Maîtres chez nous ! » Castro a toujours répété depuis sa *sierra* : « *Patria o muerte ! Vencéremos !* , La patrie ou la mort ! Nous vaincrons ! » Une affirmation qui a allumé des passions qui ne sont pas encore éteintes...

Les orateurs charismatiques aiment buriner ces phrases frappantes dans les imaginations de leurs auditeurs.

Être humain. N'hésitons pas à nous engager – et à engager nos auditeurs ! – personnellement : parlons de nous, racontons des anecdotes, nommons des personnes, prenons à partie nos auditeurs, recourons aux pronoms personnels (« je », « vous »..., parfois « nous », en s'incluant dans son auditoire).

N'oublions pas non plus les pronoms démonstratifs, qui ont justement pour but de « montrer » : « Ce chalet-là renfermait tout un pan de mon enfance... » Comme l'écrit si bien Jean-Paul Laurent dans son petit livre *Rédiger pour convaincre,* « Parler, c'est jeter un pont entre des interlocuteurs et soi-même. »

Indicateurs. Jalonnons notre exposé de panneaux indicateurs. Notre auditeur saura où nous allons et ne nous y suivra que mieux. Disons en commençant : « Je vous ferai une démonstration en trois parties : la première... etc. »

Quand nous avons terminé (et, avant de conclure), résumons les principales idées que nous avons énoncées : « Trois arguments sont donc à retenir : premièrement, etc. » Puis concluons avec style en annonçant encore notre conclusion.

Parler debout. N'allons pas parler assis, caché derrière une nappe. Même si on nous y invite, montrons de l'initiative en demandant, pour la forme, au maître de jeu la permission de nous lever pour parler. Et, de grâce, levons-nous ! Rester assis ne nous permettrait pas de bouger, de « donner du coffre », de courtiser l'assemblée.

En nous levant, en nous avançant même, nous établissons déjà une bonne communication avec nos auditeurs : nous effaçons au moins les barrières matérielles. Nous montrons que nous dominons la situation.

Utiliser des objets symboliques. Comme le savait si bien Léonard de Vinci, « les choses de l'esprit qui ne sont pas passées par les sens sont vaines ». Aussi est-il important non seulement d'émettre des idées, si intéressantes soient-elles, mais de les supporter par des « signes » qui touchent les sens. Un objet banal s'élèvera, à force d'utilisation, au rang de symbole.

En fondant la première agence de publicité québécoise, Jacques Bouchard s'est empressé de s'approprier un symbole de l'initiative canadienne-française : une cloche provenant d'une des paroisses du soulèvement des patriotes en 1837. Winston Churchill galvanisait le moral des Britanniques en levant sa main droite avec son index et son majeur en forme de V.

Le langage du corps. Servons-nous de notre corps pour parler : faisons des grimaces, chantons, gesticulons, dansons ! La parole en public, c'est aussi du théâtre.

Représentons avec nos mains les objets que nous mentionnons : « C'était une boîte grosse comme ça »... et écartons largement les bras pour la faire apparaître dans l'imagination. Jouons les sentiments que nous ressentons : « Mon Dieu, quelle énormité je viens de dire ! »... et retournons-nous, l'air gêné, en se cachant le visage dans les mains.

Mais ne jamais pointer le doigt vers son auditoire : ce serait perçu comme une menace, du mépris, de l'autoritarisme. Par contre, nos mains largement ouvertes sont un signe évident d'attitude confiante. Le poing, tapé sur le lutrin, est un signe d'affirmation indéniable.

Utilisons l'espace : descendons l'allée, choisissons un auditeur comme protagoniste d'un moment, adressons-nous à une partie de la foule (ceux de gauche, les jeunes, ceux qui disent « oui »).

Mais il ne suffit pas de « faire des gestes » ; il faut les sentir, laisser le corps participer à ce que l'on veut dire. Pierre Fresnay (le célèbre

Monsieur Vincent du succès universel du cinéaste Maurice Cloche), pourtant un des plus grands comédiens français de la première moitié du siècle, se défendait parfois : « Je n'ai pas assez de talent pour faire les gestes que je ne sens pas. »

Le regard de survol. Les yeux sont un instrument de communication non négligeable. On sait le rôle qu'ils jouent dans la communication interpersonnelle : « Elle a, dit le dragueur, des yeux irrésistibles. » « Le fautif, écrit le reporter, était incapable de supporter le regard du juge. » Eh bien ! même dans une salle de mille personnes, le regard participe à la communication charismatique.

Nous devons embrasser la salle du regard, un regard intense comme celui de l'hypnotiseur. Puis continuellement, jeter des « coups de sonde », à droite, à gauche, devant, derrière. Établir une complicité avec une personne ici ou là qui semble « branchée » sur nous... mais sans nous attarder trop longtemps, sans négliger les autres qui attendent notre coup d'œil... ou s'en méfient, ou le repoussent.

C'est comme si le regard traçait une conduite pour le courant électrique. En effet, ne dit-on pas de l'orateur charismatique qu'il « électrise les foules » ?

Supports. Prévoyons des supports visuels : tableaux de papier, tableaux noirs, rétroprojecteurs ou projecteurs d'écran d'ordinateur, etc. Il convient de laisser devant les yeux de son auditoire les quelques points que l'on est en train d'exposer. Quelques mots suffisent comme rappel, on en met toujours trop.

Cependant, il y a des éléments qui nécessitent leur illustration : il y a des choses qui ne peuvent se transmettre avec les mots... à moins que notre auditoire en soit parfaitement familier. C'est le cas des objets. Sinon, il faut utiliser le langage de l'image : montrer la photo de son héros, le schéma de son appareil, la carte de sa région, l'organigramme de sa société, l'illustration de son idée... Quelle que soit la forme, nous recourrons à des supports visuels.

Cependant, dès que l'on peut, il est préférable de ramener la salle à un éclairage normal. On est le héros du jour : on doit évoluer sous les projecteurs. Et on doit nous voir pour succomber à notre charisme.

L'humour. Certains prétendent que l'humour est nécessaire pour établir la communication : « Commencez votre exposé par une histoire drôle », recommandent certains manuels. Mais l'histoire drôle n'est pas toujours de mise : tout dépend des auditoires, des sujets et des circonstances.

Nous pensons qu'on est toujours drôle à un moment ou l'autre si on est réellement soi-même, qu'on se laisse aller à ses élans, qu'on révèle ses sentiments du moment. L'exagération, la caricature ou la répétition sont déjà des formes « d'humour » quand on parle en public.

Certaines recherches en communication de masse ont montré que si l'humour est capable d'attirer davantage l'attention, en revanche, il semble moins apte à persuader, à emporter l'adhésion. C'est donc un couteau à deux tranchants !

L'ordre des arguments. L'orateur charismatique sait qu'il doit jouer avec ses arguments. Il dispose, dans son arsenal, d'arguments (favorables à sa position) et de contre-arguments (favorables à la position adverse).

Si l'on s'adresse à un auditoire composé d'adversaires, vaut mieux reconnaître les contre-arguments. Il en va de même si l'on parle à des auditeurs érudits.

Par contre, si le public est peu instruit, favorable à notre position ou ignorant de la question, vaut mieux s'en tenir aux arguments. Comme le fait remarquer le sociologue de la persuasion Jean-Noël Kapferer, « reconnaître les arguments de la partie adverse peut avoir un effet négatif, appelé "effet boomerang". »

Si l'on présente arguments et contre-arguments, le côté opposé doit être présenté en premier – et on ne doit présenter que les contre-arguments connus de son auditoire. Et, bien sûr, les réfuter de façon claire.

La musique. Nous pouvons écouter 600 ou 700 mots à la minute ; nous pouvons prononcer 150 mots à la minute. Aussi l'orateur doit-il « faire quelque chose » pour ne pas laisser s'endormir ses auditeurs. Les moyens « musicaux » sur lesquels il peut jouer sont principalement le rythme et le volume.

Varier le rythme est impératif : comme une rivière, le discours doit passer alternativement de l'élargissement tranquille aux rapides moutonnants. Un moment, le débit est lent dans les exposés rationnels, puis s'échauffe pour s'accélérer carrément dans les passages émotifs.

Il en va de même pour le volume, qui doit passer du chuchotement confidentiel aux éclats tonitruants de la colère ou du dénouement épique.

Même le silence est un outil pour celui qui manie habilement la parole en public. Dans le bruit, le silence devient impressionnant. Il appelle le silence, la chute de l'histoire, la clé de l'énigme...

Et pourquoi pas même, comme au cinéma, recourir à la musique enregistrée ? Quelle force pour un slogan qui serait répété comme un leitmotiv tout au long du discours, supporté par quelques accords des *Symphonies pour les soupers du Roy* de Michel-Richard Delalande ! Quelle apothéose pour l'orateur charismatique qui terminerait son envolée sur quelques mesures de *La Marche de Thésée* du royal Lully !

Savoir se taire. Quand l'essentiel est dit, on se tait. Il y a des films de trois heures qui auraient tout intérêt à être resserrés en quatre-vingt-dix minutes : ils ratent, pour la plupart, plusieurs chances de finir en beauté.

Peut-être est-il mieux de se faire désirer, de laisser les auditeurs « sur leur faim ». « Comme c'était intéressant ! Vous auriez dû parler plus longtemps » ou « Que j'en ai appris des choses ! J'espère que vous pourrez revenir ? » Peut-être est-il préférable de s'arrêter avant la satiété, avant de perdre l'intérêt de ses auditeurs. La brièveté titille le désir. « Je déteste les hommes qui parlent trop : ils ne sont jamais intelligents », écrivait le critique social Jean-Charles Harvey.

Et après

Et si, une fois ces conseils mis en pratique, on ne se sent pas encore une âme charismatique, on peut se procurer la cassette « vidéo-hypnotique » de Dick Sutphens : « Le charisme : comment vous concilier la sympathie des gens ».

On ne sait jamais : peut-être le « vidéo-hypnotisme » pourra-t-il faire des miracles !

CONCLUSION

Soyons sérieux ! Le charisme, c'est l'élan vital qui séduit, qui emporte tout sur son passage. C'est donné. C'est gratuit. Mais encore faut-il y croire.

Baudrillard se désespère : « Pauvres masses séduites et manipulées ! On leur faisait [naguère] endurer leur domination à force de violence. On la leur fait [désormais] assumer à force de séduction. »

Mais de quoi se désespère-t-il, sinon de « l'hommité » des humains ? Et la séduction n'est-elle pas un progrès sur la violence ?

RÉFÉRENCES BIBLIOGRAPHIQUES

« Developping Charisma : A Secret to your Success », *Executive Fitness,* vol. 20. n° 3, mars 1989.

AILES, R. *You are the message : secrets of the master communicator,* New York, Dow Jones Irwin,1987.

AUSTIN, N. K. « How to position yourself as a leader (Power Secrets) », *Working Woman,* vol. 13, n°4, novembre 1988.

BAUDRILLARD, J. *De la séduction : l'horizon sacré des apparences,* Paris, Denoël-Gonthier, 1979.

GENLIN, E.T. *Focusing : au centre de soi,* Montréal, Le Jour, 1984.

GIRARD, F. *Apprendre à communiquer en public,* Belœil, La Lignée, 1985.

Grand Dictionnaire encyclopédique Larousse, Paris, Larousse, 1982.

HARVEY, J.-C. *Les Demi-civilisés,* Montréal, L'Homme, 1962.

Jésus est vivant, Paris, Desclée de Brouwer, 1978.

KAPFERER, J.-N. *Les Chemins de la persuasion,* Paris, Gauthier-Villars, 1978.

LAURENT, J.-P. *Rédiger pour convaincre,* Paris, Duculot, 1984.

LEBON, G. *La Psychologie des foules,* Paris, Quadrige / PUF, 1981.

MALRAUX, A. *Antimémoires,* Paris, Folio, 1972.

MORRIS, D. *La Clé des gestes,* Paris, Grasset, 1979.

NIERENBERG, G. et H. CALERO. *Lisez dans vos adversaires à livre ouvert,* Paris, Albin Michel, 1988.

PERETZ, M. « Community and Charisma », *New Republic,* Vol. 198, 16 mai 1988.

ROBERT, P. *Dictionnaire alphabétique et analogique de la langue française,* Paris, Société du Nouveau Littré, 1985.

SUTPHENS, D. *Charisma : drawing people to you,* Valley of the sun video, Box 3003, Agoura Hills, CA 91301

VANIER, J. *Vivre une Alliance dans les foyers de l'Arche,* Paris, Novalis-Fleurus, 1981.

WILDE, O. « Phrases et philosophies » (référence incomplète).

ZIPF, G. K. *Human Behavior and the Principle of Least Effort,* New York, Hafner Publishing Co., 1966.

LES DIMENSIONS CACHÉES DE LA PAROLE

Monique BRILLON
et **Jocelyne** TAILLON
Psychologues

Monique Brillon et
Jocelyne Taillon
comptent de nombreuses
années d'expérience
comme psychothérapeutes
psychanalytiques et
comme chargées
d'enseignement en
psychologie à
l'Université Laval. Par
leur travail, elles ont été
amenées à approfondir
leur réflexion sur les
dimensions cachées de
la prise de parole en
public et les écueils
vécus par de nom-
breuses personnes. Cet
approfondissement a de
plus été enrichi par
leurs activités cliniques
et d'enseignement en
psychodrame psycha-
nalytique, cette approche
thérapeutique faisant
particulièrement ressortir
les difficultés à adresser
la parole en public.

INTRODUCTION

Prendre la parole en public mobilise de nombreux aspects de nous-mêmes, tant corporels et affectifs qu'émotionnels. Ces aspects comportent des dimensions à la fois conscientes et inconscientes, en constante interaction, à notre insu, et influencent grandement notre performance oratoire. Ainsi, au terme d'une longue préparation, on peut se croire en pleine possession du message à livrer, pour en arriver cependant à un résultat pour le moins décevant. À l'inverse, on peut parvenir à capter l'attention du public sans s'être spécialement préparé. Quelles sont ces dimensions conscientes et inconscientes en jeu et comment agissent-elles sur le locuteur ?

Il faut d'abord s'interroger sur les motivations qui amènent quelqu'un à s'adresser à un auditoire. Qu'est-ce qui stimule un politicien, un chef syndical, un professeur ou un conférencier à prendre la parole en public ? Pour certains, cela peut être un simple désir de s'affirmer, de vaincre la gêne et de renforcer la confiance en soi ; pour d'autres, la prise de parole en public répondra à un désir de faire partager un savoir ou une expérience ; d'autres encore chercheront à défendre une cause, ou simplement auront le désir d'étaler la somme de leurs connaissances. On pourrait sans doute allonger cette liste, et peut-être trouverions-nous autant de réponses que d'individus.

Cependant, il existe aussi des motivations qui échappent à la conscience et qui pourtant n'en sont que plus agissantes, en raison même de leur nature inconsciente ; elles sont inaccessibles directement à un travail de maîtrise et d'apprentissage, mais n'en sont pas moins présentes. Pour comprendre celles-ci, il nous faut nous pencher d'abord sur certains aspects du développement du langage, car le premier public auquel le petit de l'homme s'adresse est bien sa mère, puis son père et les membres de sa famille immédiate, et c'est là qu'il établit ses premières « relations » avec le langage. L'histoire personnelle va par la suite influencer le style élocutoire de chacun. Lorsque nous aurons vu comment le développement du langage exerce son influence, nous pourrons mieux comprendre divers scénarios possibles de la prise de parole en public et le rôle joué par les aspects non verbaux dans la présentation de l'orateur.

ACQUISITION ET DÉVELOPPEMENT DU LANGAGE

Aspect relationnel et socialisé du langage

L'évolution du langage dépend largement du développement affectif et du climat entourant l'échange entre la mère et l'enfant. C'est à travers la qualité du premier lien que celui-ci découvre le plaisir de communiquer par la parole et favorise par la suite le langage comme mode privilégié de communication.

Le travail de Gertrud Wyatt, portant sur le développement du langage, de même que les écrits de Serge Lebovici, se consacrant aux échanges mère-enfant, permettent de mieux comprendre les facteurs qui influencent le développement de la communication. Ces auteurs montrent bien comment chaque nourrisson parle « sa propre langue ». Son psychisme étant à l'état embryonnaire, c'est la mère qui donne à ses vocalisations et à ses cris une valeur de communication. La réponse de celle-ci à ses cris et pleurs, réponse qui vient le soulager, procure à l'enfant un sentiment de toute-puissance. Par exemple, le bébé affamé que la mère nourrit aussitôt qu'il se manifeste s'imagine avoir magiquement fait surgir la nourriture par ses seuls pleurs. Dans une situation normale cependant, la mère ne répond pas toujours exactement aux désirs de l'enfant aussitôt que ce dernier les ressent ; ainsi, cet état merveilleux est appelé rapidement à cesser et le besoin de se faire entendre et comprendre devient vite pour l'enfant une nécessité. C'est ce besoin qui favorisera chez lui le développement du langage, c'est-à-dire la soumission à un code socialisé de communication. Par imitation et identification, l'enfant apprend à parler, dans le but de se faire comprendre de cette mère dont il dépend, mais aussi et peut-être surtout dans le but de lui faire plaisir. C'est pourquoi les bons rapports entre la mère et son nourrisson auront un impact si grand sur le développement de la parole. Les variations de la relation mère-enfant affecteront le rythme auquel ce dernier apprendra à parler, le degré de perfection qu'il atteindra dans la manipulation du vocabulaire et de la syntaxe ; les éventuels troubles de la parole et de l'élocution refléteront les difficultés de cette relation première.

Aspect pulsionnel, sexualisé du langage

En plus de sa dimension relationnelle, l'acquisition du langage présente une dimension pulsionnelle qui s'articule autour des modes de fonctionnement psychique caractéristiques d'un âge donné, suivant le type des pulsions prédominantes.

Freud a identifié trois temps dans le développement pulsionnel de l'enfant : la phase orale, la phase anale et la phase phallique-œdipienne. Elles prennent tour à tour le devant de la scène, mais ne s'éliminent jamais complètement l'une l'autre. Dans cette première étape du développement, la bouche est le premier organe à être utilisé (le cri, signe tangible de l'entrée de l'enfant dans la vie), et le dernier à porter l'ultime preuve du développement psychique de l'être humain (l'avènement de la parole). Le fait que l'enfant parvienne à faire de la zone buccale un lieu de plaisir conditionne hautement, on le pressent, l'intérêt ultérieur pour le langage, et c'est dans la bonne relation à la mère qu'il y parviendra.

La bouche étant la zone privilégiée de la parole, la qualité de la phase orale sera déterminante. Dans les premiers mois de la vie, l'enfant ne fait pas de différence entre la parole de la mère et ses propres cris, pleurs ou vocalisations : il les voit comme une masse sonore indifférenciée en elle-même. Dans l'échange mère-enfant, la mère, tout en offrant le sein, parle à l'enfant, le manipule, lui sourit, l'enveloppe, etc. Pour ce dernier, les sons font partie de son propre corps fusionné à l'espace maternel, et les mots n'ont pas encore la signification qu'ils connaîtront plus tard. Si la mère prend plaisir à lui parler, l'enfant s'identifie à cette mère parlante, ce qui facilite l'exploration de ses propres capacités sonores. L'enfant émet lui aussi des sons (gazouillis, cris, pleurs) se colorant des émotions qui l'habitent à ce moment, c'est-à-dire qu'ils sont ressentis par lui comme un don à la bonne mère lorsque l'enfant est satisfait et rassasié (gazouillis), ou comme une attaque envers la mère frustrante lorsqu'il est affamé et en colère (il « crache » et « vomit » ses cris et pleurs). Si ces émissions sonores sont interprétées par la mère comme un désir de communication et que la réponse de celle-ci est adéquate, l'enfant prend progressivement confiance en sa capacité d'être entendu et cela contribue à développer son estime de soi liée à son activité sonore.

Avec la poussée dentaire, l'agressivité et l'avidité peuvent être ressenties et manifestées plus activement. La pulsion orale subit progressivement des transformations et la musculature buccale sera peu à peu utilisée pour autre chose que la tétée. L'enfant découvre la morsure et en use pour exprimer plus clairement sa colère ou son avidité. En même temps, son expression sonore va s'enrichir de nouvelles possibilités, l'enfant contrôlant davantage sa musculature buccale et pouvant dorénavant « mordre » dans les sons qu'il émet. Au fur et à mesure que l'enfant prend conscience qu'il est un être séparé de la mère, il cherche volontairement à « demander » à travers ses manifestations vocales.

Cette première étape du développement pose les assises de l'acquisition du langage et ses caractéristiques vont laisser, à des degrés divers, leurs marques sur les motivations inconscientes à prendre la parole en public. On peut penser par exemple à telle personne qui, à travers une communication publique, cherche à « nourrir » généreusement son auditoire de ses bonnes paroles, ou, au contraire, à « cracher », à « vomir » sa rage. Elles peuvent aussi influencer le style d'élocution personnel de tous et chacun. Par exemple, telle personne peut « mordre » dans ses mots, soulignant l'apport agressif de cette première phase, alors que telle autre peut « manger » les consonnes et articuler mollement, reflétant la passivité et la dépendance caractéristiques du maniement de la communication de ce jeune âge.

Au stade suivant, la zone anale prend une place prépondérante du point de vue des satisfactions pulsionnelles. L'enfant s'intéresse aux matières fécales en tant que produits qui sortent de son corps, qui s'en détachent, qu'il peut perdre ou conserver. Il expérimente le plaisir de retenir et de relâcher, de garder ou de donner, en un mot de contrôler, et ces activités colorent ses échanges avec l'entourage. Le langage sera également influencé par le désir de contrôle typique de cette phase. C'est la période où l'enfant se reconnaît comme individu nettement séparé de la mère ; c'est aussi le moment où se développent d'abord la marche, puis bientôt le premier symbole langagier (symbole en tant que manifestation de la pensée abstraite), le « non », signe par lequel l'enfant manifeste son individualité naissante. Suit de près le développement du langage qui permet à l'enfant de maîtriser cette séparation nouvelle d'avec la mère puisque maintenant il peut la penser et la parler. L'enfant peut donc supporter de plus longues absences de cette dernière.

À ce stade, les mots peuvent être utilisés davantage comme des « choses » avec lesquelles l'enfant joue : il les manipule, les transforme, les mélange, en invente de nouveaux, à sa guise. Il prend plaisir à les faire sortir de sa bouche avec rapidité, avec bruit, ou encore à les retenir. À cet âge, l'enfant ne donne pas encore au langage comme système codé sa valeur de mode de communication. Le climat affectif dans lequel se fait l'éducation à la propreté influence grandement l'évolution en ce sens. En même temps qu'il acquiert la maîtrise de ses sphincters et y rencontre les contraintes de l'environnement, l'enfant est également repris, corrigé dans l'utilisation qu'il fait du vocabulaire et de la syntaxe. Élevé dans une atmosphère trop contraignante, il pourra s'opposer à son milieu en l'agressant par un usage exagéré de mots « sales » ou par une « diarrhée » verbale, ou au contraire en refusant la communication, soit par mutisme sélectif (refus de parler lorsqu'on l'interroge, par exemple) ou par mutisme total (refus global de parler).

Cette phase est particulièrement importante pour l'utilisation future du langage dans l'échange avec autrui, car c'est la période où l'enfant fait l'acquisition de la langue maternelle et en même temps celle où il apprend à affirmer son individualité. Toutes les façons d'utiliser les mots caractéristiques de l'enfant de cet âge peuvent se retrouver chez l'adulte demeuré fixé à cette phase. Par exemple, en écho au plaisir de retenir ou de relâcher de l'enfant qui apprend le contrôle de ses sphincters, telle personne peut être avare d'explications ou au contraire inonder son auditoire d'une accumulation d'informations. Une autre peut rechercher inconsciemment la maîtrise de l'assemblée, le contrôle des pensées et opinions. Le souci du mot juste, la minutie dans le choix des expressions verbales utilisées relèvent également de cette période.

La phase suivante, le stade œdipien, est dominée par l'intérêt porté aux zones génitales. Pour l'enfant, le langage demeure jusqu'à présent le bien exclusif de l'adulte, et sa maîtrise peut représenter pour lui symboliquement l'identification au pouvoir de celui-ci. L'enfant peut convoiter ce pouvoir, mais également redouter la vengeance du rival adulte qu'il cherche à déposséder de son bien en le faisant sien. Il peut s'approprier ce pouvoir par identification à l'adulte objet d'amour, ou encore le dérober par identification à l'adulte agresseur. Dans ce cas, l'usage du langage peut être fortement culpabilisé et entraîner des troubles dans l'élocution. Ici également, on pourra retrouver les caractéristiques de cette phase chez l'adulte : chercher à séduire l'auditoire ou à être admiré pour ses talents oratoires, exposer sa supériorité et clamer son mépris de l'assistance, vouloir avoir le dernier mot, s'engager dans des luttes verbales où une question de pouvoir est en jeu, etc.

L'utilisation première du langage est donc colorée par la sexualité infantile. Peu à peu, lorsque tout se déroule normalement, l'utilisation du code linguistique socialement admis prend le pas sur l'aspect pulsionnel, sans toutefois jamais parvenir entièrement à le supplanter. La subjectivité sous-jacente à l'utilisation socialisée du langage n'est jamais perdue : elle reste latente, et risque à tout moment de réapparaître et de contaminer à nouveau l'usage de la langue.

Ces motivations inconscientes sont toujours présentes et se surajoutent aux motivations conscientes. Elles peuvent être en accord avec la partie consciente de l'individu, auquel cas il y a des chances qu'elles dynamisent les motivations conscientes. Elles peuvent par ailleurs être fortement réprouvées et culpabilisées, et de ce fait devenir objet de conflit interne échappant à la conscience. Il y a alors risque que ces motivations inconscientes non admises par l'individu interfèrent avec son désir conscient d'adresser la parole en public.

DIVERS SCÉNARIOS POSSIBLES DE LA PRISE DE PAROLE EN PUBLIC

Nous recourrons, pour ce faire, à une notion empruntée au monde du théâtre, celle de la mise en scène. Dans la mesure où la personne qui prend la parole en public s'expose au regard et à l'audition des autres, nous pouvons dire, en effet, qu'elle se retrouve sur (une) scène. Parle-t-elle à titre d'éducateur, de relationniste, de politicien, d'animateur ou en son nom propre, elle y tient un rôle. Rôle qu'elle cherche à rendre le plus adéquatement possible par le langage parlé (avec toutes ses composantes) et par son langage non verbal : présentation générale, gestuelle, utilisation de l'espace...

Cette personne se met donc en scène, faisant consciemment appel à ses propres motivations et cherchant à répondre aux attentes présupposées de son auditoire. À cet égard, nous parlerons de mise en scène « extérieure », c'est-à-dire telle qu'elle se prête à notre observation. En fonction du succès, du résultat mitigé ou de l'échec de la performance, nous pouvons distinguer trois axes de mise en scène « extérieure » que nous décrirons brièvement.

Le premier rejoint l'imagerie populaire voulant que le bon communicateur soit en plein contrôle de son désir d'informer, de convaincre, de passer la rampe, de gagner son public. Les gens diront que cela lui est facile, qu'il a le talent, l'aisance, les connaissances... somme toute, quelque chose allant de soi, avec peu ou pas d'effort. On lui accorde de plus un sens « inné » du public, une capacité de le jauger rapidement, de s'y adapter de façon à en rencontrer les attentes avec justesse ou en faire fondre les résistances, quitte même à improviser à sa guise.

Le deuxième axe de mise en scène rejoint plus directement l'expérience subjective de très nombreuses personnes qui ont plus ou moins sporadiquement à prendre la parole devant un auditoire. Elles éprouvent fréquemment des sentiments d'appréhension, de difficulté, de « ratés » dans le discours, de performance peu satisfaisante... et ceci en dépit d'une motivation consciente assurée, de la préparation nécessaire, des connaissances requises ou d'un grand désir de s'affirmer. Ce deuxième axe inclut également des scénarios vécus à l'inverse, notamment : une présentation réussie de façon surprenante à la suite d'une préparation insuffisante ou devant un auditoire à première vue déconcertant ou peu réceptif.

Le troisième type de mise en scène recouvre l'expérience malheureusement plus répandue qu'on le croit voulant que la personne soit absolument incapable de parler en public. Beaucoup de gens sentent effectivement une impuissance ou un blocage, selon eux sans appel, quant à ce comportement. Ils éprouvent un trac fou dès qu'ils sont en présence d'un auditoire, ne trouvent pas « les mots pour le dire », se perçoivent sans idées intéressantes... Ils se retrouvent paralysés quant à toute forme d'expression verbale devant un groupe.

Si cette notion de mise en scène « extérieure » liée à l'action même de parler en public nous permet déjà d'inférer l'interrelation des motivations conscientes et inconscientes, il nous sera possible d'approfondir notre propos en appliquant ce concept de mise en scène au vécu intérieur de l'individu qui s'exprime oralement devant un auditoire, ceci en suivant les trois mêmes axes. Nous les dénommerons de la façon suivante :

- le moi du locuteur s'avère un metteur en scène alliant avec souplesse les deux niveaux de motivations ;
- le moi se laisse perturber par les facteurs inconscients qui font irruption à un moment inopportun ou de façon inopinée ;
- le moi perd tous ses moyens en raison d'un conflit interne majeur.

Cette notion de mise en scène « intérieure » qui sous-tend la prise de parole en public et qui en assure ou non le succès nous permet de mieux comprendre les facteurs inconscients qui y sont toujours agissants. Nous tentons, dès lors, de repérer le non-dit qui cherche à se dire et qui se dit en accord ou en désaccord avec les motivations conscientes. Sans oublier que ce non-dit circule, rejoint l'auditoire qui l'entend confusément ou clairement... au-delà des mots, supplantant, à la limite, le message verbal et se frayant un chemin à travers le discours ou le langage non verbal.

Le moi réussit sa mise en scène

Le communicateur efficace jouit souvent d'une réputation fortement idéalisée. Pensons par exemple à un homme politique reconnu pour ses talents oratoires, son pouvoir de conviction sur l'auditoire, etc. Les gens diront facilement qu'il a confiance en lui, qu'il manifeste une aisance remarquable dans l'utilisation de la parole, qu'il a du talent pour manier les foules, incluant celles qui le contestent. La situation ne s'avère évidemment pas aussi simple que le veut cette image populaire. Son apparente aisance n'exclut pas la présence en lui de motivations inconscientes, lesquelles sous-tendent d'ailleurs un tel choix de carrière. Ainsi retrouvons-nous généralement chez cet individu un vécu positif face à son expression orale en public ; il éprouve dans l'ensemble un réel plaisir à exercer cette activité dont il fait profession. Il n'est toutefois pas à l'abri de difficultés ; il connaît le trac, en admet la présence, mais l'utilise de façon dynamisante ; il peut aussi composer avec le stress lié à l'inconnu que représente tout nouvel auditoire. Il peut lui arriver de commettre une bévue, d'obtenir une performance mitigée ou ratée, devant lesquelles il pourra ressentir déception ou colère ; mais il cherchera par la suite à comprendre ce qui s'est passé et à tirer leçon ou profit de l'expérience négative.

Cette image de soi, dans l'ensemble positive, et le succès habituellement obtenu par le bon communicateur permettent d'induire une mise en scène « intérieure » plutôt harmonieuse et souple de ses motifs conscients avec les facteurs inconscients issus de son histoire développementale et relationnelle, c'est-à-dire rejoignant les diverses étapes de l'évolution infantile précédemment décrites. Notons que cette personne a généralement une intuition de l'existence de telles motivations inconscientes ; par exemple, elle peut être consciente de son désir d'être admirée et aimée tout en ignorant les racines narcissiques de ce besoin, ou encore elle peut désirer faire cadeau de sa production mais ne pas y associer les sources infantiles relevant de la phase anale ; elle peut encore désirer séduire tout en ayant oublié le petit enfant qu'elle était devant le parent de sexe opposé. Ce qui a trait à la pulsion agressive demeure toutefois facilement plus enfoui et peut, de ce fait, interférer occasionnellement de façon assez importante avec les pulsions libidinales. En général toutefois, et en dépit de cette méconnaissance, les éléments agressifs se révèlent au service du moi chez ce bon communicateur, lui permettant de composer avec le désir de « mordre », par exemple, ou d'écraser l'autre, d'une manière positive ; ce qui le rend capable, incidemment, de vaincre le trac, d'affronter un public froid, de présenter un discours percutant ou encore de défendre ses opinions avec fermeté dans une situation controversée.

Cette relative souplesse du moi à articuler harmonieusement les motivations conscientes et inconscientes produit de plus, chez la personne s'exprimant avec succès en public, l'ouverture nécessaire à une réelle interaction avec son auditoire. Quel que soit son malaise passager, elle sera assez présente à celui-ci pour le rejoindre, faire fondre ses résistances et le mobiliser.

Le moi se bute à des intrus inconscients

Comme nous le mentionnions auparavant, il y a ici écart entre les objectifs conscients du locuteur et les motivations inconscientes qui, à son insu, déterminent dans une large mesure sa prise de parole en public.

Un conflit interne empêche les deux registres d'aller dans le même sens. Les modalités de l'interférence ainsi produite sont bien sûr très nombreuses ; aussi aborderons-nous plutôt ce type de mise en scène par une illustration, cas unique qui nous permettra néanmoins d'approfondir l'interaction complexe des diverses dimensions psychologiques en jeu.

Antoine, étudiant, participe à un séminaire où certaines des rencontres sont animées par le professeur, et les autres par les participants à tour de rôle. Antoine se montre très habile dans ses questions et l'exposition de ses idées lorsque c'est le maître qui présente le thème à discuter. Il aborde facilement, semble-t-il, des points chauds, cherchant même à susciter un certain trouble chez le détenteur du savoir. Le jour où notre étudiant est responsable du séminaire, à la surprise générale, la sienne n'étant pas la moindre, il éprouve beaucoup de difficulté à exposer sa matière pourtant bien préparée ; il perd le fil de ses idées, bafouille en de nombreuses occasions, se révèle à peu près incapable de répondre adéquatement aux questions posées. Performance déplorable à un point tel que tous se sentent très mal à l'aise, ne sachant trop quelle contenance manifester. C'est un échec cuisant pour Antoine.

Comment expliquer une si grande différence entre sa prise de parole lorsque le professeur anime et lorsqu'il se trouve responsable de la rencontre ? Objectivement, il s'agit pourtant de la même conduite d'expression orale en groupe, et, qui plus est, ce sont les mêmes personnes en présence. Un tel comportement nous oblige à nous arrêter à la signification inconsciente que peut prendre pour l'individu une situation semblable. On pourrait penser, par exemple, que le professeur représenterait une figure paternelle devant laquelle il importe à la fois de se faire reconnaître, de rivaliser, et peut-être même d'évincer l'autorité. Devant la facilité avec laquelle il « prend de la place » dans le groupe, nous pouvons constater qu'Antoine peut utiliser efficacement une partie de son agressivité, ce qui nous incite à une réflexion sur la façon dont ce jeune homme a évolué dans sa famille, comment il a vécu la rivalité avec ses frères et sœurs, comment il est parvenu à se situer dans sa relation avec son père, détenteur de l'autorité et modèle d'identification. Dans les séminaires où Antoine s'affirme de façon répétitive, voire agressive, il nous est difficile d'inférer un conflit spécifique avec ses frères et sœurs car pour ce faire, il nous faudrait obtenir davantage d'informations sur l'histoire de cet étudiant. Quoi qu'il en soit, nous pourrions penser que ce jeune homme a évolué avec suffisamment de sécurité personnelle pour rivaliser activement avec ses frères et sœurs, quitte à se montrer plus fort qu'eux à certains égards. La situation observée laisse par ailleurs plus facilement entrevoir une relation conflictualisée avec le père. Le moi d'Antoine prend dans ce conflit une attitude active qui peut lui servir à se faire reconnaître et à se faire confirmer dans son identification au père, à participer de sa puissance, à se confronter dans une recherche de dépassement de celui-ci, ou, encore, devant la crainte d'être attaqué par l'Autre puissant, à l'attaquer avant d'être attaqué, etc. À travers ou malgré tous ces enjeux possibles, son moi réussit apparemment sa mise en scène, mais celle-ci s'écroule au moment où il doit se retrouver lui-même dans la position de celui qui possède la connaissance et l'expose, sinon l'impose à ses pairs, c'est-à-dire lorsqu'il prend symboliquement la place de ce père avec tout le pouvoir que cela comporte. Son désir de supplanter ce dernier devient alors insoutenable pour son moi : plausible reviviscence de désirs infantiles, source d'une énorme culpabilité et associés à une punition terrible. Le blocage ainsi provoqué court-circuite en quelque sorte ses objectifs conscients. Soulignons également que le grand malaise vécu par les autres participants pourrait supporter l'hypothèse selon laquelle ils sont intimement rejoints dans leurs propres scénarios infantiles de rapport au père, devenant ainsi piégés par l'angoisse et l'impuissance issues de leurs propres zones conflictuelles.

La mise en scène intérieure inhérente à cet exemple est évidemment plus complexe que les quelques paramètres ci-haut mentionnés ; elle donne néanmoins, croyons-nous, un aperçu des enjeux inconscients pouvant être associés à la prise de parole en public. Et ce, même chez un individu démontrant objectivement des capacités de le faire de façon satisfaisante, sinon remarquable, dans les situations inconsciemment moins conflictuelles pour lui.

Un conflit interne important paralyse le moi

En continuité avec l'illustration précédente, nous nous retrouvons avec des interrogations de taille devant une personne vivant consciemment une totale impuissance à s'exprimer verbalement en public. Les raisons invoquées s'avèrent généralement plausibles et ont une résonance chez la plupart d'entre nous qui avons pu ressentir une telle incapacité à un moment où l'autre de notre existence : pas d'idées, pas de mots, crainte terrifiante de tel auditoire, etc. Situation d'autant plus pénible que la personne peut ressentir parallèlement un grand désir de faire connaître son opinion, de faire passer un message, de s'affirmer devant les autres.

Lorsque ce sentiment d'incapacité se montre tenace, nous pouvons être heurté dans notre souci de compréhension : il y a pourtant divers moyens de vaincre sa timidité, dirons certains, ou encore il existe bien des techniques pour apprendre... il s'agit de vouloir, de faire des efforts, et la glace sera brisée. L'individu aux prises avec ce handicap s'est fréquemment tenu le même discours... sans succès. Voyons donc de plus près et tentons de répondre, partiellement toujours, au « comment » de cette expérience douloureuse par une autre illustration.

Pierrette fait officiellement partie d'un mouvement communautaire ; elle s'y montre très engagée, prenant la responsabilité de diverses tâches concrètes qu'elle accomplit avec succès. Par ailleurs, pas question de compter sur elle lors des assemblées, malgré toutes les incitations et le soutien de ses amis. Chacun sait qu'elle ne prendra pas la parole quel que soit le thème abordé. En effet, la jeune femme demeure muette lors de toute rencontre publique : elle vit un trac fou, se sent confinée au silence, écoutant passivement, en apparence, les diverses interventions, non sans éprouver intérieurement un mélange d'émotions diverses : déception devant les propos d'un concitoyen, colère face à telle prise de décision, enthousiasme pour telle autre option soumise. Ses idées sont pourtant bien claires dans sa tête, mais elle se sent, comme toujours dira-t-elle, figée sur place, rougissant et devenant tout en sueur à la seule perspective de se lever pour prendre la parole. Elle en a les jambes paralysées.

Particulièrement déterminée, ce jour-là, à dépasser son impuissance et s'étant longuement préparée mentalement à le faire, elle éprouvera tout à coup une angoisse telle qu'elle devra sortir de la salle avant la fin de la rencontre. « Elle réagit comme si elle allait être dévorée toute ronde au moment de parler devant l'assemblée », souligne un collègue.

Nous pouvons facilement déduire de cette présentation l'existence de significations fortement conflictualisées dans l'inconscient de Pierrette quant à son expression orale en public... au point de rendre stériles ses efforts volontaires de surmonter cette incapacité si humiliante. L'hypothèse d'un interdit massif relativement à ce type de conduite se pose rapidement. Les causes peuvent toutefois en être multiples : pensons à l'enfant qui se fait dire constamment, à table par exemple, de se taire, de laisser parler les grandes personnes, ou dont on rit des essais de se faire entendre dans ses jeunes opinions, les taxant même de ridicules. Il y a cette autre situation familiale où les parents ne (se) parlent pas vraiment, monologuant plutôt ou remplissant le silence de mots fonctionnels, plaçant ainsi le jeune enfant devant un mur de silence, le limitant à la seule possibilité de crier ou d'agir pour se faire entendre. Il peut s'agir également d'un vécu beaucoup plus ancien, à savoir le bébé dont les pleurs et les cris n'obtiennent pas réponse ou, plus tard, dont les premières phrases malhabiles suscitent les sarcasmes ou la réprobation. Bâillonnée, Pierrette ! Soustraite au plaisir de jouer avec les mots, de communiquer... inconsciemment condamnée jusqu'à maintenant au silence. Prendre la parole en public peut conséquemment signifier pour elle, à son insu, encourir l'échec dans son désir d'être entendue, de faire plaisir et d'obtenir l'amour des parents ou transgresser leurs lois, s'exposant alors à leur colère présumément terrible, et à la punition (perte d'amour).

Une personne ayant une telle difficulté à donner de ses mots, don d'elle-même aux autres, peut aussi faire penser à l'enfant qui retient ses selles, assise sur son petit pot, dans un sens d'opposition agressive aux attentes de la maman et qui résiste à ce faire d'autant plus qu'elle insiste. L'ambivalence conséquente de la personne qui cherche consciemment à satisfaire les attentes de ses amis ou collègues s'avère dès lors paralysante,

Les diverses hypothèses émises relativement aux illustrations précitées demeurent évidemment très partielles et ne constituent que des balises susceptibles d'inciter le lecteur à une réflexion plus poussée sur les dimensions cachées de la prise de parole en public. Retenons qu'il est essentiel d'avoir une connaissance approfondie de la personne pour mieux circonscrire les motivations inconscientes expliquant sa facilité ou sa difficulté à s'exprimer en public.

LE « NON-DIT » NON VERBAL

Nous avons abordé jusqu'ici les trois types de mise en scène « intérieure » quant à leurs incidences sur les dimensions verbales de la parole en public. Tout comme au théâtre, les enjeux de ces mises en scène aux multiples variantes se manifestent simultanément au niveau de cet autre langage, tout aussi important que la parole, quoique généralement moins ciblé par les gens, à savoir le langage non verbal. Nous parlons alors de l'expression faciale, posturale, vestimentaire, gestuelle, et de l'utilisation de l'espace.

Lorsque le moi compose positivement avec les motivations conscientes et inconscientes du sujet, son langage non verbal parle dans le même sens que son discours. Il l'appuie même : traits détendus, animés, regard en contact avec l'auditoire, aisance du geste et de la posture, tenue vestimentaire « de circonstance » tenant compte du lieu, de l'assistance, etc. L'orateur sait alors bien se situer dans l'espace : se trouve-t-il sur une tribune, derrière une table ou un pupitre, il se tiendra ou bougera de façon à ne pas « se fondre dans le décor » ni se cacher derrière le meuble.

Quand le moi se confronte à des conflits inconscients interférant avec les objectifs conscients du locuteur, son langage non verbal en témoigne souvent plus fortement et précocement que le discours. Ainsi Antoine, plutôt frondeur dans son attitude corporelle et présentant un regard direct lorsqu'il intervient durant l'exposé du professeur, affiche une rigidité corporelle, une inhibition des gestes, une crispation des traits et une inquiétude dans le regard lors de son propre exposé devant le groupe. Ces divers aspects témoignent de façon éloquente du bouleversement intérieur du jeune homme avant même qu'il prononce quelque mot que ce soit, pourrions-nous dire. Il en est ainsi pour Pierrette qui est timorée sur son siège comme si elle s'y enfonçait, se dérobant au regard de quiconque pourrait l'interpeller, tout en « mangeant des yeux » ceux qui osent prendre la parole. Autre présentation très « parlante » : celle du professeur, les yeux rivés sur son texte trop abondant ou parcourant son auditoire d'un regard anonyme. La distance ainsi introduite peut être facilement perçue par les étudiants comme un mur infranchissable, les coupant littéralement du « maître à penser ».

Plus ou moins à l'insu de la personne s'exprimant en public, son langage non verbal fait donc partie intégrante de la mise en scène de ses motivations conscientes et inconscientes. Il relève maintenant du sens commun pour les bons communicateurs que non seulement la présentation physique (posture, vêtements, gestuelle...) constitue un élément important d'une bonne performance oratoire en public, mais aussi les silences opportuns. Après étude attentive de leur style propre et divers apprentissages, certains y recourent à profusion, conscients de leur impact sur l'auditoire. La majorité des gens sont néanmoins généralement aveugles quant à la conjugaison de ces facteurs non verbaux avec leur discours, ceux-ci échappant plus facilement au contrôle volontaire.

ET L'AUDITOIRE ?

Toute communication comportant deux parties, l'auditoire constitue, bien sûr, le second pôle essentiel et complémentaire de la prise de parole en public. Comme il s'agit d'un groupe, il est régi par les processus inconscients caractérisant tout groupe tel que Didier Anzieu les a décrits. Nous pourrions ainsi considérer le public comme une personne éprouvant des motivations conscientes l'amenant à venir écouter le communicateur. À l'intérieur de ce groupe-personne circule également un vécu inconscient qui détermine dans une large mesure ses réactions. Qu'il suffise pour illustrer notre propos d'évoquer les phénomènes de contagion groupale bien connus de tous, où les opinions et convictions personnelles peuvent disparaître sous la pression collective. Ce vécu inconscient de l'auditoire s'avère tout aussi complexe et multiforme que celui de l'orateur sur lequel nous nous sommes penchées jusqu'à présent. Plus ou moins à son insu, ce dernier est rejoint à tous moments par le non-dit qui se propage dans l'assistance et sa performance en sera nécessairement influencée. Comme dans toute communication, il y a non seulement constante interaction entre l'émetteur (l'orateur) et le récepteur (son public), mais influence réciproque de l'un sur l'autre. Pensons par exemple à un auditoire qui « boit » littéralement les paroles du conférencier, est « suspendu à ses lèvres » et réagit fréquemment avec exubérance. On pourrait avancer l'idée que ce genre d'auditoire « fasciné » se constitue généralement autour d'un orateur présentant un fort charisme et des traits narcissiques importants. Une analyse plus attentive pourrait révéler une grande passivité sous-tendant cette « réceptivité », à un point où tout sens critique pourrait être exclu. L'assistance entretiendrait ici avec l'orateur des rapports d'idéalisation et le succès obtenu par lui pourrait s'avérer tellement gratifiant que sa performance deviendrait secondaire par rapport au plaisir éprouvé par lui et par son auditoire. Le groupe participant alors de cette idéalisation, nous serions en présence d'une sorte d'illusion groupale, où les besoins de gratification narcissique de l'un trouvent renforcement auprès des besoins d'idéalisation de l'autre, et vice versa.

CONCLUSION

Il appert donc que les dimensions cachées de la parole en public sont éminemment complexes, essentiellement tributaires de l'histoire développementale et relationnelle de la personne. Leur articulation avec les motivations conscientes peut se réaliser de façon plutôt harmonieuse ou, au contraire, en opposition plus ou moins radicale avec celles-ci. Les difficultés éprouvées par le communicateur peuvent provenir d'un blocage temporaire provoqué, par exemple, par un bouleversement circonstantiel (deuil, perte d'emploi, etc.). Elles peuvent aussi être reliées à un traumatisme possiblement connu de la personne dans ses manifestations extérieures mais dont elle ignore les répercussions profondes. Elles peuvent enfin refléter des carac-téristiques plus fondamentales de sa personnalité, auquel cas elles échappent encore plus à son contrôle conscient et volontaire.

Dans une perspective d'apprentissage ou d'amélioration de sa prise de parole en public, il devient primordial que la personne se sensibilise à l'existence de ces facteurs inconscients puis reconnaisse l'action de son monde pulsionnel et affectif sous-tendant non seulement sa performance orale en public, mais aussi l'ensemble de ses conduites. Pour ce faire, il n'y a pas de solutions miracles, instantanées et libératrices. Conseils et tech-niques diverses pour vaincre le blocage peuvent aider dans la mesure où les causes de celui-ci sont superficielles, mais ne suffisent souvent pas à amener des changements prolongés et bien intégrés à la personne dans les cas où la cause se situe à un niveau plus profond de la personnalité. Dans ces cas, la seule avenue possible demeure celle d'aller voir au-dedans de soi. L'introspection peut aider l'individu à identifier certains aspects de ses difficultés, mais celles-ci ayant des racines inconscientes, cela ne suffit pas dans la majorité des cas. La difficulté se manifestant au niveau des capacités de communiquer, c'est bien souvent dans le cadre d'une relation d'aide que les causes sont susceptibles de devenir plus apparentes, et de ce fait le moi conscient peut plus facilement retrouver en lui les forces nécessaires pour y remédier. Dans une telle relation, l'aidant devient une tierce per-sonne devant qui l'individu expose ses difficultés, assurant ainsi un regard plus neutre sur celles-ci. Selon que les difficultés proviennent d'un blocage temporaire, d'un traumatisme ou qu'elles reflètent un trouble plus profond de la personnalité, le processus d'aide, que nous pourrions qualifer de « voyage intérieur », pourra s'effectuer à court, moyen ou long terme.

Dès lors plus à l'écoute de soi, la personne se découvrira plus ouverte aux forces inconscientes en jeu à l'intérieur d'elle-même, pourra se les réapproprier et en disposer positivement et plus librement dans sa prise de parole en public. Si la découverte des aspects ambivalents peut susciter certaines craintes au premier abord, elle s'avère à la longue un catalyseur facilitant l'utilisation de ses ressources dans la mesure où la prise de conscience de son existence permet au moi une meilleure maîtrise de l'anxiété.

L'être humain dispose de grandes ressources quant à la prise de conscience de ce qui l'habite à son insu et le dépassement de ses limites intérieures. L'« entreprise » d'aller voir au-dedans de soi peut s'avérer des plus stimulantes et enrichissantes ; elle occasionne néanmoins simultanément beaucoup de résistances à ce faire dans la mesure même où la mise à nu de ce que nous avons enfoui rejoint des expériences infantiles souvent empreintes de tensions, de conflits avec les objets premiers de toute relation, c'est-à-dire nos parents.

Retenons que parler en public met en scène la totalité de notre personne. Nous parlons de nous à travers l'exposé ou le discours le mieux préparé, le plus étudié dans sa présentation verbale et non verbale. Formulé autrement, en parallèle avec notre dire en public, le non-dit relatif à nos motivations inconscientes parle toujours et souvent au-delà des mots quant à ce qui est entendu de l'auditoire. Dans la mesure où nous devenons plus conscient de nos dimensions cachées, notre moi peut mieux harmoniser sa mise en scène intérieure en rapport avec les motivations conscientes et, de ce fait, nous permettre une représentation de nous-même et du message à transmettre plus satisfaisante. Nos possibilités d'apprentissage ou de perfectionnement s'en trouvent également accrues. Alors sommes-nous plus en mesure d'accéder au plaisir des mots, de leur communication aux autres et de l'échange qu'implique la prise de parole en public.

RÉFÉRENCES BIBLIOGRAPHIQUES

ANZIEU, Didier. *Le travail psychanalytique dans les groupes,* Paris, Dunod, 1978, 279 p.

FREUD, Sigmund. *Trois essais sur la théorie sexuelle,* Paris, Gallimard, 1905, 211 p.

LEBOVICI, Serge. *Le nourrisson, la mère et le psychanalyste,* Paris, Païdos/Le Centurion, 1983, 377 p.

WYATT, Gertrud. *La relation mère-enfant et l'acquisition du langage,* Bruxelles, Pierre Mardaga éditeur, 1969, 422 p.

VARIATIONS SUR PAROLE

Jacques VERMETTE
*Professeur en
communication et
information à
l'Université Laval*

Après une carrière de
vingt ans comme
journaliste et réalisateur
à la société Radio-
Canada, Jacques
Vermette est maintenant
professeur agrégé à la
Faculté des arts de
l'Université Laval où il
est responsable de
l'enseignement du
journalisme en radio-
télévision et de la
communication orale.
De plus, en tant que
formateur, il anime « Les
ateliers de la communi-
cation orale », une
entreprise qui vise à
former tout particulière-
ment les gens d'affaires
à l'expression orale en
public.

INTRODUCTION

Selon Jack Hulbert, de nos heures éveillées, nous en passons le tiers à parler. Il est donc important de perfectionner ce mode d'expression. D'autant plus que, en affaires, Clay Willmington précise que l'habileté à parler est considérée à 66 pour 100 par 35 décideurs comme plus importante que celle d'écrire. Mais parler de communication orale, surtout en public, c'est comme associer, pour plusieurs victimes, corde et pendu, l'un n'allant pas sans l'autre ! À l'instar du cordon suspendant, les cordes vocales étranglent souvent l'orateur, surtout lorsque celui-ci sent sur l'estrade la matière cervicale lui glisser en mémoire... Si c'est votre cas, votre chance n'est pas dans la retraite, mais dans la riposte en des actions sans détresse que nous voudrions ici guider avec adresse.

Si l'éloquence est un don naturel inné, à qui le veut, l'art de parler en public s'apprend. Cependant, ça prend du temps ! Dès les débuts, ne recherchez pas la performance. Pour révéler oralement votre compétence, concentrez vos efforts intellectuels, émotionnels et physiques en un moment d'échanges spontanés qui recherchera avec l'autre, en l'autre et pour l'autre une commune action : c'est là le hic de la communication orale efficace. La transmission par l'oral est une affaire d'abord de relations humaines dont le message, surtout s'il est lu, est le prétexte.

Pour vous aider à :

• convaincre	par la force de vos arguments,
• déployer	le minimum d'énergie,
• divertir	par votre approche humoristique,
• informer	par la richesse de vos données,
• livrer	un message percutant,
• maîtriser	les leviers de votre parole,
• obtenir	des résultats surprenants,
• offrir	chaleureusement les services de votre agence,
• persuader	par la puissance de votre réflexion,
• présenter	avec dynamisme vos rapports d'étapes,
• promouvoir	avec conviction votre juste cause,
• soulever	votre auditoire sans effort,
• vendre	avec efficacité vos divers produits,

nous avons à vous offrir un concept structuré qui vous aidera à coup sûr à parvenir au terme de l'expression orale sans arrière-goût amer.

Verbalement, pour atteindre le maximum de résultats avec le minimum d'efforts, vous devrez pour le plaisir de l'autre sans contrecarrer le vôtre :

- • servir votre auditoire,
- • diminuer votre stress,
- • démontrer votre conviction,
- • manifester votre enthousiasme,

- • susciter de l'intérêt,
- • clarifier vos concepts,
- • assurer votre crédibilité,
- • apprendre à vous structurer,

- • animer votre visage,
- • donner une signification à vos gestes,
- • paraître correctement,
- • soigner votre tenue,
- • maîtriser vos intonations,
- • mesurer votre volume,

- améliorer votre articulation,
  - contrôler votre débit,

- adapter votre vocabulaire,
  - imager votre pensée,
  - employer le mot juste,
  - corriger vos phrases,

  - décider du choix
  d'un support sensoriel,
  - garantir la perception
  de vos projections,
  - simplifier vos données
  perceptibles,
  - manipuler vos appareils
  d'expression médiatisée.

En somme, par bouchées, apprendre oralement à extérioriser le fond de votre être. Sinon, votre expression ne fera pas bonne impression. Dale Carnegie porte ce jugement d'expérience : « Celui qui a des idées et qui ne sait pas les exprimer n'est pas plus avancé que celui qui n'en a pas. » Quand vous parlez en public, vous ne voudriez certes pas que, de l'auditoire, à votre endroit, fusent de tels propos :

- Est-ce que tu me parles ?
- Es-tu complexé ?
- Y crois-tu sincèrement ?
- En parles-tu avec goût ?

- Qu'est-ce que cela me donne ?
- C'est loin d'être évident !
- Es-tu sûr de ce que tu dis ?
- Où es-tu rendu dans
  ton développement ?

- Tu as l'air dégonflé !
- Tes mains s'ennuient.
- Tu es mal coiffé.
- Tu te tiens mal.

- Pourquoi parler sans vie ?
- Parle plus fort.
- Tu as la bouche molle.
- Tu parles trop rapidement.

- Descends de niveau !
- Donne-moi donc un exemple !
- Ce n'est pas le bon mot !
- Sais-tu ton français ?

- Tu aurais dû me le montrer.
- Je ne peux pas le lire.
- C'est trop chargé.
- Tasse-toi donc un peu.

Aussi, à l'aide d'auteurs, en diverses variations, notre objectif est de vous amener modestement à corriger ces vingt-quatre défauts majeurs pour vous éviter, manifestées en mode parfois mineur, trente-six misères... Nous voulons vous soutenir pour être finalement à la hauteur des exigences de l'art de la parole en public, sans texte et avec beaucoup d'adresse.

Notre approche écrite n'a d'originalité fondamentale et formelle que celle inspirée d'une réflexion de Jules Verest concernant l'invention littéraire : « Prenez les idées là où elles sont, mais ayez le courage de les repenser », au point, d'après Jean Suberville, « de les retrouver en nous, tout imprégnées de notre personnalité ». Ainsi donc, pour vous aider sûrement à y parvenir harmonieusement, je vous propose une composition de six grands thèmes appelés **paramètres** fondamentalement imbriqués (indiqués de I à VI : les attitudes, les pensées, le non-verbal, les sons, les mots et le matériel), auxquels, à chacun, sont greffées quatre modifications appelées **éléments** indissociables (numérotés de 1 à 24). Voici ma variation sur parole exposée dans le tableau 8.1.

TABLEAU 8.1
Variations sur parole

PARAMÈTRES					
I	II	III	IV	V	VI
ATTITUDES	**PENSÉES**	**NON-VERBAL**	**SONS**	**MOTS**	**MATÉRIEL**
ÉLÉMENTS					
1. Empathie	5. Intérêt	9. Physionomie	13. Registre	17. Adaptation	21. Pertinence
2. Confiance	6. Clarté	10. Gestuelle	14. Volume	18. Évocation	22. Perceptibilité
3. Authenticité	7. Crédibilité	11. Parure	15. Articulation	19. Transmission	23. Esthétique
4. Enthousiasme	8. Organisation	12. Maintien	16. Vitesse	20. Harmonie	24. Maniabilité

DÉMONSTRATION

C'est de cet ensemble de qualités qui frappent l'esprit, le cœur et les sens que résultera la performance de votre puissance oratoire.

En effet, la communication orale en public :

- révèle   l'état de votre **être**,
- détermine   la transmission de vos **pensées**,
- marque   la signification de votre **non-verbal**,
- modifie   l'aspect de vos **sons**,
- influence   l'enjeu de vos **mots**,
- affecte   l'apport de votre **matériel**.

Sur le plan verbal, que d'objets sujets de notre préoccupation !

Ce n'est pas pour rien que la peur de parler en public paralyse tant de monde. Lors d'une recherche effectuée par Peter Watson auprès de 3 000 personnes aux États-Unis, sur une liste de quatorze peurs, celle de parler en public s'est classée au premier rang.

Bien avant la peur de la mort qui arrive en sixième position, la peur des hauteurs se place deuxième. N'y aurait-il pas là un rapprochement naturel à faire entre le vertige causé par les élévations physiques et celui créé par le fait de parler debout devant des gens assis qui nous jugent de haut ? Surtout quand nous ne réussissons pas à nous hausser au niveau de leur élévation mentale. Le public a des haut-le-cœur pour un orateur dont les pensées sont peu impressionnantes !

Jean Denneville a découvert qu'il n'y a que 3 pour 100 des Français qui ont du plaisir à parler en public. En tant que Québécois, à cet égard, nous resterait-il quelques reliquats anciens de notre amère patrie ?

Pour vaincre vos peurs, il s'agit désormais de savoir exactement ce que les six **paramètres** et les vingt-quatre **éléments** veulent dire, pour pouvoir les appliquer en vos propos et dès lors réussir votre communication orale en public.

Procédons par étapes : nous vous proposons une démarche analytique basée sur la suite des **paramètres** de I à VI, en passant au besoin par les **éléments** 1 à 24. De soi, les **paramètres** et les **éléments** sont placés ici par ordre d'importance croissante ; de fait, vous pourriez faillir substantiellement sur une donnée moins prioritaire comme le « volume »... Tout dépendra de la taille de votre profil oral !

Que faut-il donc entendre par chacun des **paramètres** et chacun de leurs **éléments** ?

Paramètre I : les attitudes

Les attitudes sont ce que le messager laisse saisir de son intérieur quand il parle. Dans une communication en public, les attitudes se décèlent intellectuellement, émotionnellement, physiquement et tout au moins intuitivement.

Vos comportements visibles mèneront à la perception de votre sensibilité et de votre intellectualité : les attitudes se déduiront donc aisément de vos comportements.

Votre allure sera le reflet juste de votre contenance interne. Ce que vous êtes au plus profond de vous-même parlera toujours plus fort que ce que vous direz sur face. C'est pourquoi J. Noël Kapferer est allé jusqu'à écrire que « la persuasion est reliée plus à la qualité de la source du message qu'à son fond ».

Par-delà le matériel, au travers des mots, en dedans des sons, à même le non-verbal, en-dessous des pensées, vous serez saisis dans vos attitudes : celles-ci révéleront vos propensions profondes, mettront à nu votre âme, traduiront vos valeurs et trahiront le spectre de vos doutes et de votre indifférence jusqu'au moindre mépris ressenti...

Vos bonnes attitudes aideront indispensablement à captiver, à appâter et à gagner les esprits et les cœurs de vos auditeurs. Jules Verest le confirme ainsi : « Ce ne sont pas seulement les choses dites qui comptent, mais également celui qui les dit. »

Avant de les pondre oralement, vos indispositions psychologiques profondes pourraient jeter du discrédit sur vos idées et vos sentiments exprimés jusqu'à les tuer dans l'œuf. Dans vos comportements, il vous faut donc être au diapason de ce que vous dites si vous voulez que l'auditoire vous croit et adhère à vos vues : sinon, en vos dires, qu'aura-t-il à faire de sons qui ne lui livreraient rien de neuf ? Quels seraient donc les éléments de vos attitudes pour que votre communication orale soit efficace ? Vos attitudes doivent être marquées d'empathie, de confiance, d'authenticité et d'enthousiasme.

LES ATTITUDES

Élément 1 : l'empathie

L'empathie, c'est l'autre dans le dit.

Lors d'un exposé en public, l'empathie consiste à accorder toute l'importance aux états d'être des auditeurs en votre présence. Sinon, ne pouvant parler d'aplomb, l'orateur ne peut plus passer l'estrade. Sous les feux de la rampe, en porte-à-faux, l'exposé non centré sur les autres n'éclairera pas plus personne : les cervaux non récepteurs auront éteint leurs cellules. N'ayant plus de véritable réception, vous seriez mieux de briller par votre absence !

Selon Aristote ces unités indissociables que sont le contenu, l'orateur et l'auditeur, l'état de ceux qui sont en présence importe plus que le discours. À tel point que Chaïm Perelman va jusqu'à soutenir que le récepteur l'emporte sur l'émetteur car celui qui reçoit conditionne toute la stratégie argumentaire de celui qui émet.

L'essence de la communication repose donc davantage sur celui qui reçoit le message que sur le messager qui l'apporte. Sinon, le courant ne passant pas, la compréhension n'aura pas lieu et donc aucune action volontaire n'en découlera : vous aurez dès lors parlé pour rien... Que d'efforts réciproquement perdus !

Les deux êtres en interaction sont les prémisses nécessaires à l'adhésion concluante au discours probant qui en découle : l'orateur pour la valeur de son être, l'auditeur pour ce qu'il ressent dans son être et le contenu pour ce qu'il apporte à l'être à qui il est destiné.

Mesurez bien votre avoir mental, pour le mieux-être psychologique de votre auditoire dans une relation orale d'adulte à adultes : c'est l'enfance d'une communication procréatrice d'une efficacité non gâtée.

À l'instar des entreprises qui, avant de lancer un produit sur le marché, font des études poussées de la demande éventuelle de leur clientèle sinon la production non achetée les mènera vite à la faillite, l'orateur se doit d'offrir un contenu sans cesse adapté aux contenants...

Contrairement à la sympathie qui naît d'un mouvement spontané de l'affectif, par empathie, l'orateur entre sciemment en l'« autre » pour s'identifier au mieux à la personnalité de l'auditeur afin de capter intuitivement même :

- sa possibilité de raisonner,
- son pouvoir réel d'agir,
- sa capacité de s'émouvoir,
- sa façon de percevoir les faits,
- sa capacité de comprendre telle approche,
- les valeurs qu'il respecte,
- les mobiles qui expliquent sa présence à l'exposé.

Aristote a depuis belle lurette indiqué la clé de la persuasion humaine : « Pour produire la persuasion dans les hommes que j'ai devant moi, je devrai donc conformer mes discours à leur nature. »

Si l'empathie, pour certains, est un don, pour d'autres, elle doit devenir une disposition volontaire. Vous démontrerez de l'empathie en offrant de véritables solutions tant souhaitées ; en faisant participer votre auditoire dans l'action désirée ; en exploitant dans vos phrases l'affirmative, la dubitative, l'interrogative, l'impérative, la conditionnelle et la concessive ; en étant de connivence avec les pensées et les sentiments de votre groupe ; en répétant vos pensées en des formes variées...

À partir d'une expérience partagée, l'attitude empathique permet d'offrir à son auditoire des solutions véritables, de soulever chez lui les plus nobles émotions, de favoriser en tous et chacun la présentation de leurs plus dures objections, de respecter la plus subtile dissidence et de développer en tous les plus saines motivations.

Au nom du groupe, sans établir un rapport de dominance, le communicateur aura un rôle de porte-parole centré sur les intérêts de l'auditoire en étant, face au contenu non dépourvu de vérités, le serviteur de tous. L'orateur n'est pas là pour lui, il est là pour ceux qui veulent savoir par lui ce qu'il faut, faudra ou faudrait connaître.

Il ne faudra plus parler devant quelqu'un, mais avec quelqu'un, à quelqu'un, en quelqu'un, pour quelqu'un ; sinon, vous serez un orateur quelconque... très remarqué !

Le public est d'ailleurs sensible à l'état d'être de celui qui lui adresse la parole et mesure même d'instinct si l'orateur se préoccupe en priorité de ses auditeurs, ou de son sujet, ou de lui-même.

Retenez donc, pour l'appliquer, cette loi hétéro-attractive de la communication orale efficace : par rapport à l'émetteur, la communication orale doit être centrifuge. C'est quand sa dynamique est centripète que le contact avec le récepteur pète. Par rapport au récepteur, la communication orale doit être centripète. C'est quand sa dynamique est centrifuge que le contact avec l'émetteur fuse.

Par le tour qu'il confère à ses propos combinés, l'orateur qui possède la clé de la persuasion sait ouvrir le cadenas des récepteurs récalcitrants, dans le sens exigé par les nervures physiologiques qui mènent au déverrouillage des charnières intellectuelles et passionnelles. Verbalement, c'est l'heureux cas de l'archimec parlant, parvenu aux faits de l'éloquence.

LES ATTITUDES

Élément 2 : la confiance

La confiance, c'est le moi sécurisé dans le dit.

Pour parler en public, il ne vous faut pas attendre d'être parfait en tout : seul est requis un effort honnête d'offrir le meilleur de vous-même. La confiance est l'acceptation inébranlable de vous abandonner avec sécurité aux autres, à votre sujet et à vous-même tel que vous êtes actuellement.

Face aux autres, il faut vous présenter avec un noble élan de servir leurs intérêts, issu du désir généreux de votre part de répondre à leurs désirs sains et profonds.

Face à votre sujet, possédez-le. Dominez votre matière par une étude appliquée qui vous permettra de vous exprimer avec la conviction solide de celui qui a conscience de la valeur de ce qu'il avance. Si vous n'êtes pas ferré, ne vous surprenez pas si le public vous raille... en dormant !

Face à vous-même, surtout, ne laissez pas votre timidité vous envahir, allant même, devant votre auditoire, jusqu'à vous excuser de lui adresser la parole.

Pour réduire vos craintes qui s'évanouiront au fur et à mesure de vos réussites accumulées, apprenez oralement à foncer dans une action graduée. En vainquant les difficultés de façon morcelée, vous éprouverez le sentiment d'influencer la totalité du cours oral de votre histoire. Au lieu d'être dépassé par les événements, vous vous dépasserez de fait.

Comme le dit Hans Selye, « la perfection n'existe pas. Progresser, c'est franchir des sommets : soyez satisfait de les atteindre successivement ». Ne cherchez pas trop à réussir : vous risqueriez de surestimer vos capacités qui s'évaporeraient à la sueur de vos efforts échaudés.

Avancez humblement. Si vous ne voulez pas qu'en public vos propos s'envolent, en privé, dégonflez-vous. L'humilité requiert que nous ne nous élevions pas nous-même au-delà de nos propres valeurs ni non plus que nous nous abaissions au-dessous. Sinon, la suffisance entraîne fatalement l'insuffisance, en rongeant le contenu des mots bien avant qu'ils n'atteignent les affamés, attablés pour les avaler ; tout autant d'ailleurs que la mésestime de soi déshydrate d'elle-même les propos émis, bien avant qu'ils ne rejoignent ceux qui, assoiffés, sont venus s'en abreuver.

Ne vous hypnotisez plus de vos insuccès, magnétisez-vous plutôt de vos réussites étagées. Travaillez davantage à votre auto-correction qu'à votre auto-destruction.

Sachez que le trac, cette angoisse irraisonnée, ne disparaîtra jamais, car il est une réponse organique normale à une situation psychologique contraignante qui vous invite particulièrement à redoubler de vigilance et d'efforts.

Aussi, même si vos mains deviennent moites, même si vos jambes flageolent, même si vos joues s'empourprent, même si vos aisselles rigolent, même si votre cœur cogne, même si votre gorge se resserre, même si votre mémoire s'estompe, même si votre voix tremble et même si vos intestins veulent se relâcher... Pour réussir à bien parler, dussent-elles en perler, foncez en graduant vos audaces.

Le trac se vainc par la fuite en avant. Toute autre action n'est que vain effort à vous couper le souffle !

En scène, pour maîtriser le trac qui rétablira la paix corporelle et la paix mentale, toutes deux essentielles à une bonne création oratoire, apprenez à respirer maintes fois profondément pour vous oxygéner : vous y trouverez même l'inspiration mentale qui a muse en éloquence et qui dès lors vous évitera d'expirer sur scène.

Ne ressentez pas trop le complexe de l'estrade. Imaginez-vous au préalable le lieu de la parole que vous allez occuper aisément ; sur place, montrez que vous êtes sûr de ce que vous énoncez. Parlez en vous épanchant simplement, au point même que vous saurez vous libérer de vos notes, assuré que votre mémoire sera fidèle au rendez-vous biologique avec votre cerveau droit qui inspirera le raisonnement de votre cerveau gauche en expression vivifiée.

En public, ce qui bloque l'avancement de l'orateur pris au plancher, c'est l'état de sa mémoire qui plafonne au moment opportun. Dès que le communicateur prend la parole que le présentateur vient de lui donner, sa souvenance s'estompe et il se voit tout fin seul, dans le temps présent, sans passé défini, pour garantir sa pensée en voie de le devenir. C'est comme si l'orateur se coupait la parole sur-le-champ, en s'enlevant lui-même le verbe sous le nez !

Établi sur l'aplomb de vos idées, sur la foi en vos valeurs et sur l'assurance de votre public bienveillant, seul votre courage fera basculer la paralysie de vos peurs.

N'ayez crainte de vous jeter à l'eau. Les gens qui constituent votre auditoire vous accueilleront dans leur réservoir à pensées. Ne leur tirez pas les vers du nez, vous amorceriez votre asphyxie mentale, car les gens n'aiment pas que nous les gênions, en leur faisant sentir que nous nous payons leur tête. Ils n'aiment pas à être pris au bout d'un effort ! Il ne faut pas que les gens vous voient venir, même s'ils vous sentent approcher.

LES ATTITUDES

Élément 3 : l'authenticité

L'authenticité, c'est l'être profond qui vibre à ce qu'il dit.

L'orateur ne doit pas être une personnalité à deux faces, au décodage sonore à deux pistes... Entre ce que l'orateur est et ce qu'il soutient, il doit y avoir une limpide transparence d'unité. Il n'est pas un comédien qui joue un rôle ; il ne représente pas une autre personne : il passe comme il est au naturel, en toute intégralité corps et âme.

L'authenticité, c'est toute la personnalité de l'orateur qui, consciemment, colle, ici et maintenant, à ce qu'il prononce. C'est ainsi agglutiné que nous répandons le savoir en nous prenant aux mots !

L'auditoire saisit bien d'ailleurs que, derrière la phrase que l'orateur authentique exprime verbalement, il y a une adhésion actuelle, intégrale et profonde aux propos qu'il tient. Car le communicateur n'envoie pas deux messages : l'un, dissimulé, celui qu'il pense ; l'autre, ouvert, celui qu'il dit.

Chez l'orateur authentique, tout vibre à l'unisson ; ainsi le certifient ses pensées, ses actes, ses paroles et ses gestes. Rien entre eux n'interfère la portée unique du message.

Tant à l'avant-plan qu'à l'arrière-plan du discours, les convictions profondes sont énoncées fermement : tout révèle l'honnêteté, l'intégrité, la vérité de l'être pensant qui parle. C'est sa probité qui le rend beau, attachant, séduisant même !

Son charisme, il le doit à la franchise incontestable qui lui fait trouver l'approche qui sied à son groupe, à son talent et à ses moyens, sans compromissions et sans « connes » omissions !

Tous constatent que l'orateur authentique est concentré entièrement sur ce qu'il dit et fait, alors que l'esprit de ceux qui ne sont pas sincères papillonne ailleurs en dedans d'eux-mêmes, pendant qu'ils tiennent au dehors des propos desquels ils sont absents... Ils ne s'expriment que du bout des lèvres ! Dès lors, naît une crise à l'idée !

Avec l'humilité de la véracité, l'authentique orateur nous laisse approcher du noyau dur de son être qui constitue la première des preuves persuasives.

Nous pouvons, au moins intuitivement, déduire sa consistance interne, sa fidélité profonde au point même qu'il puisse être un modèle à suivre, tellement est grande sa cohésion mentale et corporelle avec ce qu'il dit.

Son ouverture sans réticence nous fait toucher à sa loyauté sans équivoque. Son expression non verbale, ses sons, ses mots, ses pensées sont le miroir non déformant de son intégralité réfléchie : tout est aimé !

Dès lors, s'exprimant sans zones d'ombre, il se prononce avec beaucoup plus d'autorité car il avance son être en garantie. Il certifie de sa personne les valeurs qu'il profère. Ce n'est plus un propos conventionnel. Il est visible que de la personne de l'orateur s'exprime une force magnétique qui en impose d'ailleurs plus que ses propos. Cundiff Merlyn affirme que les gens sont davantage persuadés par la profondeur de notre sincérité que par la voltige de notre logique.

Par son approche originale, l'orateur non seulement rapporte ce que les autres ont exprimé, mais, surtout, pensant par lui-même et s'affranchissant d'une existence anonyme, nous parle en tant que véritable auteur de son contenu. Il agit comme il le ressent ; il éprouve ce qu'il pense ; il réfléchit comme il est : c'est signé authentiquement.

Élément 4 : l'enthousiasme

L'enthousiasme, c'est la vivacité du dit.

Lorsqu'il parle du sujet dans lequel il est intégralement engagé, le communicateur enthousiaste éprouve et laisse éclore les émotions intenses et vraies qui l'assaillent et les transmet bien en « saillies » sonores chaleureusement exprimées.

L'orateur expérimenté se laisse emporter par l'impérieux élan de ses pensées ardentes qui l'enflamment et, du même coup, embrasent le public attisé par le feu de l'action oratoire exprimé sans artifices. Il est perceptible que l'intellect et la sensibilité, bien phrasés en leurs ondes, synchronisent tous les mouvements de l'orateur ; son énergie débordante et joyeuse galvanise alors l'écoute active qui s'effectue dans la joie profonde.

Parce que l'orateur s'exprime si persuasivement, l'être entier du récepteur est positivement soulevé. L'enthousiasme mène alors l'auditoire jusqu'à l'admiration extatique.

Devant un orateur sincèrement et vivement ému qui gouverne ses passions, l'auditoire, dans le feu de l'action, est prêt à de grands actes, mobilisé qu'il est par l'enjeu brûlant du discours.

Roger Ailes nous recommande ceci : « Soyez transparents avec vos auditeurs de sorte qu'ils n'entendent pas que le son de vos mots : amenez les gens jusqu'à saisir la conviction enflammée de vos idées. »

Intéressé positivement à faire vibrer son groupe du sujet dont il est pénétré et qu'il développe avec empressement, il est clair qu'un communicateur enthousiaste a le goût de parler à des gens suspendus à ses lèvres pour se désaltérer de ses propos de bon ton. Faut-il dès lors s'étonner qu'à l'usage des passions nuancées, les gens, enchantés du fait, le portent, en fête, au faîte des honneurs ?

L'être dynamique irradie et communique son émotivité d'autant plus que, durant la prestation, il est à l'affût de toutes ses vives pulsions intérieures qu'il livre avec grâce, fougue et fermeté.

Selon P.J. Goebbels : « L'orateur, inspiré du cœur, est un vrai virtuose de l'art de parler en public. Cet orateur possède de loin les vertus absentes de celui qui ne parle que guidé par son intelligence. Celui-là maîtrise : la clarté de l'expression, la simplicité des arrangements, la gouverne de l'instinct, la vision poétique, la grandeur des idées, la connaissance des reflets de l'âme humaine et le pouvoir de l'expression verbale. »

Que d'inspirations subtiles emportent les résistances des esprits pointilleux, gagnés qu'ils sont par l'ivresse chaleureuse qui crée un momentum suprême quasi inspiré par le souffle sacré des dieux de la rampe ! Telle est la création éblouissante qu'engendre l'enthousiasme qui peut mener avec ivresse à tout...

Un spécialiste de l'éloquence au service de la propagande de sa cause nous affirme l'importance primordiale du coup de foudre pathétique. Adolf Hitler a écrit : « Seulement une tempête d'une passion brûlante peut changer les destinées d'un peuple : seul celui qui est consumé par une passion peut la faire surgir. » Une réflexion qui relève de l'éclair de génie !

Nous touchons ici au sommet de l'art difficile du pathétique qui maîtrise, en leurs valeurs les plus profondes, les assistances en actionnant le clavier passionnel du cœur humain, lui faisant tirer des conclusions qui vont jusqu'à dépasser les arguments probants de l'intelligence. Selon Pascal : « Le cœur a des raisons que la raison ne connaît pas. »

L'enthousiasme, c'est la clé de voûte des qualités du son et de la dynamique de l'expression corporelle qui emporte l'auditoire jusqu'au ravissement tant sensoriel qu'intellectuel et moral. Sinon, conclut François Richaudeau, tout ne serait que froideur, ennui, désenchantement, déception.

Paramètre II : les pensées

Les pensées, constituées d'idées et d'émotions, sont le message que vous laissez savoir quand vous parlez en public.

Dans une communication orale, les pensées sont livrées par l'ensemble des propositions intellectuelles, émotionnelles et physiques que vous émettez en personne. Elles sont l'expression des concepts élaborés par votre pensée très personnelle ou celle appuyée au su de tous par des auteurs qui corroborent vos opinions.

Vos pensées, pour autant qu'oralement elles prennent forme, sont la charpente et le ciment de l'édifice de votre exposé. Elles révèlent la valeur de votre intellect, la profondeur de votre réflexion, l'intérêt de votre spéculation, la force de vos concepts, la concentration de votre esprit, l'éventail de vos connaissances, la fermeté de vos croyances, la justesse de votre jugement, l'habileté de votre discernement, la solidité de votre raisonnement, l'originalité de votre savoir, la personnalité de votre expression, votre aptitude à comprendre, votre talent à expliquer, la limite de vos préjugés, la pureté de vos intentions, les appuis de vos présomptions, votre art de l'analyse et votre habileté à synthétiser...

À découvert, que d'expressions livrées, même à mots couverts ! Quand c'est l'heure de parler en public, finie la pudeur ! C'est précisément ce qui détraque le cerveau et cause tant de trac... Nous passons pour ce que nous valons ! Souvent le trou de mémoire est symptomatique des idées qui jalonnent au passage votre expression mal structurée. Par notre approche ainsi mal en point, vraiment notre auditoire ne court-il pas à la fausse impression que nous ne réussirons pas une juste percée ? Dès lors, ne vaudrait-il pas mieux tout oublier et tout lâcher ? Bien au contraire ! Face à cette cavité mentale momentanée, sachons à temps nous ressaisir. Pratiquons une brèche : en nous appuyant sur la dernière idée exprimée, étirons l'échelle des mots jusqu'à nous aider à rejoindre l'autre rive de nos idées, désormais, sans failles...

Quels seraient donc les quatre éléments de vos pensées pour que votre communication orale soit efficace ? Vos pensées doivent être imprégnées d'intérêt, de clarté, de crédibilité et d'organisation.

LES PENSÉES

Élément 5 : l'intérêt
L'intérêt, c'est le bénéfice du dit.

- S'il m'émeut,
le sujet me passionne.
- S'il me concerne,
le sujet me va.
- S'il touche à mes valeurs,
le sujet m'agrée.
- S'il me convient,
le sujet m'est approprié.
- S'il m'ajoute des actifs,
le sujet me rapporte.
- S'il m'atteint,
le sujet me touche.
- S'il m'est destiné,
le sujet me regarde.

De l'exposé doivent résulter des avantages explicités quant au fond du sujet sinon quant à la forme oratoire des réalités abordées, sinon vous aurez contribué au sabordage.

Un public indifférent qui fait la sourde oreille, c'est un être pudique qui verbalement n'ouvre pas sa trompe, malgré la persistance opérante du timbalier... qui « tanne », « tanne » !

Par l'apport d'anecdotes fortes et croustillantes, par l'usage de paraboles ou de fables, par l'emploi de comparaisons flamboyantes et fulgurantes, par l'addition de citations brillantes et opportunes, par le style provocateur et original, par l'exploitation du paradoxe et de l'antithèse, par l'insertion humoristique et de bon goût, par l'inattendu d'un riche suspense, par l'approche interrogative directe ou indirecte... l'orateur piquera la curiosité et soutiendra l'attention.

En somme, pour offrir un ensemble fort original d'où seront exclus le conformisme, les lieux communs et les formules passe-partout, faites travailler votre imagination à vous singulariser dignement, sans toutefois être trop particulier.

Dès les premières secondes de votre entrée en scène, ne tardez pas à vous démarquer oralement, car, comme nous préviennent Léonard et Nathalie Zunin : « L'attention se joue dans les trente premières secondes du début d'un exposé. »

Il vous faut donc rapidement une communication digne de considération, car elle aura une valeur de haut prix qui n'apportera qu'estime et égards : l'ensemble passionnera, évitant rapidement l'indifférence et l'ennui.

L'attention ne provient-elle pas d'une mise en alerte de l'intelligence qui, dans l'attente, se prépare à concentrer son énergie si jamais le fruit escompté en valait l'effort ? Sinon, soutient François Richaudeau, tout n'est que déception, découragement, consternation, névrose...

Dans un exposé oral, l'humour provoque toujours beaucoup d'intérêt, mais il faut savoir le manier avec adresse. Sachez que l'humour qui vole bas est une arme tranchante qui, sur le coup, blesse souvent celui qui l'a bas : il lui en coûte là !

Le désir de rester branché à l'audition découlera d'un contenu qui répond aux divers besoins latents, manifestes, pressants, nécessaires sinon utiles à chaque personne du groupe.

Les besoins à assouvir sont généralement regroupés autour d'un plus-*avoir* ou d'un mieux-*être* en biens physiologiques, intellectuels, moraux ou spirituels. À l'auditoire, le contenu doit servir, d'après Abraham Maslow, à quelque chose d'immédiat ou de différé, en cette vie ou en l'autre tant pour ses avantages de survie et de sécurité personnelles que pour ses propres bénéfices d'ancrage, d'estime et d'épanouissement sociaux. Sinon, l'auditoire vous servira tout un plat de résistance !

De l'écoute doivent découler des gains aux dividendes sensoriels et facultaires qui grandiront la culture ou mèneront à l'action tant sur le plan personnel que communautaire.

En économie, l'intérêt n'est-il pas le bénéfice que vous retirez d'un bon placement ? Quand un auditoire prend de son temps pour aller écouter quelqu'un, il faut que le groupe en retire certainement des gains réels, sinon, comme résultat, vous courez à votre perte. Déficitaire serait alors votre bilan.

L'intérêt de ceux qui recevront vos propos doit prédominer sur l'intérêt que vous portez aux idées en elles-mêmes, au point même que le choix de celles-ci, leur approfondissement et leur organisation doivent dépendre de la façon dont les autres voudront bien les accueillir.

Il n'est pas exclu que la personnalité de l'orateur soit attachante, mais elle ne doit pas faire ombrage au contenu qui se doit d'être suprêmement palpitant pour ceux qui l'écoutent.

Tout en livrant vos émotions, exprimez donc votre vécu : c'est ce qui différencie l'orateur de l'ordinateur, l'humano-phone du magnéto-phone !

LES PENSÉES

Élément 6 : la clarté
La clarté, c'est la différenciation dans le dit.

Est clair celui qui sait distinguer, séparer, partager et hiérarchiser les parties d'un ensemble structuré.

Est clair celui qui sait mettre en évidence le générique du spécifique, le propre du commun, l'essence de l'accident.

Est clair celui qui ne confond pas théorie et pratique, inclus et exclu, identique et contraire.

Est clair celui qui va du connu vers l'inconnu, du concret vers l'abstrait, du simple au complexe.

Est clair celui qui ouvre, développe et ferme chaque partie de son exposé avant d'entreprendre un point qu'il additionne ou soustrait selon le même cheminement séquentiel.

Est clair celui qui sait et dit qu'il informe, qu'il distrait, qu'il convainc, qu'il énonce, qu'il prouve, qu'il réfute, qu'il amplifie, qu'il oppose, qu'il compare, qu'il concède, qu'il conditionne, qu'il détermine, qu'il date, qu'il suppose, qu'il cite...

Est clair celui qui guide verbalement par des articulations charnières (« commençons par », « également », « car », « toutefois », « par conséquent », « donc », « enfin »...).

Comme le dit G.W. Leibniz : « Lorsque la division de nos pensées n'est pas bien faite, elle brouille plus qu'elle n'éclaire. Il faut qu'un écuyer tranchant sache les jointures. »

La clarté, facilitée dans l'usage de termes qui indiquent l'addition (« de plus »), la continuité (« en deuxième lieu »), l'opposition (« par contre »), la comparaison (« de même »), la résultante (« par conséquent »), l'insistance (« tout autant »)... est fille d'une idée bien conçue, issue naturellement d'une inspiration maternelle de l'inconscient parce que fécondée d'une transpiration paternelle antécédente du conscient : sinon, c'est l'« avortement » intellectuel.

En communication exprimée en public, l'inspiration, c'est le souffle divin créant des idées maîtresses qui permettent de livrer de beaux, de bons et d'inédits discours. Aussi, chez les Grecs et les Romains, Calliope, la muse à la belle voix, était évoquée pour mettre les orateurs sur la voie. Des neuf muses, Calliope vient donc en tête pour le don de l'éloquence qu'elle accorde à ses amants.

Beaucoup d'entre nous qui avons à produire un exposé en public savons bien reconnaître le manque d'inspiration en notre *être* éprouvant une souffrance mesurable qui irait de l'inconfort à la panique. Ce manque d'inspiration nous est souligné entre autres par les symptômes du trac qui, dans la recherche de notre *avoir* (l'idée), marque notre *être* parfois jusqu'à l'aliter : même des personnalités remarquables ont vécu cette angoisse !

Ici donc, le *non-avoir* de l'inspiration crée une conséquence sur notre *être* : c'est une stratégie de l'*avoir* sur l'*être* ! Pour renverser cet état de faits, il nous faut exploiter une stratégie de l'*être* pour l'*avoir*. D'abord en votre *être*, vous devez engager une bataille en de multiples opérations tactiques avant d'arriver à l'heureux cas de l'*avoir* de l'idée ou du sentiment trouvé, donc vaincu parce que livré.

L'expression des pensées comme *avoir* ne peut succéder qu'à une impression préalable de votre *être*. C'est ainsi qu'est conduite la création qui ne libère son souffle inspirant qu'après que, par efforts, vous aurez intellectuellement transpiré. Notamment en communication orale, l'inspiration, au bilan de votre *être*, c'est l'*avoir* du propriétaire, issu de l'état des résultats où fut préalablement inscrit, au crédit, la réflexion, et au débit, l'incubation.

L'*avoir* de son idée, l'intuition déductive, est conséquente à la stratégie antécédente de l'état de son *être* en deux étapes conséquentes : l'induction par la recherche antécédente et l'incubation par la détente trempée : comme quoi il ne faut pas avoir peur de se mouiller...

La nature de notre *être* a de ses stratégies qui, respectées, nous permettent d'*avoir* son « pesant dehors » !

Archimède, en ce cas, s'est chargé de nous le prouver. La tradition veut que dans son bain, il ait saisi qu'un corps plongé dans un

milieu aqueux enclenche une égale poussée verticale de bas en haut proportionnelle au volume du liquide qu'il a déplacé. Pour Archimède, c'est
ben... la solution !

L'orateur saura faire valoir des réalités perceptibles aux sens,
ce qui leur est spécifiquement afférent, en empruntant le riche sentier des
relations sensorielles : visuelles, auditives, tactiles, gustatives et olfactives.

Pour en faire mieux saisir la ressemblance, la différence plus
ou moins apparente, les données seront comparées à d'autres sujets de
nature identique, semblable ou différente.

Tiré d'autres branches professionnelles ou sociales, des points
de vue politiques ou religieux, des règnes végétal et minéral, des domaines
du sport ou des loisirs, l'exemple, tant positif que négatif, favorisera de
beaucoup l'appréhension nette des avancés. Sinon les gens reculeront au
flou de votre flot verbal qui divague...

La clarté, c'est la nette perception dans la pensée et le dit, en
sorte que : le *de quoi* n'est pas le *qui* ; le *but final* n'est pas la *cause initiale* ;
les *moyens* ne sont pas la *fin* ; les *conséquences* se distinguent du *lieu* ; le
temps relève exactement soit du *présent,* du *passé* ou du *futur* ; le *réel* n'est
pas *l'hypothétique.*..

La clarté présuppose des idées et un plan : elle n'est pas l'une
et l'autre, mais plutôt découle de l'une et de l'autre si tant est que l'orateur
nous orientera sûrement relativement de l'une à l'autre... Croyez-en Quintus
Horace : « [...] et les mots viennent d'eux-mêmes lorsque le sujet est bien
mûri. »

La clarté est atteinte quand ce que vous voulez dire est dit et
compris tel quel à l'arrivée.

LES PENSÉES   ### Élément 7 : la crédibilité

La crédibilité, c'est la véracité du dit.

En fonction du *but* de l'exposé oral, la crédibilité, c'est le *quoi*
(idées/sentiments) de la communication entre les êtres ; le reste n'est que
causes (attitudes) et *moyens* (non-verbal, sons, mots, matériel).

Que du *quoi* dont il entretient les gens présents, l'orateur sache
en rattacher et justifier le *but,* la *cause,* la *conséquence,* la *provenance,* la
chronologie, le *comment* et le *combien* (prix, nombre, poids, mesure).

C'est par ces topiques circonstanciels de la pensée qu'Aristote
apprenait aux rhéteurs anciens les techniques de l'art oratoire judiciaire,
politique et commémoratif. Les topiques, ces pinces de la pensée, nous
aident à cerner le réel sans trop de maladresse et à le livrer sans que
l'auditoire, en nos mots, ait trop de fil à retordre pour en saisir la portée.

Cicéron nous affirme d'ailleurs que nos mots prennent toute leur saveur quand ils sont pris au fond : « Qu'y a-t-il en effet de plus extravagant qu'un assemblage de mots, lesquels, même les mieux choisis et les plus brillants, ne sont qu'un vain bruit quand il n'y a dessous ni science ni pensée. »

Sur scène, il vous faut donc arriver équipé. C'est l'exigence même de la fonction que de permettre aux gens une ponction de qualité, sinon la transfusion manquera de substance et le public se refusera à l'anémie, en rejetant radicalement l'objet creux de cette nuisible friction.

Pour impressionner l'intelligence, précise Jules Verest :

Si votre argumentation porte sur la confirmation, sachez raisonner :

• en une cascade	de propositions découlant logiquement les unes des autres ;
• en induisant	des propositions particulièrement vraies jusqu'à remonter à une proposition généralement certaine ;
• en déduisant	des propositions généralement certaines vers une proposition particulièrement vraie ;
• en proposant	le choix logique entre deux propositions contraires qui n'acceptent pas d'échappatoire.

Si votre argumentation porte sur la réfutation :

• d'un fait :	relativement aux sens impliqués, prouvez qu'il est faux, douteux, tendancieux ;
• d'un raisonnement :	dépouillez-le de son langage ou de son apparente logique ;
• d'un témoignage :	relevez-en les contradictions ; vérifiez l'exactitude, la partialité ;
• d'un document :	vérifiez s'il est authentique, altéré ;
• de préjugés :	rectifiez-les par la vérité ;
• d'une passion :	abordez-la en sens contraire.

Pour impressionner la sensibilité, ajoute Jules Verest :

Invoquez les motifs qui jouent sur le clavier des diverses passions,

• pour provoquer la haine :	montrez ce qu'une action a d'odieux, d'inique, d'inhumain, d'horrible, de mauvais ;
• pour susciter le désir ou la convoitise :	montrez une source d'avantages ou l'absence d'inconvénients ;
• pour faire éprouver de la joie :	faites ressortir la grandeur ou la satisfaction des biens possédés ;
• pour faire émerger la tristesse :	montrez la grandeur du bien matériel ou moral enlevé, perdu ;
• pour faire naître l'espérance :	indiquez que le but peut être atteint ;
• pour faire surgir le désespoir :	montrez que le but ne peut être saisissable ;
• pour soulever la crainte :	indiquez que le but, ou l'objet, les conséquences, les moyens, les causes sont mauvais ;
• pour faire oser jusqu'à l'audace :	faites voir de l'objet la possibilité de le renverser ou de le vaincre, la facilité de le surmonter ou de le posséder ;
• pour faire rebondir la colère :	indiquez l'injustice, le mépris, le parti pris ;
• pour déclencher la pitié :	indiquez que l'être est digne d'estime et malheureux.

Devant chaque auditoire, par la pertinence et la logique de ses données reliées aux faits sensoriels et aux arguments rationnels et passionnels qu'il avance pour tantôt certifier, tantôt rejeter, un orateur doit faire brillamment la démonstration de sa crédibilité. Dès lors, il établit sa puissance d'analyse et de synthèse au point que tous proclament que sa performance est l'actualisation évidente de sa compétence. Pour impressionner vraiment, arrêtez de dire ce que les autres pensent, et pensez désormais ce que les autres disent !

LES PENSÉES

Élément 8 : l'organisation

L'organisation, c'est l'ordonnancement du dit.

Avant de connaître pertinemment comment dire les choses, il faut préalablement avoir des choses à dire. Après une recherche d'approfondissement du sujet, laissez surgir une structure naturelle d'exposition que seul l'intérêt du groupe va sainement orchestrer.

Des idées pesées découle un poids qui oriente leur trajectoire : il ne reste plus qu'à respecter en plan leur force instinctive. Votre plan vous donnera du poids.

Ainsi que le souligne Gustave Lanson, « comme les pensées absolument neuves sont rares, on peut dire que, dans la plupart des cas, la richesse de l'esprit créateur se manifeste par l'ordonnance de l'œuvre ».

Par sa méthode, le plan apaise les intelligences qui veulent comprendre en sachant où aller et comment s'y rendre. Une orientation définie économise les efforts intellectuels qui aident les locuteurs à bien réfléchir, à mieux comprendre et à davantage retenir.

Il faut aussi savoir finir votre discours, si vous ne voulez pas essuyer d'inouïs ennuis avec une pensée qui n'en finit pas de se trouver à la traîne, en cherchant son issue concluante, pendant que silencieusement l'auditoire vous crie de toute part, hors d'haleine : c'est assez !

En psychologie, des études sur les stimuli sensoriels, effectuées par G.A. Miller, ont démontré que plus le développement d'un plan est simple, moins complexe en est sa mémorisation et plus son suivi sera inspirant et agréable. Donc pour vous retrouver aisément tout autant que pour permettre à votre auditoire de vous suivre simplement, lors de votre exposé oral, n'offrez pas plus de cinq (plus ou moins deux) éléments, pour ne pas outrepasser l'amplitude d'écoute attentive que peut se permettre le jugement et la mémoire du récepteur.

Comme nous le conseille Jean Chevalier, laissez-vous inspirer par la symbolique de la numérologie : « Les sept couleurs de l'arc-en-ciel et les sept notes de la gamme diatonique révèlent le septénaire comme un régulateur des vibrations, vibrations dont plusieurs traditions primitives font l'essence même de la matière. »

Divers plans s'offrent à votre esprit :

- l'explication par fait(s), cause(s), conséquence(s) ;
- l'angle de divers points de vue (légal-architectural) ;
- l'ordonnancement chronologique (hier-demain) ;
- l'optique rétrospective, perspective, prospective ;
- la symétrie (thèse, antithèse, synthèse) ;
- l'approche centrifuge, centripète (au Québec, au Canada) ;
- la disposition binaire (pour-contre/haut-bas) ;
- la palette ternaire (ciel-terre-eau/bleu-blanc-rouge) ;
- l'approche du convenu, de l'inédit (il était une fois...) ;

- la répartition géographique (nord-sud/est-ouest) ;
- le niveau matériel, intellectuel, spirituel ;
- le règne minéral, végétal, animal ;
- le plan social, éducatif, administratif, économique ;
- l'arborescent déploiement multisectoriel.

Dans le développement oral d'une proposition, la démonstration efficace ne peut se faire au hasard : il faut une convergence subordonnée de faits et d'arguments qui, sélectionnés, conduisent en stratégie à un seul point d'arrivée précis et justifié.

Que votre enchaînement sans détour soit unique en sa destinée ; que la succession argumentaire progresse sans lenteur ni longueur ; que les parties de l'exposé soient bien subordonnées entre elles pour un fonctionnement efficace de l'ensemble.

La simplicité et la cohérence de l'ordre préalable évitent à l'oral des digressions déroutantes et souvent inopportunes. Tout plan évite que l'on se plante !

Le but à poursuivre auprès de l'auditoire conditionne non seulement le choix des données à énoncer, mais aussi leur arrangement tactique en une structure enchaînée d'une seule idée maîtresse qui dirige les diverses parties du discours à remplir successivement leurs fins concentriques. Les contours généraux à tout plan spécifique devraient être en proportion :

- 10 pour 100 : (nous le ferons) pour l'introduction
- 80 pour 100 : (nous le faisons) pour la démonstration
- 10 pour 100 : (nous l'avons fait) pour la conclusion

Les pilotes d'avion affirment que les deux moments les plus cruciaux se situent en piste : l'un au décollage et l'autre à l'atterrissage. Il en va de même pour l'orateur : le début de son discours est en promesse : la fin, en garantie. Il ne reste, au cours du vol oratoire, qu'à éviter les « poches » de mémoire et savoir manœuvrer au sein des pensées contraires, afin de ne pas passer, sans connaissance, le mur du son.

Paramètre III : le non-verbal

L'expression non verbale (ou corporelle) est la face externe du messager que, consciemment ou inconsciemment, vous faites voir quand vous parlez.

Dans la communication orale en public, l'expression non verbale s'ajoute aux mots sonorisés pour assurer, visuellement surtout, la compréhension des réalités mentales que vous projetez. C'est votre moyen terme somatique destiné à l'œil d'autrui pour refléter l'état de votre psychisme et pour illustrer physiquement vos concepts. C'est le résultat visuel perceptible de votre programmation mentale.

L'expression non verbale est un élément matériel qui, par la vue, informe les facultés d'autrui. Saviez-vous que, selon Roy Birdwhistell, votre corps peut envoyer jusqu'à 700 000 signaux non verbaux ? Cela devrait donner du corps à vos idées !

L'expression non verbale est une partie majeure de la communication qui organiquement aide puissamment au transfert des données informatives. Jean Suberville en témoigne éloquemment : « On pourra posséder toute la puissance de l'intelligence, tout le feu de l'imagination, tous les transports du cœur qui font la grande éloquence, si on n'a pas reçu de la nature les dons physiques correspondants, on ne sera qu'un orateur médiocre et impuissant. »

Votre physiologie oculaire surtout témoigne de votre état intellectuel et de votre état émotif. C'est à partir du comportement qu'ils voient et entendent que les récepteurs, au-delà des apparences, remontent aux attitudes psychologiques qui en sont les moteurs. D'après Albert Mehrabian, si jamais un conflit surgit entre l'expression non verbale et les mots, le public tend naturellement à croire le langage corporel. Cicéron va jusqu'à écrire : « L'action oratoire, c'est l'éloquence du corps. C'est l'action qui domine dans l'art de la parole. »

L'expression non verbale est l'esprit fait chair qui déploie sa stratégie pour capter l'attention, soutenir l'intérêt et faire comprendre et retenir à sa façon.

Par sa relation d'aide, l'expression corporelle est l'indice de santé et de vitalité de l'état spirituel de celui qui parle : mis à jour sous les éclairages de la scène, tout autre indice nuit.

Les cerveaux humains, à la lecture des sens, analysent autant ce qui leur est donné que ce qu'ils prennent d'eux-mêmes ; ce que ne décode point l'ordinateur, non sensé.

Quels seraient les quatre éléments de l'expression non verbale pour que la communication orale soit efficace ? Votre expression non verbale doit tirer profit du langage de la physionomie, de la gestuelle, de la parure et du maintien.

Élément 9 : la physionomie

La physionomie, c'est la transparence faciale du dit.

Comme la vérité intérieure provient davantage de la manière dont vous vous exprimez que de ce que vous dites, ayez l'air au moins de ce que vous êtes !

Il faut donc que votre visage évoque vos divers états d'âme : la finesse des sentiments et la valeur des idées doivent y figurer à dessein : il faut un signal évident, sans dessin additionnel. Vous devez avoir l'air de votre chanson !

La parole en public n'active pas que la bouche : tout le visage doit participer au discours. En effet, les divers traits du facies en leurs 47 muscles ne doivent pas rester indifférents aux pensées révélées en mots : le visage doit vibrer au rythme des sons émis. D'autant plus que, précise Albert Mehrabian, votre visage assure 55 pour 100 de votre communication, alors que votre voix n'en assume que 38 pour 100 et vos mots... 7 pour 100 !

Et, du visage, Cicéron avait attiré notre attention sur l'impact de l'œil : « Dans l'action, tout dépend de la physionomie même, ce sont les yeux qui jouent le rôle prépondérant. »

L'expression faciale, fruit d'une activité apprise culturellement et d'un élan inné structurel, a toujours été le pivot de la transmission des pensées. Avec ses seize types de regard possibles, Ermiane souligne que l'œil est le centre expressif du visage, car il est très sensible aux fluctuations nuancées de l'état d'âme, notamment l'iris, cette fenêtre de la vivacité de l'esprit et du cœur.

C'est plus dur de mentir par les yeux que par les mots et par les sons ! Dès lors, pour ceux qui nous ont à l'œil, c'est plus dur de mentir en mots dits qu'en mots écrits !

En votre physionomie, laissez aisément percevoir le fond de vos sentiments qui exprimeront tantôt l'amour, le désir, la joie, l'espérance, l'audace, la pitié, tantôt la haine, la tristesse, la honte, le désespoir, la crainte, la colère...

Que le siège de vos pensées se mette à table et que vos traits servent d'attrait pour ceux qui se nourriront de vos propos figurés !

Que jamais votre visage ne vienne contredire le sens de vos mots, car, alors, il faudra davantage croire en l'expression non verbale mieux branchée sur votre inconscient, à votre insu révélé.

Ce sont les yeux qui hypnotisent, aussi soyez donc fascinant, d'autant plus que votre visage sera regardé trois fois plus densément que, dans le même laps de temps, l'oreille du récepteur n'en mettra à capter le son de vos propos.

Soutenez un regard séduisant, mais partagez-le avec tous : ils en sont dignes ! Celui qui ne regarde pas coupe le contact, malgré le flux sonore qui s'écoule et que l'auditoire n'endigue plus !

Le communicateur doit regarder son auditoire et non point que le voir. Dans l'œil de l'émetteur, le récepteur ne doit pas être un objet, une non-personne, mais le sujet de son échange, un être actif. Que l'orateur évite donc de viser le plafond, le plancher, les murs, les tables... révélateurs d'un auditoire jugé par lui comme insignifiant !

Celui qui regarde se fait écouter : il dégage, une solide autorité, une chaleureuse amitié, une valeureuse crédibilité qui impressionnent. Cependant, ne dévisagez personne, vous seriez indiscret.

Que la valeur de votre être paraisse en vos yeux francs, chaleureux, brillants, perçants et volontaires : vos intentions doivent se manifester en pleine figure pour que vous ayez une tête de prix que l'auditoire s'offre en prime.

Élément 10 : la gestuelle

LE NON-VERBAL

La gestuelle, c'est la représentation signifiée à bout de bras du dit.

Les arabesques des mains, dessinées à bout de bras déployés, ne sont que des outils métaphoriques, mais dont l'effet capteur d'attention est extrêmement puissant.

L'auditoire reçoit globalement vos gestes sans les regarder spécifiquement ; cependant, leur réception fascine et garde éveillés les yeux activés par l'effort que les gestes exhibent à dessiner ce qu'ils expriment.

Le mouvement des bras et des mains prend son impulsion dans le psychologique dont ils révèlent l'expression. Selon Georges Longhaye, « l'âme se chante dans la voix : elle se peint dans le geste ».

Si la bouche doit parler de l'abondance du cœur, le corps, du même souffle, doit parler en ses gestes de l'abondance de la bouche. En somme, l'éloquence provient d'une personne organiquement prospère !

Les gestes volontaires viennent signifier de manière tangible le fond d'une pensée souvent abstraite. Parfois nos gestes sont mus par l'impulsion de notre inconscient : ils ne sont pas moins porteurs de sens, comme le précise Ivor Davis :

- celui qui se frotte le nez, les cheveux ou les oreilles ajouterait, par l'expression non verbale, un démenti à ses propos, sinon un embarras certain face à ce qu'il dit ou à sa manière de le dire ;
- celui qui joint ses mains en forme de pyramide dégagerait une attitude de supériorité ;
- celui qui se tape les cheveux signifierait qu'il approuve ce qu'il énonce ;
- celui qui se frotte les mains révélerait un plaisir certain à s'entendre ;
- celui qui se pince le nez soulignerait la profondeur de sa réflexion introvertie ;
- celui qui nettoie ses verres, mord le bout de son crayon, regarde sa montre, soulignerait son désir d'interrompre l'échange au plus tôt.

Prenez garde donc aux gestes impulsifs tout autant qu'aux tics, qui perturbent une écoute généreuse, comme :

- mordre vos lèvres,
- jouer avec vos pièces de monnaie,
- froncer vos sourcils,
- peigner vos cheveux,
- boutonner votre veston,
- ne pas nettoyer vos lèvres d'un filet blanc d'une salive élastique...

Vous devez gesticuler en public aussi spontanément et naturellement que si vous conversiez en privé. Des gestes, en public, il ne faut point vous en priver. Qu'ils soient sobres, précis, signifiants, naturels et gracieux lorsqu'ils prouvent, réfutent, décrivent, démontrent, indiquent, repoussent, cherchent, attirent, palpent, tâtent, mesurent, frappent, percent, unissent, séparent, saisissent, dévoilent, étendent, découvrent...

Pour réussir vos gestes, n'y pensez pas explicitement. Il vaut mieux vous concentrer sur les personnes à qui vous vous adressez et, dès lors, vos gestes naîtront aisément pour secourir votre pensée en recherche d'expression manuellement appuyée.

Spontanément, vos gestes auront un départ et une arrivée justifiés. Ils découleront de source en une belle gerbe déployée généreusement.

Pour arriver à une gestuelle appropriée et à une meilleure qualité d'expression non verbale, pensez davantage à en enlever qu'à en ajouter.

Élément 11 : la parure

LE NON-VERBAL

La parure, c'est l'apprêt endimanché du dit.

Vous présenter en public oblige à un certain protocole. Selon les circonstances, il vous faudra le costume d'occasion, bien ajusté.

Dans le respect des bienséances, vous devrez suivre l'étiquette que requièrent les personnes et les lieux auxquels vous êtes lié. Veillez à respecter les règles du moment commandées par les exigences sociales et professionnelles de ceux qui vous ont invité.

Toutes les tenues, celle de ville, celle de voyage, celle de camping, celle d'affaires ou celle de gala, ne sont pas de mise inconsidérément : il faut en peser le genre, en chaque espèce.

Saviez-vous que les vêtements qui vous sont vendus vous vendent ? En effet, dit Tom Wolfe : « La façon dont une personne s'habille révèle le secret de son cœur. »

D'après Colin Randall, la cravate exprime beaucoup de choses quant à la personnalité et à l'humeur du porteur :

> *Les cravates de couleurs vives et avec des motifs audacieux sont pour les extravertis, celles qui ont des rayures claires et foncées expriment une personnalité indécise. Les larges rayures sur fond sombre vont à ceux qui sont toujours heureux. Quant aux pessimistes, ils optent pour le schéma inverse. On trouve les cravates multicolores au cou des hommes mécontents de leur passé ; les gagnants préfèrent les cravates claires à motifs foncés, alors que l'inverse séduit les êtres effacés. Les traditionalistes portent des cravates à motif cachemire, tandis que ceux qui vont de l'avant affectionnent les motifs géométriques sombres sur fond clair.*

En ses couleurs, textures, rayures et coupes, que dire du reste des vêtements qui physiquement nous drapent sinon que psychiquement ils nous déshabillent !

Soyez de bon goût dans le choix de votre coiffure, de vos bijoux, de vos vêtements et de vos souliers. Que l'ensemble vous siée de la tête aux pieds !

Ne cherchez pas à être à l'avant-garde du chic et de l'apparat : vous pouvez être élégant sans les gants !

Ne vous présentez pas en public avec des vêtements neufs. Bien avant l'heure H, prenez la peine de vous bien mouler en ceux-ci de peur que, sur place, ils n'accaparent trop votre attention, au détriment de celle de votre auditoire auquel vous devrez livrer votre sujet dans son meilleur emballage !

Essayez de vous présenter en public en des ensembles au goût du jour et bien pressés, en un mariage de teintes bien assorties, pour certains selon leur charte de couleurs...

Il ne faudrait pas que ce qui enveloppe votre corps ne convienne pas à votre personnalité tant dans ses valeurs intellectuelles, émotionnelles, morales que physiques !

Fuyez l'insolite et le grotesque. Ce n'est pas la place pour exhiber vos collections de bracelets, colliers, montres ou boucles d'oreilles...

Tout ce qui pend peut faire beaucoup de bruit à vos dépens et sur les tympans tambouriner mal à propos... Dans ce qui vous couvre, un rien ne doit déranger.

Videz vos poches avant de vous présenter sur scène, de peur que les objets ne vous « épaississent » ou ne résonnent à votre place !

Selon John Malloy, l'habillement joue aux États-Unis jusqu'à 84 pour 100 dans le choix d'un candidat dans l'engagement à un poste de cadre chez les gens d'affaires.

Le milieu des affaires attache beaucoup d'importance à la source de crédibilité que révèle l'extérieur de l'être, au point d'ailleurs que le vêtement est pour lui un signe certain de la pensée de son porteur. Que votre ensemble plaise et charme en dégageant une heureuse harmonie de couleurs et de formes exprimant votre personne en ce qu'elle a de plus profond. En vos vêtements, que rien de ce qui vous vête ne mente !

Contrairement à l'adage, ici « l'habit fait le moine »... du moins, pour d'aucuns, le cache-t-il !

LE NON-VERBAL

Élément 12 : le maintien

Le maintien, c'est l'ossature visuelle du dit.

Dès votre entrée en scène et jusqu'à votre sortie, portez une attention particulière à l'effet que vous dégagez. Dans votre démarche et dans votre tenue, exprimez de l'assurance, de la cordialité, du respect envers votre groupe. Que votre scintillant paraître, en place, révèle le lustre de votre être : alors, sous les feux de la rampe, vous brillerez de mille feux !

Sans rechercher de relation dominante, relevez la tête, remontez les épaules, déployez le torse, dressez la colonne vertébrale, rapprochez les genoux, détendez les bras et ouvrez les mains, avant de vous avancer oralement.

Dégagez une image ouverte et positive de vous : évitez tout indice de fermeture et de négation non essentiel aux effets de votre communication. Abstenez-vous donc de croiser vos bras et de vous cacher derrière de gros objets (lutrin ou table).

Après avoir balayé d'un regard sympathique tout votre groupe, ne parlez qu'une fois rendu en place. Essayez de parler debout plutôt qu'assis : vous dégagerez une attitude plus décidée et plus dynamique, aux voies d'accès multiples.

Ne vous déplacez que pour une raison sérieuse : vous assumerez mieux la possession de votre territoire en ne dérangeant pas votre auditoire par de fréquents déplacements nerveux. La qualité de votre tenue vous permettra une respiration plus facile et plus profonde et, par le fait même, une inspiration plus généreuse.

Portez attention à l'endroit de votre exposé. À vous tenir trop près de votre groupe (moins d'un mètre de distance), vous entreriez dans une sphère de relation non autorisée qui risquerait d'indisposer votre auditoire. En public, la meilleure distance se situerait entre quatre et sept mètres. Une distance « raisonnable » pour un premier contact varierait entre un et quatre mètres.

Selon notre convenance culturelle, prenez conscience que :

- si vous avancez d'un pas vers l'avant, c'est que vous allez révéler un point important ;
- si vous reculez d'un pas, vous concluez un point sectoriel ou vous êtes arrivé à votre conclusion ;
- si vous vous déplacez de côté, vous amorcez une transition importante.

Physiquement, certes, vous ne pourrez vous changer radicalement ; aussi jouez bien votre âge, votre sexe, votre morphologie.

D'après la psychologie des formes, comme une certaine corpulence ferait paraître plus vieux, plus conservateur : n'accentuez pas dans votre tenue ces traits. Consolez-vous cependant que, par cette morphologie, vous dégagerez un abord plus sociable ! Si vous avez un corps plus athlétique, vous passerez pour plus mûr, plus grand, plus aventureux : selon l'objet de votre entretien, vous aurez avantage à modifier certains aspects de votre exposition. Si vous êtes mince, vous passerez de soi pour plus ambitieux, plus nerveux, plus pessimiste et plus tranquille : surveillez alors votre style dans vos propos !

En annonce, votre corporel est une donnée de marketing prioritaire de votre valeur tant que vous n'aurez pas ouvert la bouche pour la soutenir ou la sous... ternir !

Paramètre IV : les sons

Quand vous parlez, les sons sont les vecteurs de vos mots. Dans la communication orale en public, les sons réfèrent au vecteur ondulatoire qui permet en sensations auditives le transport et la réception des mots véhiculant les idées et les émotions, comme l'affirme Waldo Emerson : « Le style d'un homme, c'est l'état d'âme de sa voix. »

En leurs harmoniques, les sons portent l'état d'être de celui qui parle et laissent percevoir plus ou moins consciemment l'âme qui vibre au diapason des sons.

Dans la communication orale, la vibration sonore qu'occasionne le mot verbalisé est le fer de lance de votre pensée personnalisée. Comme traits d'union entre le cerveau de l'émetteur et celui des récepteurs, les sons constituent un élément essentiel du langage parlé. Par la gamme de leurs stimulations vibratoires, ils permettent physiquement l'interface première des sens externes menant les mots aux facultés internes. Pour leur faire connaître en mots soufflés ce que vous avez dans le ventre, les sons sont les supports acoustiques que vous offrez aux autres.

Dans la complexité de la transmission de la pensée, les ondes sonores, en perturbant adéquatement le milieu physique élastique, doivent engendrer, par stimulation des éléments sensoriels de l'oreille interne, une captation aisée et compréhensible des mots projetés, porteurs d'idées et d'émotions. Si vous voulez que les idées s'échangent et perdurent en attention, les sons sont la sculpture sonore des mots qui doivent être perçus sans tension.

Les sons peuvent noyer le sens des mots s'ils ne sont pas de fait chargés du sens réel et profond des termes exploités.

C'est beaucoup dans les sons que vos attitudes paraissent le plus à découvert : dans ses pulsions, votre voix exhibera à la conscience d'autrui, même vos inhibitions parfois les plus profondes.

Apprendre à parler, c'est apprendre à ressentir les vibrations buccales des pensées qui voyagent en sons non forcés. Il faut habiter d'esprit et de cœur la voix que vous projetterez si vous voulez qu'autrui, en ses vibrations, la perçoive telle quelle.

Le graphologue nous juge surtout par la forme des mots écrits ; le verbo-logue, lui, sur le style des sons dits. Que votre ramage se rapporte donc à votre plumage, si vous ne voulez pas devenir une victime des ondes !

Quels seraient donc les quatre éléments de vos sons pour que votre communication orale soit efficace ? Vos sons doivent fignoler le registre, le volume, l'articulation et la vitesse.

Élément 13 : le registre

Le registre, c'est la valeur intérieure emportée dans le dit.

Pour bien rendre en sons le fond de votre pensée, le registre juste exige que vous ayez la bonne intonation.

Il faut une relation indéfectible entre le sens des mots en soi et la portée que leur donnent vos sons en les projetant : c'est donc dans l'émergence des sons que des mots seront mis en relief et permettront ainsi aux auditeurs de se faire une idée juste de ce que vous pensez et exprimez.

Si vous dites : « Je suis très heureux d'être ici aujourd'hui », vous ne devriez pas être monotone. Au contraire, le « très heureux » devrait être extériorisé avec beaucoup d'insistance : en haussant le ton, en appuyant davantage, en descendant d'un ton ou deux ; en insistant sur les mots, en variant le débit. Sinon, doutez de la sincérité de l'état d'être de celui qui exploite ici un superlatif vidé de son amplification nominale.

Comme le souligne d'ailleurs Cicéron, « toute l'échelle des inflexions de la voix doit être parcourue avec art et méthode. Elle sert à la variété et est à la disposition de l'orateur comme les couleurs qui se trouvent sur la palette du peintre ».

En sachant jusqu'où vous pouvez monter et descendre votre voix, vous parviendrez à trouver votre note moyenne et à partir de là, varier votre énoncé sur l'ensemble de la portée sonore de votre registre personnel, sans vous forcer ni ennuyer les auditeurs.

Fions-nous à Gerald Millerson : un son haut est excitant, léger, cassant, entraînant, revigorant, exaltant, attirant. Un son bas est synonyme de pouvoir, lourdeur, profondeur, solennité, sinistre, cachette, dépression.

D'après Pierre Léon, en partageant votre amplitude sonore en quatre strates et en y plaçant les chiffres de 1 à 4, de bas en haut de votre portée personnelle, vous pourriez ainsi livrer une phrase :

- énonciative   aux niveaux 2, 3, 2, 1 ;
- impérative   aux niveaux 4, 3, 2, 1 ;
- interrogative   aux niveaux 4, 3, 2 ou 2, 3, 4 ;
- incisive   aux niveaux 2, 3 ou 2, 1 ou 4, 3.

Toute approche sonore ascendante crée l'attente, tandis que la descendante comble l'attente.

Selon les circonstances, il vous faudra travailler la trame sonore pour ajuster votre ton pour qu'il soit au besoin grave ou enjoué, solennel ou familier, majestueux ou vulgaire, bienveillant ou sarcastique, autoritaire ou conciliant... Il faut que vous deveniez différent en sons et non indifférent aux sons !

Retenez que parler en mode mineur exprimera votre mélancolie et qu'en mode majeur, vous dégagerez plus de vigueur.

Votre voix sera agréable quand elle sera en accord avec votre personnage et correspondra à votre image physique.

Comme empreinte, nous précise Charles Osgood, votre voix révélera de vous quarante données dont, entre autres, par ordre décroissant, votre sexe, âge, vitalité, beauté, émotivité, intelligence, intérêt, maturité, éducation, conviction, jovialité, taille, sensualité, sens artistique, sociabilité, santé, honnêteté, ouverture...

Si le don des langues n'est pas tant l'aptitude à les parler qu'à les entendre, c'est vous dire le souci attentif qu'il vous faut apporter à ceux qui vous écoutent, surtout pour la première fois. Donc, pour rendre les oreilles plus sélectives, rendez votre bouche plus élective. Sachez qu'il faut avoir de l'intention pour susciter de l'attention. Attention à ce que vous dites pour ne pas que ce que vous dites engendre de la tension !

LES SONS

Élément 14 : le volume

Le volume, c'est la force physique du dit.

Comme au violon, la parole n'atteint sa cible que lorsqu'elle est inouïe.

Sauf pour une recherche d'effets inattendus comme le chuchotement, l'auditoire ne doit pas tendre l'oreille avec effort. Avec la portée normale de sa voix qui peut atteindre 120 mètres à la seconde, l'orateur doit s'efforcer d'atteindre tout le monde et leur permettre une écoute agréable. C'est Molière qui nous le certifie : « Quand on se fait entendre, on parle toujours bien. »

Compte tenu des conditions de la salle, de son environnement ou du nombre d'auditeurs, il vous faudra parfois avoir recours à un micro. Ne vous en approchez pas trop pour ne pas assourdir vos sons. Sachez que trop de micros brisent les harmoniques de votre voix : si vous le pouvez, passez-vous de ces supports déformants.

- Que de bouches   au plafond dirigées !
- Que de bouches   au sol orientées !
- Que de bouches   au tableau tournées !

Dès lors, que de pavillons auriculaires polyphasés par des rebondissements sonores impolis !

Si vous espérez que les autres vous reçoivent sans ricochets, surveillez constamment l'axe bouche-oreilles.

Dans un axe projeté, affirme Marie-Claude Pfauwadel, un décalage de vingt degrés diminue de trois à quatre décibels la puissance de votre voix. Ainsi, si vous tournez le dos à votre public, vous allez perdre la face, en volume !

D'après Waldo Emerson, il y a une corrélation entre les caractéristiques acoustiques du son et l'état d'être émotionnel engendré. Un son fort est relié à la force, l'imposition, le pouvoir, l'énergie, l'excitation. Un son doux est associé à l'apaisement, la paix, la gentillesse, l'asservissement, la délicatesse.

À chaque paragraphe, sinon à chaque phrase, pensez à recommencer bas et moins fort. Chaque fois que vous parlez fort, vous parlez automatiquement plus haut à cause de la pression d'air sous-glottique.

Pour qu'une voix porte bien, il faut la réchauffer avant d'aller en public. Comme les chanteurs, placez votre voix de telle façon que les sons, sans forcer, viennent frapper le haut du palais dur près des dents du haut, pour vous résonner au front. Levez au maximum le palais mou afin d'amplifier dans le résonateur de la bouche toutes les harmoniques de votre voix. Bâillez, vous y arriverez : faites alors des vocalises !

Conscientisez-vous à l'état du récepteur, à l'esprit de votre sujet et à ce que vous ressentez, pour ouvrir ou fermer l'amplitude sonore de votre soufflerie. Le volume doit être proportionnel à la valeur de vos idées et de vos sentiments exprimés.

Surveillez votre respiration : l'inspiration d'air est préalable à une expiration « inspirée » ! Saviez-vous que, toujours d'après Marie-Claude Pfauwadel, en cinq jours d'entraînement, une bonne respiration abdominale augmentera même votre voix de six à sept décibels ?

Comme vous ne pouvez pas changer le spectre acoustique de vos harmoniques vocales, tablez sur la respiration et les résonateurs pour en améliorer la portée et l'effet.

En conversation, vous n'avez besoin que de 40 pour 100 de la capacité pulmonaire, alors qu'il vous en faut 80 pour 100 pour parler en public et 100 pour 100 pour chanter. Pensez donc à respirer sciemment pendant toute la durée de votre communication orale.

La respiration profonde, abdominale non seulement atténuera votre nervosité par son enjeu sur le diaphragme, mais de plus favorisera votre inspiration mentale qui se révélera profonde lors de votre expiration physique exprimant vos mots sans maux...

LES SONS   *Élément 15 : l'articulation*

L'articulation, c'est la netteté des voyelles et des consonnes sonores dans le dit.

Chez le récepteur, l'articulation permet la saisie des mots dans le flux sonore de la phrase.

Le mot s'exprime et s'imprime par les syllabes qui le constituent. Aussi faut-il bien affirmer vos mots dans leurs spécificités consonantiques et vocaliques.

Il faut apprendre à « dépecer » les mots pour en différencier les unités afin de vous assurer que la force de votre idée et la puissance de vos émotions seront traduites adéquatement et saisies judicieusement.

Comme les sourds suivent sur les lèvres pour y détecter les mots qui définissent les pensées, vous vous assurez en articulant avec détermination une perception garantie de la part de votre auditoire suspendu à vos lèvres. Si les mots ne sont pas fermement captés, c'est la pensée en ses porteurs qui s'évanouira.

L'articulation requiert de la vigilance, de l'effort et de la volonté pour que l'appareil vocal parvienne à traduire en ses dix-sept muscles linguaux et trente muscles buccaux toutes les nuances des termes qui, pour parvenir aux pavillons ouverts de vos auditeurs, empruntent notamment les neuf fonctions majeures des muscles buccaux : fermeture, poussée vers l'avant, arrondissement, élévation et abaissement des lèvres ; traction, abaissement, élévation et compression des commissures.

Bien articuler n'exclut pas bien prononcer qui, comme art, respecte les règles et usages locaux concernant la manière de dire tel mot, en soi ou de fait, selon telle ou telle phrase.

Bien articuler impose un effort préalable en coulisse si vous ne voulez pas en public bredouiller, baragouiner, bafouiller, balbutier ou mâchonner...

Aussi, suivez ce conseil judicieux de Jules Verest : « Soumettez chaque jour les organes de la phonation à une gymnastique méthodique et intensive ; innervez les cordes vocales, assouplissez les muscles de l'arrière-bouche et de la bouche, surtout la langue et les lèvres en s'évertuant à prononcer avec pureté et à articuler avec netteté. »

Pour parvenir à prononcer les mots distinctement, il vous faudra travailler :

- les voyelles   buccales (a, é, i, è, o, ou, eu)
- les voyelles   nasales (an, in, on, un)

- les consonnes   occlusives (p, t, k, b, d, g, v)
- les consonnes   vibrantes (r, l)
- les consonnes   fricatives (f, s, ch, j, z)

Des exercices judicieux comme ceux présentés aux pages 198 à 201 vous y aideront sûrement. Appuyez un long crayon sur les commissures. Puis, à haute voix, livrez ces textes en mordant.

Prenez le temps d'enregistrer vos exercices. Écoutez-vous sérieusement. Méfiez-vous des rubans magnétiques : ils sont maléfiques. Ils sont plus traîtres que les cerveaux, car eux retournent en arrière pour vous rendre présent.

Fuyez les parasites comme les « eeee... », « hum », « tu sais ce que je veux dire... », etc. Excluez tout hiatus qui vous déclasserait devant l'auditoire.

Certes, il faut éviter l'exagération et le pédantisme en public ; cependant, vous devez offrir un débit de qualité supérieure tant dans le respect de la langue que dans celui de l'auditoire, qui se doit de vous entendre sans effort et avec beaucoup de plaisir même. Que vos sons articulés soient bien appuyés, bien détachés, « martelés » avec justesse et délicatesse.

Dès lors, selon Diderot et d'Alembert, même les malentendants pourraient, à même votre gymnastique labiale, vous saisir : « On peut dire avec plus de vérité, que chaque mot, chaque articulation, chaque son produisent des mouvements différents sur les lèvres ; on a vu des sourds en connaître si bien les différences et les nuances successives, qu'ils entendaient parfaitement ce qu'on disait, en voyant comment on le disait. »

Élément 16 : la vitesse

La vitesse, c'est le rythme du dit.

Le plus grand problème n'est pas tellement d'entendre, surtout si les propos sont bien articulés ; c'est de comprendre ce qui est sonorisé.

L'oreille peut capter beaucoup de sons, mais l'intelligence qui est à l'autre bout du tunnel des ondes n'arrive pas à digérer tout le flux des sons signifiants. Aussi faut-il savoir contrôler la vitesse du débit afin d'assurer la compréhension des idées et des sentiments derrière les sonorisations.

À l'oral, la vitesse tue non seulement les ressources tonales, mais aussi les ressources inspiratrices et encore plus les ressources compréhensibles et mnémoniques.

LES SONS

Jean Lerède l'affirme : « On ne saurait trop insister sur l'importance des silences en expression verbale. » Car il faut à tout prix permettre aux auditeurs de récupérer le son déjà verbalisé pour permettre une nouvelle attention à ce qui sera dit. Le cerveau qui réfléchit est d'action beaucoup plus lente que la réaction de l'oreille qui infléchit.

La parole est comme l'eau : il faut laisser le temps de permettre une fructueuse pénétration du canal auriculaire afin d'assurer une meilleure irrigation de l'« humus » mental.

C'est comme si la mémorisation durable des mots exigeait que ceux-ci aient le temps de pénétrer dans l'inconscient, de s'y enfoncer, d'y trouver comme un écho profond avant qu'une nouvelle vague de mots ne leur succède pour effectuer le même périple. C'est dans le silence extérieur que la parole internée se fait le mieux entendre.

N'ayez pas peur du silence, il est toujours chargé de sous-entendus, pourvu que vous le nourrissiez à dessein. Il faut donc savoir vivre vos silences si vous voulez qu'ils alimentent les mots qui les auront précédés. Alors, apprenez à vous taire !

Selon Waldo Emerson, retenez que des interventions accélérées expriment la force, la vigueur, l'excitation ou un développement progressif, alors que des interventions en décélération atténuent les tensions, créent une dépression marquée et annoncent une conclusion hâtive.

Sachez qu'un débit constamment lent confère de l'aplomb, de la solennité, de la gravité et de la réflexion, voire de la monotonie ; alors qu'un débit invariablement rapide signifie volubilité, empressement, véhémence, agacement et lassitude.

Que, sur la valeur symbolique des sons, ces notes, mises à votre portée, fournissent la clé de voûte à votre pose de voix pour bien mettre à l'écoute sur la bonne voie vos auditeurs bien « timbrés » à votre approche sonore en sens harmonisée.

Un orateur doit penser rapidement, mais ne dépenser que lentement. Cependant, trop posément mènerait à la léthargie. Les gens venus pour vous entendre ne sont pas là pour un somme y faire. Alors que trop diligemment ferait vite décrocher, il faut un juste milieu entre la volubilité fiévreuse et la lenteur impassible.

Faites attention à ce que le trac ne fasse accélérer votre débit : sachez respirer profondément. D'une part, en inspiration, vous disposerez de plus de temps pour recharger vos « piles » mentales ; d'autre part, en expirant, vous traduirez mieux votre pensée en sections imbriquées.

Un bon rythme du discours tient aussi compte du caractère musical, rythmique et mélodique de la phrase au point que la cadence joue pour beaucoup sur les cordes de la sensibilité pour émouvoir agréablement.

C'est que les rythmes cardiaques et respiratoires de tous se conjuguent aux rythmes expressifs pour ouvrir très grandes les avenues du subconscient. Soyez-en conscient !

Pensez que chez ceux qui boivent vos sons, le flot de vos propos peut noyer votre pensée...

Paramètre V: les mots

Les mots sont les porteurs de votre pensée. Les éléments des mots proviennent des consonnes et des voyelles qui, unies selon des entendus linguistiques, sont porteuses de significations que les sons catapultent et que l'expression non verbale exporte par les divers sens jusqu'aux esprits des autres où ils font naître les pensées les plus prometteuses.

La parole est constituée de mots dits qui, agencés selon des lois grammaticales, veulent à distance exprimer une pensée de la façon la plus identique possible entre ce que conçoit l'émetteur et ce que comprennent les récepteurs. Les mots sont donc des formes douées de sens qui, reliées entre elles selon certaines lois, produisent des phrases qui font progresser la transmission des idées et des émotions. D'ailleurs, Hitler était profondément convaincu de la supériorité du verbal sur l'écrit : « Les grands groupes de la nation succomberont toujours et seulement à la force des mots parlés. »

Entre les sons et les pensées, les mots sont donc des moyens termes pour partager ce que vous pensez avec l'autre qui doit vous comprendre correctement.

Votre choix de mots révèle l'important bagage de votre érudition, le niveau subtil de votre culture et la source généreuse de votre imagination.

Les mots sont constitués de substantifs, de verbes, d'adjectifs, d'adverbes, d'articles, de conjonctions, de prépositions, de pronoms, d'interjections qui, selon Thomas Gordon, pour être intelligibles doivent être spécifiques, pittoresques, imagés, personnalisés et simples.

Pour brancher les cerveaux sur la même longueur d'onde de pensées, les mots sont des apports intellectuels essentiels pour transmettre le plus adéquatement possible les notions fondamentales des informations que vous voulez faire saisir correctement. Les mots sont nos pensées en écho !

En escaladant vos mots, pour vous suivre, il ne faut pas que les gens perdent la trace, se cramponnent d'incompréhension et piochent d'impatience ! Évitez, en public, les avalanches de mots. Bien que vous devriez être coulant, laissez-vous appréhender sans étranglement, sinon vous risquez l'engorgement par l'asphyxie verbale.

Quels seraient donc les quatre éléments de vos mots pour que votre communication orale soit efficace ? De vos mots, souciez-vous de l'adaptation, de l'évocation, de la transmission et de leur harmonie.

LES MOTS

Élément 17 : l'adaptation

L'adaptation, c'est l'adéquation du vocabulaire selon le degré culturel du récepteur au dit.

Une communication doit non seulement être émise correctement (une pensée claire, un mot juste), mais de plus, et surtout, elle doit être saisie, comprise et retenue comme telle en réception.

Ce n'est pas que les mots ne puissent pas être captés par l'oreille : il faut davantage ! Les mots doivent être compris par l'intelligence de tous ceux qui les reçoivent. Il faut donc entrer dans le système de référence de l'autre : se soucier de sa capacité de comprendre : se mettre à sa portée : s'y adapter à tout prix. Appropriez-vous donc le niveau culturel et intellectuel de votre auditoire sans l'obliger à se hisser à votre hauteur : cela pourrait le forcer à décrocher. Suivez ce conseil de Pascal : « Il faut se mettre à la place de ceux qui doivent nous entendre, et faire essai sur son propre cœur du tour qu'on donne à son discours, pour voir si l'un est fait pour l'autre, et si l'on peut s'assurer que l'auditeur sera comme forcé de se rendre. »

Dès lors, entre deux mots dont l'un pourrait être savant et juste et l'autre plus ordinaire mais tout aussi adéquat, l'orateur doit s'arrêter sur le mot que tous peuvent comprendre. Sinon, les difficultés non aplanies par les mots ne créeraient que maux !

Quelques termes neufs ne sont pourtant pas à exclure pour autant que l'orateur se soucie sur-le-champ d'en donner la signification de façon délicate, de manière à ne pas mettre en évidence l'ignorance de quelques-uns.

D'après la théorie de la programmation neuro-linguistique, les gens seraient divisés en trois groupes majeurs selon qu'ils sont plus sensibles au langage exprimant leur sens dominant : les visuels, les auditifs et les kinesthésiques (goût, odorat, toucher).

Dans l'optique de ne rater aucun public spécifique par vos mots, communiquez dans tous les systèmes :

- je ne peux pas me voir faire cela (vision) ;
  - cela me dit quelque chose (audition) ;
    - je n'ai pas de prise sur le problème (toucher) ;
    - cela sent la fraude (odorat) ;
  - j'en garde un goût amer (goût).

Comme en marketing, c'est vous soucier du client que de le bien cibler afin d'aller non seulement résoudre ses attentes par un produit qui réponde à ses besoins, mais surtout offrir un langage adapté à son bagage culturel. Travaillez donc en mots usuels, concrets et actifs : ils seront plus attractifs.

D'ailleurs, le marketing du monde des affaires n'a jamais été trop éloigné du cœur de l'être quand les communicateurs ont structuré le marchéage classique sur le touchant concept AIDA : Attention, Intérêt, Désir, Achat.

Bien que vous deviez avoir un but, évitez donc les mots prétentieux, inusités, les approches trop savantes, les circonvolutions exotiques, les formules fort techniques. Ayez un langage non hermétique, vous serez moins impénétrable. Soyez intelligible en ayant un vocabulaire adapté aux circonstances dans lesquelles vous évoluerez, de façon plus personnelle que solennelle. N'allez pas par exprès fouiller dans les mots les plus complexes sous prétexte d'épater.

Élément 18 : l'évocation

LES MOTS

L'évocation, c'est le rappel sensoriel dans le dit.

La démarche de nos connaissances ne procède-t-elle pas toujours de la captation de nos sens ? C'est l'itinéraire sensé de l'apprentissage.

Dès lors, servez-vous-en comme d'un tremplin pour la compréhension des réalités intellectuelles et spirituelles qui se saisissent mieux en approche sensorielle (le nerf comme un ressort à boudin).

Exploitez les mots qui vont au creux de l'inconscient pour faire éclore les plus vives représentations des idées et les plus fortes émotions des passions.

En vos mots évocateurs, efforcez-vous de montrer les couleurs (voiture rouge) ; de faire entendre des sons (porte qui grince), de faire palper des objets (surface rugueuse), de laisser flairer des parfums (savon, lavande), de faire éprouver des sensations (peur paralysante).

Apprenez à jouer avec les adverbes et surtout les adjectifs qui viennent qualifier les énoncés en cours selon le spectre des couleurs (robe rose), la gamme des sons (*la* aigu), le jeu des formes (toile ovale), l'échelle des poids (cadeau lourd), la strate des saveurs (aigre-doux), les degrés de température (60 degrés), la diversité des textures (roche lisse), la dimension des surfaces (3 mètres de diamètre), la nuance des odeurs (odeur de brûlé), la rapidité des vitesses (80 kilomètres à l'heure), etc.

Pour mieux livrer votre pensée, travaillez beaucoup avec la comparaison (ressemblance/dissemblance). Par la métaphore (« les plantes jettent leurs échelles de fleurs »), associez deux objets sensibles entre eux ; par le symbolique (« vous êtes le sel de la terre »), rapprochez un objet sensible pour faire valoir un objet abstrait.

Si vous persistez à faire correspondre chaque élément de la comparaison aux divers détails de vos pensées, vous exploiterez l'allégorie (« vous êtes tel un bateau désemparé »).

Osez jusqu'à la fable (le Corbeau et le Renard) qui, pour illustrer un précepte, met en scène, dans un récit imaginaire, des êtres (animaux et personnes) évoluant vers un dénouement d'où est tirée la morale escomptée.

Risquez-vous à exploiter la parabole (l'enfant prodigue) qui, par la description d'une histoire, transmet de manière détournée et plus sensible un enseignement parallèle dont la portée intellectuelle ou spirituelle est plus ou moins sciemment voilée.

Tentez même la prosopopée (« la poupée affirma... ») si jamais la personnification des objets captait mieux l'attention et soutenait davantage l'intérêt. Seraient aussi évocatrices toutes les formes de substitutions : la synecdoque (sous l'aile/sous la protection), l'antonomase (un Crésus/un riche), la métonymie (boire un verre/boire un contenu), etc.

Pour évoquer, toutes figures de style donnent un coloris tel que leur éclat illustre et anime votre récit d'une palette de couleurs qui n'ajoute que du charme éblouissant à l'expression de vos diverses pensées.

Véhiculer la connaissance jusqu'aux facultés, telle est la vocation des figures. Sinon, un exposé se défigure s'il n'atteint que les sens, comme nous le rappelle ce proverbe chinois : « L'enseignement qui n'entre que dans les yeux et les oreilles ressemble à un repas pris en rêve. » Donc, ne soyez pas éthéré. Ayez une approche plus terre à terre ; vous passerez alors pour une étoile filante qui laisse une traînée visible dans la noirceur des yeux...

Élément 19 : la transmission

La transmission, c'est l'adéquation du vocabulaire à la pensée dans le dit.

Une idée claire provient nécessairement d'un mot juste. C'est lui qui éclaire jusqu'à l'aveuglement, comme nous l'affirme Mark Twain : « La différence entre le mot juste et celui qui l'est presque est celle qui existe entre l'éclair et une luciole. »

Qu'une pensée claire ne soit pas ombragée par un mot nébuleux. Fuyez les expressions fautives, les locutions vicieuses, les tournures relâchées : recherchez le terme précis, l'expression seyante, le mot riche qui dévoilent tout et font goûter l'ensemble sans détour.

Le mot, instrument de liaison, est le faire-valoir de votre pensée en toute conformité. L'ajustement exact entre ce que vous pensez et ce que vous dites n'est assuré que pour autant que les mots choisis pour vous exprimer le permettent sûrement en vertu de leur pouvoir réel de sens communément convenu.

N'arrive-t-il pas trop souvent que vos mots surpassent ou demeurent dans votre pensée ? C'est qu'alors le mot a mal joué son devoir de transmetteur : il n'a pas bien délégué... il a été un mauvais ambassadeur !

Dans leurs répercussions, imaginez alors les inconvénients chez ceux qui cherchent à saisir le fond de votre pensée alors même qu'elle est non seulement mal envoyée, mais, de plus, incomplètement traduite.

N'ayez crainte d'ouvrir le dictionnaire : dans ce recueil de mots ordonnés, allez à la recherche de définitions justes. Vous constaterez des nuances de signification tant au sens propre que figuré qui vous aideront à mieux cerner les informations que vous voulez livrer de manière transfigurée.

Par l'enjeu des termes similaires et opposés, vous apprendrez à vous exprimer avec un contraste raffiné. Vous serez même surpris de voir naître des idées plus riches qu'une association de termes aurait fait enfanter. Pour transmettre parfaitement vos pensées, évitez les « il », et surtout les « on ». À trop généraliser, vous dépersonnaliserez.

Osez nommer avec la plus grande exactitude. Les mots ont un pouvoir quand ils désignent ce que vos sens ont perçu et ce que vos facultés ont conceptualisé ou ressenti.

Prenez conscience que les mots sont intrinsèquement porteurs de sens positif, négatif ou neutre. D'après les mots que vous employez, quel serait alors votre profil psychologique ? Seriez-vous un orateur dynamique, apathique ou statique ?

Évitez d'utiliser toujours le même mot : pour présenter une panoplie de termes subtilement différenciés, munissez-vous d'un dictionnaire de synonymes. Vous jouerez sur les termes en renfort de subtiles nuances. L'ombre d'un mot donne plus de force que son nombre : serait-ce là le langage des mots ?

Vous trouverez, d'après Béda Rigaux :

- dans le *Grand Larousse* :   200 000   mots ;
    - dans le *Petit Robert* :   50 000   mots ;
- dans l'*Évangile selon saint Luc* :   19 428 mots... et que 2 055 différents.

Comme quoi, en peu de mots, des réalités très spirituelles peuvent être finement abordées !

Vous disposez, selon Francis Vanoye :

- dans votre bagage culturel de   24 000   mots ;
- dans votre langage courant de   3 000   mots.

D'après une étude de Thierry Saussez, quand le Français dans son langage quotidien n'utilise que 1 200 mots, pourquoi alors nous fatiguer les méninges à rechercher des termes qui au terme arriveraient évidés de leur substance parce que mal perçus ? Transmettons donc simplement en ayant confiance en nos ressources acquises. Alors en public, n'ayez crainte de manquer de mots ! Vos maux vous viendront surtout de votre manque de pensées : n'est-ce pas ce qui nous fiche réellement la trouille ?

Grâce aux moyens termes que constituent les mots qui œuvrent dans le même sens en d'autres êtres reposés, les mots justes et simples établissent une saine connivence entre les intelligences qui parviennent à une même longueur d'onde. Ainsi est effectuée, sans inquiétude, la « transe mission... »

LES MOTS

Élément 20 : l'harmonie

L'harmonie, c'est la concordance phraséologique dans le dit.

Dans le respect des justes proportions et de l'accord des parties entre elles, l'harmonie saute aux yeux en architecture et surtout éclate aux oreilles en musique. À l'oral, il sera donc question de la relation des mots entre eux, dans le respect des normes grammaticales et phonétiques qui les régissent souvent en simultanéité d'émission : vous aurez le respect des pronoms, des genres, des nombres et des temps, selon les usages syntaxiques du bon parler français, tel que l'exigent l'auditoire et les circonstances du discours.

Dans la recherche d'une grande pureté, d'une noble élégance, tout doit être en accord avec les lois de la grammaire : le tout drapé dans une distinguée sobriété. Faites vôtre ce conseil de William Shakespeare : « Soignez un peu votre langage, de peur qu'il ne gâche votre destin. »

Comme les pensées se livrent en mots enchaînés dans des propositions simples ou complexes, il vous faudra de plus vous soucier de la valeur des ensembles tant coordonnés que subordonnés.

Certes, la phrase à l'oral est moins formelle et moins complexe que celle de l'écrit ; cependant, dans le style parlé direct, il vous faudra rester parfait, sans toutefois chercher à épater artificiellement.

Selon François Richaudeau, recherchez l'énoncé positif et affirmatif qui frappe plus fort l'auditeur, qui l'incite à l'attention et lui offre plus de crédibilité. Sachez qu'à l'oral, la fin de vos phrases portera davantage que leur début ; dès lors, soyez bref.

Dans la construction de vos phrases courtes, placez au début les mots qui éclairent, à la fin ceux qui « détonent » si vous souhaitez que, à votre coup de foudre oratoire, votre auditoire fortement résonne.

Aussi, travaillez vos énoncés en phrases principales sans trop y ajouter de subordonnées. Livrez vos phrases courtes, solidement construites, parfaitement ponctuées et nettement détachées en au plus quinze à vingt mots. Au-delà de ce nombre, les gens se soustraient à vos avances multipliées qui ne font que les diviser.

Selon John Malloy, dans le respect du temps et de la psychologie qui imprégnera votre exposé d'un rythme aux cadences attendues, mais non moins bien apprêtées, développez votre phrase selon l'ordre chronologique (« après... le chef »), selon l'ordre des sensations (« après qu'il eût pleuré, il partit »), selon l'ordre conditionnel (« étant donné que... nous »), selon l'ordre logique (« puisque vous... nous »). Par rapport à la mémorisation normale, vous multiplierez ainsi par trois la valeur de la rétention.

Dans vos phrases, excluez les structures fautives, les banalités, les vulgarités, l'hermétisme et la préciosité, tout autant que les locutions vicieuses et les expressions relâchées.

Osez d'heureuses combinaisons comme la jonction d'un sens propre et d'un sens figuré (« soyez de vertus et non de soie habillé »), la forme parallèle (« le succès n'est rien, le devoir est tout »), la répétition emphatique d'un même vocable (« toi qui... toi qui »). Rebondissez par le redoublement (« ... dans le petit bois. Dans le petit bois... »). Saisissez par la gradation (« un pic, un roc, un cap ! ») ; réactivez par la correction (« que dis-je, un cap, c'est une péninsule ! »). Enfin, exploitez la forme paradoxale (« la cause de vos revers est le meilleur moyen pour envisager l'avenir »).

Tout en étant dans la mesure harmonieuse des exigences des esprits cultivés sans prétention, vous saurez ainsi parler juste et fort.

N'abordez pas la communication orale avec innocence, suffisamment convaincu que l'indulgence d'autrui va vous absoudre de toutes fautes, même de celles qui regardent la grammaire. Quand vous formulez, en mots, votre pensée, celle-ci doit s'accorder avec les normes qui régissent la langue que vous maniez, sinon, vous risquez de paraître « singulier » parce que vous manquerez de genre.

Paramètre VI : le matériel

Le matériel est ce que vous faites percevoir par l'apport de l'audiovisuel quand vous parlez. Dans la communication orale en public, le matériel est l'extension des facultés et des sens que vous transposez sur des supports variés. Ceux-ci concourent à vous faire estimer, comme l'affirme Étienne Bonnot de Condillac : « Une personne est rarement intéressante par les idées qui l'habitent, mais bien plutôt par la présentation qu'elle en donne, ce qui fait d'elle un être singulier que nous aimons. »

Le matériel doit être en accord avec les enjeux de votre pensée et celui de votre expérience sensorielle. Sachez y mettre votre touche personnelle en humanisant votre approche au maximum.

Le matériel devra atteindre les sens de ceux à qui vous destinez votre message pour mieux capter leurs facultés. Il sera donc une arme tactique qui peut parfois donner vie à votre message ou au contraire tuer l'intérêt de votre auditoire. Stephen Lucas le confirme : « Le type de matériel choisi importe peu : il sera efficace si vous le préparez soigneusement et le présentez adroitement. »

Le matériel, en ses éléments, sera donc sujet à un traitement adéquat si vous voulez en tirer tout le profit escompté.

Quels seraient les quatre éléments du matériel pour que votre communication orale soit efficace ? Votre matériel doit être pertinent, perceptible, esthétique et maniable.

LE MATÉRIEL

Élément 21 : la pertinence

La pertinence, c'est le rapport des médias au dit.

Quand vous vous adressez à un public, pour faire mieux comprendre votre message, vous devez vous interroger sur l'utilité de l'audiovisuel.

D'après Alfred Mohler, « les moyens audiovisuels nous permettent de souligner ce que nous disons et, en même temps, de renforcer de façon appréciable le souvenir ».

C'est le point de vue du public qui doit dominer dans l'adjonction ou non des supports médiatisés, tels les plans, les illustrations, les schémas, les diagrammes, les maquettes, les bandes vidéo, les objets...

Si l'audiovisuel n'est pas essentiel à la perception et à la compréhension de vos données, il doit du moins permettre de saisir avec plus d'agrément les informations que vous livrez oralement, à condition toutefois de ne pas vous répéter sous deux formes d'expression différentes. Sinon, éliminez ces supports qui ne viendraient que perturber la concentration de vos auditeurs en distrayant leur attention par une perception sensorielle non efficace.

Par ailleurs, l'audiovisuel n'est pas nécessairement la solution au trac : trop de communicateurs évitent ainsi de regarder directement leur auditoire pour ne concentrer leur regard que sur leur aide-mémoire souvent beaucoup trop chargé.

Comme une image vaut mille mots et qu'à l'oral nous n'en livrons guère plus de cent cinquante à la minute, vous pouvez vous imaginer le temps économisé en transmission si à votre expression verbalisée vous ajoutiez du même coup deux ou trois sens complémentaires...

D'après R.P. Rigg, souvenez-vous que nous apprenons :

1 pour 100	par le goût,
1,5 pour 100	par le toucher,
3,5 pour 100	par l'odorat,
11 pour 100	par l'ouïe,
83 pour 100	par la vue.

Retenons que nous nous souvenons :

à 10 pour 100	du lu,
à 20 pour 100	de l'entendu,
à 30 pour 100	du vu,
à 50 pour 100	de l'entendu et du vu.

Dans votre matériel, pensez à l'enjeu varié des cinq sens et, au besoin, faites voir, entendre, toucher, sentir et même goûter (si le groupe ne contient pas trop de personnes).

Comme conseil pratique, entre vous et votre auditoire, placez fictivement un immense panneau vitré sur lequel avec vos mains vous allez illustrer tout ce que vous aurez à expliciter : vous constaterez que non seulement vous verrez mieux vos gens, mais vous saurez mieux articuler vos gestes en un déploiement généreux et gracieux. Vous serez le plus dynamique moyen audiovisualisé qui soit !

Dès l'instant où vous ne pourrez plus illustrer ce que vous avez à dire, il sera grand temps de recourir à des supports additionnels qui alors joueront vraiment leur rôle d'appuis logistiques. Sinon, restez seul en piste !

Sous prétexte d'activer leur prestation branlante ou de susciter de l'écoute soutenue, trop de communicateurs investissent dans des béquilles audiovisuelles qui sont inaptes à traduire leurs pensées boîteuses.

LE MATÉRIEL

Élément 22 : la perceptibilité

La perceptibilité, c'est le discernement sensoriel jumelé au dit.

Selon le moyen audiovisuel utilisé, que tout soit *vu, entendu, senti, goûté, touché* aisément en chacun de ces éléments amalgamés afin que l'esprit puisse bien interpréter l'ensemble à contraster en ses lignes, en ses ombres, en ses textures, en ses espaces, en ses couleurs.

Pour les nouvelles données, rendez la perception sélective et le plus possible assise sur certaines connaissances déjà acquises.

Utilisez des indicateurs (flèches, chiffres, couleurs) pour orienter graduellement et complètement la perception. Ne ménagez pas les angles d'observation (de face, de côté, par-dessus, par-dessous, de derrière...). Donnez plusieurs plans de captation (l'ensemble, des secteurs, des gros et des extra-gros plans, des avant et des arrière-plans...).

Cependant, selon le conseil de François Richaudeau, n'utilisez que l'approche compréhensible : « Un message très original traitant d'un sujet attendu, souhaité par le récepteur, s'il est composé en charabia, ne sera pas compris, donc finalement pas reçu par ce récepteur. »

Par la taille de vos signes, vous pourrez ainsi faire percevoir la similarité, la différence et la proximité. Souciez-vous de remplir en qualité et en quantité la surface disponible de votre support et non d'exploiter un dixième ou moins de cet espace.

Pour une lisibilité assurée, la compagnie Xerox suggère d'appliquer la règle de un centimètre pour 30 : si le projecteur est à 30 centimètres de votre écran, que votre lettrage ait un centimètre ; à 64 centimètres, lettrage de deux, etc.

À l'écrit, exploitez le caractère helvétique, reconnu pour l'épaisseur et la solidité de ses lettres.

Ayez dans l'emploi des couleurs une autre combinaison que le noir et le blanc. D'autant plus que selon Ronald Green, la couleur accélère la connaissance à près de 78 pour 100, améliore la compréhension à près de 73 pour 100, accroît la mémorisation à près de 78 pour 100, soulève la motivation à près de 80 pour 100 et réduit les erreurs à près de 50 pour 100.

Jouez sur la psychologie des teintes en sachant que, comme l'affirme Jean Chevalier, le rouge excite tout en étant associé au défendu : l'orange active tout en étant associé à la vigilance ; le jaune ensoleille tout en étant associé à l'expansion ; le vert rafraîchit tout en étant associé à la possession ; le bleu refroidit tout en étant associé à la masculinité ; le rose adoucit tout en étant associé à la féminité ; le pourpre enchante tout en étant associé à l'érotisme ; le gris assombrit tout en étant associé à la réconciliation.

R.P. Rigg nous encourage à combiner les couleurs dans une optique de meilleure visibilité : exploitez les meilleurs ensembles des deux teintes ici reliées, en notant qu'elles sont présentées par ordre décroissant, meilleure couleur sur le meilleur fond.

1.	*noir* sur fond	*jaune* (l'inverse en 7)
2.	*vert* sur fond	*blanc* (l'inverse en 9)
3.	*rouge* sur fond	*blanc* (l'inverse en 8)
4.	*bleu* sur fond	*blanc* (l'inverse en 5)
5.	*blanc* sur fond	*bleu* (l'inverse en 4)
6.	*noir* sur fond	*blanc* (l'inverse en 10)
7.	*jaune* sur fond	*noir* (l'inverse en 1)
8.	*blanc* sur fond	*rouge* (l'inverse en 3)
9.	*blanc* sur fond	*vert* (l'inverse en 2)
10.	*blanc* sur fond	*noir* (l'inverse en 6)
11.	*rouge* sur fond	*jaune* (l'inverse en 11)
12.	*jaune* sur fond	*vert* (l'inverse en 12)

La lisibilité, l'audibilité, la « gustabilité », la « tactibilité » et l'« odorabilité » sont des outils efficaces pour autant qu'ils atteignent leur sens concerné avec acuité pour être sainement décodés.

Élément 23 : l'esthétique   **LE MATÉRIEL**

L'esthétique, c'est le beau médiatisé de l'écrit ajouté au dit.

Dans ce que vous projetez pour capter les divers sens, il vous faut soigner la beauté formelle pour raffiner l'échange : que les données soient élégantes, charmantes et délicieuses à capter. L'admiration aide à véhiculer des informations et rend favorable la communication.

Mettez les unités en ordre en visant à un essentiel arrangement. Selon Maccio Charles : « Une œuvre a atteint son harmonie quand on ne peut rien lui ajouter ou retirer sans détruire son unité et son équilibre, sans léser l'un quelconque des éléments du tout. »

Une apparence soignée dans la composition et dans la disposition vous aidera à modérer les éléments, à les projeter, de sorte que le superflu sera exclu au profit d'une simplicité qui mènera par la clarté à une plus saine compréhension.

Trouvez un point fort pour unifier et équilibrer vos surfaces disposées en forme balancée et schématisée.

Surveillez l'unité des formes que vous donnez à saisir et attachez de l'importance aux marges en disposant les blocs en espaces proportionnés et en assurant des pourtours fermés plutôt qu'échancrés ; laissez le vide au centre plutôt que sur les côtés : vous obtiendrez une meilleure solidité d'ensemble.

Disposez vos éléments pour qu'ils aient entre eux une dynamique interne au lieu de les faire éclater vers l'extérieur d'une manière débridée.

Le dépouillement évitera la confusion des données qui seront plus vite saisies dans leurs propriétés en ce qu'elles auront d'inclus ou d'exclu, d'associé ou de dissocié.

Plus compactes, plus fonctionnelles, plus indéfectibles seront transmises les informations qui seront plus faciles à percevoir, à comprendre et à retenir. Le moins mène au plus !

De vos unités visuelles, surveillez l'impact harmonieux du positionnement, de la taille, de la perspective, de la couleur, de la forme, de la trame. Pour une disposition artistique et forte qui rejoint un principe d'or, appliquez la règle des tiers. Divisez votre surface en trois, tant verticalement que horizontalement, et placez votre objet principal sur la jonction de deux lignes tierces, notamment pour les points de fuite, de corridors, de rues... Disposez vos éléments en masses de tiers : p. ex. $^2/_3$ terre, $^1/_3$ ciel ; $^2/_3$ ciel, $^1/_3$ terre...

Dans l'enjeu de vos diverses formes unifiées, sachez que les lignes :

- horizontales   évoquent la stabilité ;
- verticales   suggèrent la hauteur ;

- obliques   donnent une impression de chute
                    ou de montée ;
- courbes   indiquent la souplesse ;
- convergentes   mènent à un choc.

Pensez à jouer vos formes d'illustrations en disposition triangulaire, carrée, rectangulaire, pentagonale, circulaire, etc. N'abusez pas du plan de face ; travaillez davantage en angles, sinon en degrés...

Accordez-vous le plaisir de créer en pensant non seulement à l'œil, mais plus encore à l'esprit et aux sentiments qui se dégageront de l'ensemble. Mettez-y votre touche personnelle. Osez déployer votre style et votre rythme.

Élément 24 : la maniabilité

LE MATÉRIEL

La maniabilité, c'est la maîtrise des supports au bénéfice du dit.

Il faut avoir le pouvoir sur ses moyens d'expression : les avoir bien en tête et en main ! La dextérité est à ce point primordiale que les plus utiles éléments peuvent, par leur encombrement, gâcher toute votre communication. « Si vous avez besoin d'un matériel divers, affirme Denis Baril, prenez toutes les précautions nécessaires pour éviter des trous et pour ne pas rater la démonstration. » Il ne faudrait pas que vos aides vous nuisent !

Si vous utilisez des objets réels, assurez-vous que les sens les percevront aisément ; ne les faites circuler que dans un groupe restreint, sinon personne ne vous écoutera durant les manipulations.

Au tableau, pour celui qui écrirait de la main droite, placez-vous de sorte que votre auditoire vous voie à la droite du tableau ; ainsi, en écrivant le bras droit allongé, vous pourrez, sur votre gauche, regarder votre groupe fort aisément et constamment.

Évitez de parler en direction du tableau ; vous forceriez votre voix à ricocher sur une surface plus ou moins absorbante, avant qu'elle ne parvienne, en salle, amortie !

Si vous utilisez la projection de schémas ou de tableaux, à l'aide d'une courte baguette, travaillez de côté pour y indiquer les repères majeurs.

Ne noyez pas votre public dans des données multiples et complexes que vous projetteriez d'emblée.

Travaillez avec des caches que vous soulèverez au fur et à mesure de votre progression idéologique : vous ménagerez ainsi d'agréables suspenses.

Donnez-vous la peine de travailler surtout avec des négatifs pour permettre à la lumière de passer à travers les lettres, les chiffres, les tracés, seuls porteurs de sens.

Pensez à éteindre la lumière du projecteur avant de changer vos images. N'éblouissez pas les gens avec la lumière brillante du projecteur.

Si vous avez à projeter un ensemble complexe qu'il vous faudra par la suite détailler, n'hésitez pas à recourir à deux projecteurs : un pour le plan d'ensemble, l'autre pour l'exploitation parcellaire. Votre public appréciera votre pouvoir de tout relativiser.

Placez-vous entre les deux projecteurs : en ayant bien pris soin de vous éclairer par un faisceau lumineux directionnel.

Avec une diapositive en deux exemplaires, vous n'avez qu'à effectuer des marches avant du carrousel sans devoir revenir en marche arrière... et risquer de tout mêler !

Assurez-vous que tout est en place et fonctionne bien avant le début de votre exposé.

Ayez toujours une lampe de rechange ! Sinon, le noir de la salle pourrait vous causer un égal trou noir de mémoire... Vous vous en souviendriez longtemps !

Pour ce qui est de l'emploi de la bande vidéo et du film, n'en diffusez qu'un très bref extrait et commentez immédiatement, sinon chacun partira en ses rêves intérieurs : le public n'est pas très critique en visionnement. Pour la bande vidéo, utilisez un maxi-écran pour une meilleure vision ; tamisez l'éclairage en projection.

CONCLUSION

Sensationnelle	parce qu'elle étonne,
Sensée	parce qu'elle raisonne,
Sensible	parce qu'elle excite,
Sensitive	parce qu'elle influence,
Sensorielle	parce qu'elle impressionne,
Sensuelle	parce qu'elle flatte,

tels sont en soi les vocables que la *communication* s'attribue et qu'à l'expression *orale* vous devez de fait vous approprier pour parvenir à l'éloquence. Par la connaissance des données qui le constituent, l'art de dire s'apprend par une pratique constante.

En six paramètres (attitudes, pensées, non-verbal, sons, mots, matériel) et en leur quatre éléments spécifiques (1 à 24), voilà constitué le corpus de l'art de dire en ses données fondamentales à partir duquel vous pourrez travailler de manière structurelle. Les orateurs qui les maîtriseront réussiront : les autres stagneront ou décroîtront...

Partez de la grille de la page suivante pour évaluer l'ampleur de vos forces et de vos faiblesses.

De là, travaillez point par point à relever le niveau de l'ensemble, en attachant une importance aux paramètres et aux éléments de gauche à droite et de haut en bas de la grille d'évaluation.

Pour un perfectionnement de l'expression orale, vous disposez maintenant d'une balise réaliste, claire, tangible et mesurable, donc *évaluable*, de vos performances.

Ces réflexions sont le résultat d'un long cheminement intellectuel et professionnel en collaboration avec beaucoup d'auteurs qui ont écrit sur l'art oratoire. Je les ai mises à votre portée en cette originale variation polyphonique. Il ne vous reste qu'à en prendre note et, à votre rythme, à les appliquer à votre instrument oratoire, pour que, par vous, votre auditoire atteigne ces sommets touchants.

TABLEAU 8.2
Grille d'évaluation

Paramètres **LES ATTITUDES**	Éléments	1	2	3	4	5	6	7	8	9	10
	1. Empathie	☐	☐	☐	☐	☐	☐	☐	☐	☐	☐
	2. Confiance	☐	☐	☐	☐	☐	☐	☐	☐	☐	☐
	3. Authenticité	☐	☐	☐	☐	☐	☐	☐	☐	☐	☐
	4. Enthousiasme	☐	☐	☐	☐	☐	☐	☐	☐	☐	☐

LES PENSÉES

		1	2	3	4	5	6	7	8	9	10
	5. Intérêt	☐	☐	☐	☐	☐	☐	☐	☐	☐	☐
	6. Clarté	☐	☐	☐	☐	☐	☐	☐	☐	☐	☐
	7. Crédibilité	☐	☐	☐	☐	☐	☐	☐	☐	☐	☐
	8. Organisation	☐	☐	☐	☐	☐	☐	☐	☐	☐	☐

LE NON-VERBAL

		1	2	3	4	5	6	7	8	9	10
	9. Physionomie	☐	☐	☐	☐	☐	☐	☐	☐	☐	☐
	10. Gestuelle	☐	☐	☐	☐	☐	☐	☐	☐	☐	☐
	11. Parure	☐	☐	☐	☐	☐	☐	☐	☐	☐	☐
	12. Maintien	☐	☐	☐	☐	☐	☐	☐	☐	☐	☐

LES SONS

		1	2	3	4	5	6	7	8	9	10
	13. Registre	☐	☐	☐	☐	☐	☐	☐	☐	☐	☐
	14. Volume	☐	☐	☐	☐	☐	☐	☐	☐	☐	☐
	15. Articulation	☐	☐	☐	☐	☐	☐	☐	☐	☐	☐
	16. Vitesse	☐	☐	☐	☐	☐	☐	☐	☐	☐	☐

LES MOTS

		1	2	3	4	5	6	7	8	9	10
	17. Adaptation	☐	☐	☐	☐	☐	☐	☐	☐	☐	☐
	18. Évocation	☐	☐	☐	☐	☐	☐	☐	☐	☐	☐
	19. Transmission	☐	☐	☐	☐	☐	☐	☐	☐	☐	☐
	20. Harmonie	☐	☐	☐	☐	☐	☐	☐	☐	☐	☐

LE MATÉRIEL

		1	2	3	4	5	6	7	8	9	10
	21. Pertinence	☐	☐	☐	☐	☐	☐	☐	☐	☐	☐
	22. Perceptibilité	☐	☐	☐	☐	☐	☐	☐	☐	☐	☐
	23. Esthétique	☐	☐	☐	☐	☐	☐	☐	☐	☐	☐
	24. Maniabilité	☐	☐	☐	☐	☐	☐	☐	☐	☐	☐

À vous qui avez partagé nos connaissances, exercez désormais votre pouvoir afin d'exprimer vos pensées dans le but d'inspirer vos semblables.

Communiquer oralement, n'est-ce pas, dans un objectif déterminé (but), à un récepteur précis (à qui), grâce à l'action d'un émetteur particulier (de qui), exprimer des messages utiles ou plaisants (quoi), par des supports perceptibles (moyens : mots, sons, non-verbal et matériel).

En toutes circonstances qui vous seraient offertes, prenez la parole : mesurez vos gains et « prenez courage... vingt fois sur le métier, remettez votre ouvrage ; polissez-le sans cesse et le repolissez. Ajoutez quelquefois et souvent retranchez ». Ce conseil de Nicolas Boileau conviendra notamment à tous ceux qui auront la gorge sèche !

Permettez qu'en guise de synthèse et sous une forme mnémonique, nous vous représentons nos vingt-quatre prescriptions, intitulées les impératifs de la parole en public présentés adverbialement.

Les impératifs de la parole en public...

1. **Soucie-toi** de l'état d'être de celui à qui tu parles,
   si tu veux que ton message s'incruste **sûrement**.

2. **Aie confiance** en l'autre, en ton sujet et en toi-même,
   si tu veux atténuer le trac **substantiellement**.

3. **Certifie** de toute ta personne les propos que tu énonces,
   si tu veux que ton auditoire te croit **infailliblement**.

4. **Sois emporté** esprit et corps tout entier,
   si tu veux que ton public vibre **profondément**.

5. **Préoccupe-toi** des besoins de ceux qui t'entendent,
   si tu veux les intéresser **avantageusement**.

6. **Sache distinguer** ce qui constitue les êtres abordés,
   si tu veux prouver ton point de vue **exactement**.

7. **Argumente** de façon cohérente et conséquente,
   si tu veux que le récepteur chemine **logiquement**.

8. **Ordonne** l'expression de tes idées et de tes sentiments,
   si tu veux que l'auditoire te suive **plaisamment**.

9. **Anime** surtout la pupille de ton œil,
   si tu veux que les personnes te regardent **activement**.

10. **Déploie** tes bras et tes mains avec signification,
    si tu veux accrocher l'écoute **puissamment**.

11. **Présente-toi** en public revêtu avec élégance,
    si tu veux attirer les regards **bienveillamment**.

12. **Tiens-toi** avec assurance sans tension,
    si tu veux être accueilli **respectueusement**.

... présentés adverbialement

13. Varie les attaques de tes mots porteurs de sens,
si tu veux focaliser l'écoute **intentionnellement**.

14. Ose amplifier le son de ta voix non forcée,
si tu veux que l'auditeur te reçoive **confortablement**.

15. Efforce-toi d'articuler l'enjeu de tes consonnes,
si tu veux que les oreilles te captent **nettement**.

16. Surveille le débit de tes ensembles sonores,
si tu veux que les gens se concentrent **intellectuellement**.

17. Choisis les mots que tes récepteurs connaissent,
si tu veux qu'ils te saisissent **correctement**.

18. Stylise à bon escient tes pensées,
si tu veux ancrer tes perceptions **mémorablement**.

19. Recherche les mots appropriés qui véhiculent bien tes pensées,
si tu veux être compris **adéquatement**.

20. Respecte les normes de ta langue d'expression,
si tu veux plaire à tes auditeurs **grammaticalement**.

21. Exploite avec discernement tes appuis audiovisuels,
si tu veux que pénètre la connaissance **pertinemment**.

22. Contraste tes données médiatisées,
si tu veux que les sens les perçoivent **évidemment**.

23. Simplifie tes unités offertes avec un art certain,
si tu veux informer tes gens **gracieusement**.

24. Maîtrise la diversité de tes outils audiovisuels,
si tu veux renseigner ton public **adroitement**.

GYMNASTIQUE VOCALE

N.B.- Il faut prendre ces phrases au pied de la lettre... et non pour leur vérité intrinsèque !

EXERCICES POUR
LES VOYELLES

A   À moitié avachi sur l'agenouilloir de l'archiprêtre qu'il s'est approprié sans adjudication, dans cet abaissement sur cet appui ascensionnel en aggloméré, l'aristocrate annexioniste, Albert, à haute voix prie de façon abracadabrante pour l'agnostique Alain qui, dans son allocution allusive en Australie devant les astronauticiens abasourdis, voulait américaniser l'administration des anfractuosités inaccessibles des mers actuelles.

E / É / È   Après l'ébranchage empressé, l'ébauchage à l'échoppe de l'ébéniste ébouriffé, Éloi éblouit l'échevin éclectique écoeuré par l'éclatante et l'écrasante victoire de l'écrivaine édentée, Élyse, qui écume avec effroi face aux responsabilités électorales qui lui échoient dès son embauche imminente à l'échevinage en enclenchant chez elle, hélas ! une encéphalite énervante.

I / Y   Yves, l'insomniaque impulsif et irascible, est insatisfait parce qu'il est en maudit de l'intensification de l'indébrouillable médication infra-microbiologique que l'impétueuse Yvonne indifféremment lui fait ingurgiter sans interruption lui causant ipso facto une illusion au sujet de son idéal de vulnérabilité inattaquable.

O / OI   L'obèse Oscar, obstinément et occasionnellement par obscurantisme, obstrue l'oeil d'Ovide, l'oedémateux opéré, parce qu'il offense odieusement l'oiselière, Odette, aux ourlets opulents, qui ourdie ostensiblement à l'arrivée en outre de l'orang-outang orphelin qui horripile par son outrecuidance obsolescente.

U   À l'encontre des usages, devant les ultrachics urbanistes unijambistes, l'universitaire ulcéré Hugo, ultrasensible Ukrainien, usurpa de façon unilatérale le droit de parole et urbi et orbi renversa de manière utilitaire à l'aide de son ultramicroscope l'utopie unanimement et universellement admise de l'unicellulaire unisexué à l'univalve utilitaire.

EU   L'eunuque Eustache, l'eudiomètre à la main, crie eureka ! car, avec son eustache européen, il a tué deux eudémis euphoriques qui, sur les eucalyptus d'Eulalie, provoquaient en eux une euthanasie de type eurasien.

OU   Outrées, où vont les ouailles oubliées lorsqu'elles oient qu'un ouragan outrecuidant ourdit une oeuvre outrageante contre l'ouvrier outrancier mal outillé ?

B Sans **b**abouches, à **b**âbord sur le **b**ateau **b**leu, **B**arbara **b**abille en mangeant un **b**aba **b**lanc tout en **b**rassant avec une **b**aguette **b**rune le **b**abeurre qu'elle **b**âcle dans la **b**âche.

L'a**b**ominable **b**raconnier **b**ancal, **B**raban, **b**rade en **b**risant les **b**ranchies du **b**rochet qu'il **b**randit comme une **b**raque à **b**out de **b**ras **b**ranlants.

C Sans **c**ache-**c**orset et **c**ache-**c**ol, la **c**achottière **C**atherine **c**amoufle en **c**achette son **c**hâle de **c**achemire **c**rème **q**u'elle a **c**acheté dans un **c**offre en **c**achou **c**aractéristi**q**ue.

Sur la **c**rête, en **c**raquant, le **c**ratère **c**rache **c**urieusement une **c**réature **c**rasseuse qui **c**répit au **c**répuscule en **c**reusant une **c**revasse qui **c**roît **c**ruellement en en**c**roûtant les **c**rochets **c**rottés.

D Avec **d**édain, **D**idier **d**édale sans **d**édire **D**avid qui a **d**édoré la **d**édicace **d**édaignable sans rien **d**éfigurer du **d**émiurge **d**évêtu.

Dédé **d**éçu **d**éparle avec son **d**entier qui **d**épasse en **d**épit de son ardent **d**ésir de **d**épouiller son **d**ialecte **d**es **d**iphtongues **d**isgracieuses qui **d**éparent son **d**iscours **d**iscontinu.

F Fier à sa **f**açon, **F**rançois **f**it **f**i de ces **f**afiots que **F**rédéric, le **f**ier-à-bras, voulait **f**iévreusement partager **f**ifty-**f**ifty.

En **f**risant le ridicule, tout en **f**ulminant contre le **f**er à **f**riser en **f**er-blanc, **f**roidement, **F**lorence **f**roissa son **f**roc en **f**rissonnant.

G En **g**aillard **g**affeur, mains sur la **g**âchette, **G**aston **g**age de rage que sa **g**alère **g**albée est **g**agnante de plus **g**ros **g**abarit **g**éométrique.

En **G**uinée, le **g**risonnement du **g**ymnasiarque, **G**uy, dans le **g**rand **g**ymnase en **g**ypse, à sa **g**uise et de façon **g**uindée, fit sans **g**rommeler le **g**uignol **g**rotesque **g**rimpant à la **g**uillotine **g**aiement.

J En **j**abot de dentelle **j**aune, **J**acynthe **j**acasse **j**alousement dans sa **J**aguar **j**adis payée par le **j**oaillier **J**oseph qui **j**ouissait **j**udicieusement d'un **j**ardin **j**aponais **j**onché de **j**onquilles **j**ournellement.

En **j**onglant **j**oliment, **J**acques **j**oint **j**oues **j**ouflues et **j**ointures **j**umelées de **j**ustesse, sans **j**urons **j**uxtaposés.

K Le **k**aléidos**c**ope **k**aki du **k**amikaze **k**urde fut broyé par le **k**angourou courroucé sur le **k**aolin, près de la **c**abane où le **k**épi gît parmi une **k**yrielle de **k**laxons des **K**mers **k**idnappés.

Sur la pelli**c**ule **K**odak, le **c**ryptogramme du **k**aiser **c**leptomane révèle le **k**arma du führer en **k**imono, passé au **k**érosène alors **q**u'il **c**roquait un **k**iwi du **k**olkhoze et buvait un **c**oca-**c**ola **c**omme un **k**amikaze.

L   Le long labyrinthe des lagunes lustrées laisse entendre des lamentations langoureuses que des lanternes laquées lessivent largement de leurs lumières livides.

Le lyrisme de la lyre lutte contre le lugubre loustic loyaliste qui louvoie en louchant le lopin du littoral liséré de lys languissants.

M   Le magnanime Marc macule ses mains en maintenant maladroitement le macchabée du macabre macaque macéré par le malin majordome sur le malfamé macadam.

À la mirifique manufacture de mappemondes, Micheline, de mémoire, magnifiquement maquille la margoulette de la marionnette du marinier marseillais qui mastique un mauvais mégot marron.

P   Près du petit palmier de papier, l'épiderme du pachyderme empaillé, appartenant au paléographe Paul, pare le parc avec parcimonie et parfait l'approche pédagogique de la pathologie de la peau du sans poil.

Le pyromane, en pirogue avec son python pur sang et son putois pusillanime, promit aux pygmées à la peau pulpeuse un pugilat puissant au pied de la pyramide près d'un feu pétulant au panache paradisiaque.

Q   En quadriréacteur, le quadragénaire curé fait écarquiller les quelques yeux des Québécois qui se questionnent sur le quantum de la quête qui a de beaucoup décuplé depuis les quelques kermesses dirigées par ce quidam dans leur quartier cossu.

Quotidiennement, à la quasimodo, quatorze quatuors de qualité se sont qualifiés quantitativement sur le quai quadrillé pour le quatre-feuilles de quartz reçu sans queue-de-pie.

R   Le raboteur Raoul rabâche en la rabaissant Rosette, la racoleuse, qui rabroue radicalement le rachitique Rosaire pour la raillerie rajoutée rageusement.

De la route raboteuse, le ramasse-poussière ramène à rebord rapidement ce que le rouleau ramolli a rejeté à rebrousse-poil.

S   La saveur du sucre, sacrifiée à la sapide saccharine, sanctifie le sandwich du saucissonneur sans abri.

À satiété, la sauterelle saisonnière savoure le sébum séché du squelette de la salamandre sectionnée de sang-froid.

T   Talbot, tâche de taire ce sujet tabou qui tapisse ta tenture de tartufferies téméraires !

Sur ce tertre étroit, un tentacule tentateur traumatise de façon typique les trappistes trapus qui déterrent délicatement des tuyères turques toutes trouées.

V   En vacances vivifiantes, la vache vagabonde vaque voluptueusement en vagissant tout en se vautrant dans la végétation variée.

En vélocipède, Victor crie vengeance et veut éventrer le vorace serpent venu sans vergogne sous la véranda verser vulgairement son vicieux venin sur son vieux chien sans voix.

Z   Zoro, le zootechnicien zoolâtre, zigzague avec son zinzin dans le zoo, près de la zibeline semant la zizanie chez le zèbre zélateur qui zyeutait le zouave zélé dégustant un zakouski hors de la zone des zooms des zoologistes qui voulaient le zigouiller.

Zoolâtre Zaché, qui au zénith dégustez un zython salé, sachez que dans votre zeppelin qui zigzague au zéphir, jouer au zanzibar peut vous causer un zoomorphisme et zut ! vous métamorphoser en un zébu zébré du zodiaque du zinjanthrope.

CH   Tout chagrin, le chahuteur, Charles Chabot, chauve et sans chaussures, près de la chambranle de la chambrette chaulée, se chamaille sans cesse avec son chat chétif et chancelant qui chérit chaleureusement ses charmants charançons charnus.

ON   Fuyant préventivement un à un la rencontre angoissante des orangs-outangs
AN   brun foncé peu ragoûtants, Laurent Lebrun, orant pudiquement les mains
IN   jointes et tremblantes, se repent sincèrement d'avoir clandestinement
EN   entrepris maladroitement l'hannetonnage environnemental qui, par son
UN   vrombissement sensationnel, protégeait constamment l'encombrement du coin des singes et des guenons ombrageux contre les éléphants fanfarons et inopportuns qui depuis longtemps tentaient de fréquenter assidûment cet endroit enivrant.

RÉFÉRENCES BIBLIOGRAPHIQUES

AILES, Roger. *You Are the Message*, New York, Doubleday, 1989.

ANGYLE, Michael. *La psychologie des relations interpersonnelles*, Sherbrooke, Éditions Paulines, 1972.

ARISTOTE. *Rhétorique* (trad. Médéric Dufour), Paris, Les Belles Lettres, vol. 1, 2, 3, 1960.

ARISTOTE. *Topiques*, Paris, Les Belles Lettres (trad. Brunschwig), 1967.

BARIL, Denis et Jean GUILLET. *Techniques de l'expression écrite et orale*, Paris, Éditions Sirey, 1981.

BIRDWHISTELL, Roy L. *Introduction to Kinesics*, University of Louisville Press, 1952.

BOILEAU-DESPRÉAUX, Nicolas. *L'art poétique*, Paris, Larousse, 1972.

CARNEGIE, Dale. *Comment parler en public*, Paris, Hachette, 1972.

CAYROL, A. *Derrière la magie : la programmation neuro-linguistique*, Paris, Inter-Édition, 1984.

CHEVALIER, Jean et Alain GHEERBRANT. *Dictionnaire des symboles*, Paris, Robert Laffont, 1969.

CICÉRON, M.T. *De l'orateur* (trad. Courbeau), Paris, Les Belles Lettres, vol. 1,2,3, 1950.

CONDILLAC, Étienne Bonnot de, *Traité sur l'art de raisonner*, Paris, J. Urin, 1981.

DAVIS, Ivor K. *Instructional Technique*, New York, McGraw-Hill Book Company, 1981.

DENNEVILLE, Jean. *Réussir l'exposé oral*, Paris, Les éditions d'organisation, 1984.

DES GRANGES, Ch. M. *Pensées de Pascal*, Paris, Éditions Garnier Frères, 1964.

DIDEROT, Denis et Jean LE ROND D'ALEMBERT. *Encyclopédie ou dictionnaire raisonné des sciences, des arts et des métiers*, tome IX, 1765.

EMERSON, Waldo R. *L'âme anglaise* (trad. M. Lebreton), Paris, Éditions Montaigne,1934.

ERMIANE. « Connaître les gens grâce à leurs mimiques », *Carrière commerciale*, n°29, septembre 1979.

GOEBBELS, P.J. *Der Fuhrer als Redher*, Unser Wille and Weg, n° 9, avril 1939 (trad. anglaise par Houghton Mifflin Co., Boston).

GORDON, I. Thomas. *Effect of oral style on intelligibility of speech*, vol. XXIII, Michigan State University, Speech Monograph, 1956.

GREEN, Ronald E. « Communicating with Color », *Audio-visual Communication*, novembre 1978.

HITLER, Adolf. *Mein Kampf*, New York, Renal and Hichcock, 1939.

HORACE, Quintus. *L'art poétique*, Classical Literacy Criticism, 1965.

HULBERT, Jack E. « Barriers to Effective Listening », *The Bulletin*, juin 1989.

KAPFERER, Jean-Noël. *Les chemins de la persuasion*, Paris, Gauthier-Villars, 1978.

LANSON, Gustave. *Conseils sur l'art d'écrire*, Paris, Hachette, 1906.

LEIBNIZ, G.W. *L'entendement humain*, Presses universitaires de France, 1969.

LÉON, Pierre. *Introduction à la phonétique corrective*, Paris, Hachette-Larousse, 1975.

LERÈDE, Jean. *Suggérer pour apprendre*, Sainte-Foy, Presses de l'Université du Québec, 1980.

LONGHAYE, Georges. *Théories des belles lettres, L'âme et les choses dans la parole*, Paris, Pierre Téqui, 1900.

LUCAS, Stephen E. *The Art of Public Speaking*, New York, Random House, 1983.

MACCIO, Charles. *Pratique de l'expression*, Lyon, Chronique sociale de France, 1986.

MALLOY, John T. *Dress for Success*, New York, Warner, 1975.

MASLOW, Abraham, H. « A Theory of Human Motivation », *Motivation and Personality*, New York, Harper and Row, 1954.

MEHRABIAN, Albert. *Silent Messages*, California, Wadsworth, 1971.

MEHRABIAN, Albert. *Non-verbal Communication*, Chicago, Aldine-Atherton, 1972.

MERLYN, Cundiff. *Kinesics : The Power of Silent command*, New York, Parker Publishing Company Inc., 1972.

MILLER, G.A. « The Magical Number Seven », *Psychological Review*, vol.63, n° 2, 1956.

MILLERSON, Gerald. *The Technique of Television Production*, New York, Hasting House Pub., 1972.

MOHLER, Alfred. *Parler en public et négocier avec succès*, Paris, Éditions de l'organisation, 1979.

MOLIÈRE. *Les femmes savantes*, Paris, Borduas, 1984.

OSGOOD, Charles E. Suci, Georges J. TANNENBAUM et H. PERCY. *The Measurement of Meanings*, Illinois, University of Illinois Press, 1967.

PERELMAN, Chaïm et Lucie OLBECHTS-TYTECA. *Traité de l'argumentation*, Bruxelles, Éditions de l'Université de Bruxelles, 1988.

PFAUWADEL, Marie-Claude. *Respirer, parler, chanter... la voix, ses mystères, ses pouvoirs*, Paris, Le hameau éditeur, 1981.

RANDALL, Colin. *The Daily Telegraph*, Londres. Cité dans « Derrière la cravate », *Sélection du Reader's Digest*, août 1990.

RICHAUDEAU, François. « Les mots, les phrases et la mémoire », *Communication et langage*, n° 9, 1971.

RICHAUDEAU, François. *Recherches actuelles sur la lisibilité*, Paris, Retz, 1984.

RICHAUDEAU, F. « Dix-sept façons de communiquer », *Communication et langages*, vol. 22, 1974.

RIGAUX, Béda. *Pour une histoire de Jésus*, Paris, Desclée de Brouer, 1971.

RIGG, R.P. *L'audiovisuel au service de la formation*, Paris, Entreprise moderne d'édition, 1971.

SAUSSEZ, Thierry. « L'incompréhension du discours », *Le Monde*, 8 septembre 1984.

SELYE, Hans. *Stress sans détresse*, Montréal, Éditions La Presse, 1974.

SHAKESPEARE, William. *Othello* (trad. Jean Vauthier), Paris, Gallimard, 1980.

SUBERVILLE, Jean. *Théorie de l'art et des gestes littéraire*, Paris, Les éditions de l'école, 1959.

TWAIN, Mark. *Mark Twain's Speeches*, New York, Harper and Brothers, 1923.

VANOYE, Francis. *Expression-Communication*, Paris, Armand Colin, 1973.

VEREST, Jules. *Manuel de littérature*, Bruxelles, Édition universelle (S.A.), 1932.

VERMETTE, Jacques. *Les éléments d'une communication orale pour donner un cours magistral et pour prendre la parole en public efficacement*, thèse de maîtrise, Québec, Université Laval, 1986.

WASTON, Peter. « What People Usually Fear », *The Sunday Times*, 7 octobre 1973.

WILLMINGTON, Clay S. « Oral Communication for a Carreer in Business », *The Bulletin*, juin 1989.

WOLFE, Tom. *Le bûcher des vanités*, Paris, Messinger, 1988.

XEROX. *Communicate Effectively with Slides*, U.S.A., Xerox Corporation, 1983.

ZUNIN, Léonard et Nathalie. « Les quatre premières minutes d'une rencontre », *Contact*, Montréal, Éditions de l'Homme, 1975.

TABLE DES MATIÈRES